# Das Dogma vom Kreuz

## Beitrag zu einer staurozentrischen Theologie

von

## Lic. theol. Bernhard Steffen

Crux Christi unica est eruditio verborum
dei, theologia sincerissima.
Luther, Op. in Psalm 6, 11

Gütersloh
Druck und Verlag von C. Bertelsmann
1920

# D. Martin Kähler

✝

zum Gedächtnis

## Corrigenda.

S. 14, Zeile 3, statt: f. S. 14 lies: f. S. 12.
S. 26, Zeile 1 und 6 von unten sind in Anführungsstriche zu setzen.
S. 39, Zeile 10 „wie" ist zu streichen.
S. 41, Zeile 5 statt: erklärt lies: verklärt.
S. 58, Zeile 8 von unten, statt: wie ihr Objekt lies: nie ihr Objekt.
S. 107, Zeile 10 statt: der stirbt lies: er stirbt.

# Vorwort.

Was hiermit als Ergebnis zehnjähriger Studien der Öffentlichkeit übergeben wird, ist Stückwerk im Vergleich mit der Größe des behandelten Gegenstandes. Aber der Verfasser glaubt aussprechen zu dürfen, daß darin zugleich ein Stück gottgegebener Wahrheit liegt, die aus Gottes Wort und aus den Bekenntnisschriften der Kirche geschöpft worden ist. Besondere Untersuchungen über „das Bekenntnis zum Kreuz" und „die Gewißheit des Kreuzes", welche als Vorarbeiten zu dieser Arbeit unternommen wurden, sollen später unter günstigeren Verhältnissen veröffentlicht werden. Daß diese umfangreiche Schrift unter den gegenwärtigen schwierigen Umständen hat erscheinen können, ist dem besonderen Entgegenkommen des Verlages zu danken.

Die hier gegebenen Ausführungen wollen an ihrem kleinen Teil mithelfen, daß unsere evangelische Kirche in der verworrenen Lage der Gegenwart ihre Klarheit, Einheit und Siegesgewißheit festhält. — Der systematische Versuch im dritten Hauptteil macht nicht den Anspruch eines vollständigen und fertigen Systems, sondern will nur an den Hauptpunkten der Dogmatik den Beweis erbringen, wie sehr sich das von Gott gegebene Kreuz als Zentrum des dogmatischen Denkens fruchtbar machen ließe. Der Umkreis um dies Zentrum ließe sich noch bedeutend erweitern. Aber allerdings ist den behandelten Problemen durch das Kreuz Maß und Ziel gesetzt. Alle Fragen rein intellektueller Art sind grundsätzlich ausgeschaltet. Denn der Weg des Kreuzes ist nicht der des Intellekts, sondern er ist der Weg der lebendigen Anschauung. Je mehr das Denken auf eigene Wege verzichtet und sich auf das von Gott gegebene konkrete Objekt konzentriert, desto besser kommt es zu seinem eigenen Ziel. Wenn dabei immer derselbe Grundgedanke ausgesprochen wird, so geschieht es, weil auch Gott immer derselbe bleibt. Wir wollen lieber unter Gottes Kreuz einseitig werden, als ohne sein Kreuz vielseitig sein.

Die hier vertretene Anschauung ist aus den Resultaten meiner Schrift: „Hofmanns und Ritschls Lehren über die Heilsbedeutung des Todes Jesu" (Gütersloh 1910, Beiträge zur Förderung christlicher Theologie XIV, 5) hervorgegangen, für deren freundliche, zur Weiterarbeit ermutigende Besprechung im Theologischen Literaturbericht (Gütersloh 1911, Juliheft, S. 205 f.) ich dem Rezensenten D. Cremer-Rehme besonders danke. Er stellt das Systematische ganz in den Vordergrund, während die meisten anderen Kritiker bei den historischen Ergebnissen stehen geblieben sind. In der vorliegenden Arbeit ist nun das Systematische, dessen Verständnis und Handhabung ich meinem Lehrer D. Lütgert-Halle verdanke, zum alleinigen Inhalt gemacht. Auch die gegebenen historischen Übersichten wollen nur diesem Zwecke dienen. Es handelt sich darum, in der Versöhnungslehre einen systematischen Hauptgedanken, welcher nicht von dem Verfasser stammt, sondern die reife Frucht der theologie-geschichtlichen Entwicklung ist, zur konsequenten Durchführung zu bringen, und dabei auf dem von Kähler gewiesenen Wege dankbar fortzuschreiten.

Ein weiterer Dank noch über's Grab hinaus sei an dieser Stelle unserem soeben heimgerufenen pommerschen Generalsuperintendenten D. Büchsel, dem treuen Förderer meines theologischen Werdens, dargebracht. — Neben mancherlei theologischen Konferenzen daheim und draußen, deren Kampfgenossen ich hiermit grüße, habe ich auch dem Konvent meiner Körliner Synode zu danken, welchem der erste Entwurf meiner Arbeit vorlag, und welcher mit seiner brüderlichen Kritik zur Klärung und Ergänzung meiner Anschauungen wesentlich beigetragen hat.[1]

Klaptow bei Kolberg, Passionszeit 1920.

Steffen.

---

[1] Auch der „Dorfkirche" (Herausgeber v. Lüpke) verdanke ich mancherlei wertvolle Fingerzeige und verweise auf die Artikel: „Schuldgefühl" von P. Encke (August 1918, XI, Heft 11—12, S. 287 ff.); „Luthers Kleiner Katechismus und das niedersächsische Bauerntum" von Studiendirektor Fleisch-Lockum (1919, XII); „Die Behandlung der Gnade im dörflichen Unterricht" von D. Risch (Oktober 1918, XII, vgl. besonders S. 7—10: die Gnade ist nicht Straflosigkeit, sondern Wiederaufnahme in das Kindesverhältnis).

# Inhalt.

(Die Zahlen geben die Seiten an.)

# Aus der neuesten Geschichte des Dogmas.

## Einleitung.

Das Dogma vom Kreuz ist für viele ein toter Begriff oder eine hemmende Last. Was einst zu einer „Erlösung für viele" geschehen ist, wird fortgesetzt zum Anstoß und Ärgernis. Die Forderung: Los vom Kreuz! verbindet sich mit der anderen: Los vom Dogma überhaupt! Wechselnde Schlagworte treten an die Stelle des Dogmas und bringen Erregung und Verwirrung in die ungeklärte Gedankenwelt. Nicht, daß wir zu viel Dogma haben, sondern, daß wir zu wenig lebendiges Dogma haben, ist unser Unglück. Allein das Kreuz als Inbegriff des Dogmas und als Quellpunkt des Lebens ist die Rettung unsrer Lage. Wenn wir diesen Rettungsweg nicht gehen und es nicht fertig bekommen, uns alle ohne Unterschied der Richtungen und Parteien auf dies Zentrum unsres Glaubens zu besinnen, dann wird der innere Gegensatz zwischen uferlosem Subjektivismus und starrem Objektivismus unsere Kirche mehr zerbrechen, als alle äußere Feindschaft.

Die Dogmatik ist über diesen verhängnisvollen Gegensatz längst hinaus. Sie hat bereits seit einem Jahrhundert an seiner Überwindung gearbeitet. Aber sie hat sich in der Kirche nicht durchzusetzen vermocht. Oft noch gilt auf der einen Seite die Verfechtung des Objektiven als rückständige und tote Orthodoxie und auf der andern Seite jede Betonung der subjektiven Bedürfnisse als ein Rütteln an den Grundmauern der Kirche. In Wahrheit aber ist das biblisch verstandene Dogma vom Kreuz die vollkommene Vereinigung des Objektiv-Göttlichen mit dem Subjektiv-Menschlichen. Das ist das Ergebnis der Dogmatik des 19. Jahrhunderts, das immer noch nicht in gebührender Weise zur Geltung gekommen ist.

Die gegenwärtige Situation wird von Alfred Seeberg[1]) treffend, wie folgt, gekennzeichnet:

„Daß die Lehre der Dogmatiker des 17. Jahrhunderts nicht genügt, ist wenigstens in der Theorie allgemein anerkannt, aber bis jetzt haben die mannigfaltigen Versuche der neueren Theologie einen bestimmenden Einfluß auf die praktische Verkündigung des Evangeliums nicht zu erlangen vermocht. . . . So verkehrt die Theorie Anselms und der alten Dogmatiker mit ihrer Formulierung der satisfactio vicaria war, so wenig entspricht die neuerdings durch Ritschl (s. schon Schleiermacher) aufgebrachte Aufnahme des abälardischen Typus der Versöhnungslehre der urchristlichen Verkündigung. Der Apostel sah in dem Kreuz Christi den Kern seiner Predigt und daher seiner Theologie."

Eine in diesem Sinne des Paulus „staurozentrische" Theologie, welche die unveräußerliche objektive Grundwahrheit des alten Dogmas mit den subjektiven Bedürfnissen der Gegenwart erfolgreich vereinigt hat, ist die Theologie Martin Kählers. Auf sie weisen wir in diesem Zusammenhang mit Nachdruck hin.

---

[1]) Der Tod Christi in seiner Bedeutung für die Erlösung. Eine biblisch-theologische Untersuchung. Leipzig 1895. S. III u. IV.

# I. Kählers Lehre vom Kreuz.

## 1. Positive Darstellung.

Kähler hat seine Versöhnungslehre dargestellt in der großen Schrift: Zur Lehre von der Versöhnung[1]) und in dem kleinen Heft: Die Versöhnung durch Christum in ihrer Bedeutung für das christliche Glauben und Leben.[2]) In seiner Dogmatik ist dazu zu vergleichen II, 2, Hauptstück 2: Die Versöhnung der Welt mit Gott in Christo.[3]) Ein Referat über Kählers Versöhnungslehre ist von seinem Schüler Otto Zänker[4]) in feinsinniger Weise und in den durch die „Nähe und Breite des Gesichtsfeldes" gewiesenen Grenzen gegeben worden. Im Anschluß an Kählers eigenes Wort, daß „das Dogma von der Versöhnung der tragende Grund aller andern Dogmen ist",[5]) weist Zänker bei Kähler „die Versöhnungslehre als Zentralpunkt des Glaubens" auf (S. 38 ff.).

Kählers Versöhnungslehre läßt sich am besten charakterisieren, indem man das Objekt der Versöhnung ins Auge faßt. Wer wird versöhnt? Die alte Lehre antwortete in katholischem Sinn: Gott wird versöhnt. Die moderne Theologie antwortet in subjektivem Sinn: das menschliche Bewußtsein wird versöhnt. Kähler antwortet in biblischem Sinn: die Welt wird versöhnt. So vereinigt Kähler auf Grund der Schrift den objektiven Charakter der alten Lehre mit dem subjektiven Interesse der Gegenwart. Die Welt schließt das mensch= liche Subjekt ein, ist aber zugleich etwas Objektives, das über dem

---

[1]) Dogmat. Zeitfragen II, Leipzig 1898, im folgenden zitiert als „Versöhnung".
[2]) Erläuterung zu Thesen vor christlichen Männern und Frauen. 2. Auflage. Leipzig 1907.
[3]) Die Wissenschaft der christlichen Lehre von dem evangelischen Grundartikel aus im Abrisse dargestellt. 3. Auflage. Leipzig 1905. S. 343—380.
[4]) Grundlinien der Theologie Martin Kählers. Beitr. z. Förd. chr. Theol. Gütersloh 1914, 5.
[5]) Versöhnung S. 41.

subjektiven Bewußtsein liegt und dieses mit bestimmt. Ist die Welt
versöhnt, dann ist der einzelne versöhnt, noch ehe seine subjektiven
Funktionen in Tätigkeit treten. Der Wert der objektiven Versöhnung
wird nicht nach subjektivem Ermessen bestimmt, sondern die subjektiven
Funktionen werden durch die objektive Versöhnung bestimmt. Was
ist denn nun die Versöhnung? Nach der alten Lehre ist die Versöhnung ein Vorgang in Gott, nach der modernen Theologie ein
Vorgang im Menschen, nach Kähler ist sie ein Vorgang in der Weltgeschichte. So wird die geschichtliche Tatsache das Entscheidende, die
Theologie wird Tatsachentheologie. Dadurch unterscheidet sie sich von
der modernen Bewußtseinstheologie ebenso, wie von der alten Speku-
lationstheologie, die sich mit transzendenten, innergöttlichen Vorgängen
befaßt. Die immanente geschichtliche Tatsache allein ist so die Vermittlung für das transzendente „Übergeschichtliche“. Das geschichtliche
Faktum des Todes Jesu ist die übergeschichtliche Sühne für die Sünde
der Welt.

Was ist der Tod Jesu? „Unsre Kirche hat geantwortet: Die
Strafe für unsre Sünde. Gegen eine ebenso gewandte wie zähe
Anfechtung dieses Glaubenssatzes hat sie sich kaum minder zäh gewehrt und den Begriff noch festgehalten, auch wenn er bis zu dem
eines Strafexempels abgeschwächt wurde.“ [1]

Unter Ablehnung des Strafexempels definiert Kähler: „Strafe
nennt man ein Verfahren zur Behauptung einer Ordnung im Leben
von Personen“. [2] Die Anwendung dieses Strafbegriffs auf das Werk
Christi ergibt die These:

„Die Versöhnung ist vornehmlich durch das stellvertretende Strafopfer Christi am Kreuze vollzogen worden.“ [3]

Im Alten Bunde gab es entweder Sühne oder Strafe. Im voll-
endenden Gegenbild des neuen Bundesopfers ist beides vereinigt.
Jesu sühnendes Strafleiden besteht in der Erleidung des Todes als
der Sünde Sold, als von Gott geordneter Folge der Sünde. [4] Als
einzelner für sich hat Jesus allerdings keine Strafe gelitten. Er hat
sie vielmehr in der Art erlitten, daß er sich vor Gott mit der sündigen
Menschenwelt identifiziert. [5] So wird er unser Vertreter.

[1] Kähler, Versöhnung. S. 388.
[2] l. c. S. 393.
[3] Thesen zur Versöhnung. S. 30.
[4] Versöhnung S. 391 ff., S. 404 ff.
[5] Thesen zur Versöhnung. S. 31 f.

„Es gibt in der Menschheit allzeit gewachsene, das will sagen: geborene, von Gott gegebene, und auch persönlich gewordene, durch ihre Lebensarbeit dazu gebildete Vertreter mit Pflicht und Recht zur Vertretung in sehr verschiedenen Beziehungen ... Hat es nun je gewachsenes und erworbenes Recht, wie gleichermaßen Pflicht zur Vertretung gegeben, so hat es im umfassendsten Maße Jesu für das Verhältnis der Menschheit zu Gott geeignet. ...

Allein diese geschichtlich=sittliche Stellung ergäbe doch nur den einzelnen religiösen Mustermenschen mit einer Nachwirkung in der Gestalt einer positiven Religion. Die Bibel sieht in ihm mehr. Sie erkennt in ihm die wirksame persönliche Zusammenfassung der Menschheit, die Neubegründung ihrer Einheit und hat die Zuversicht dazu, weil sie aus seiner Herrnstellung seine Einheit mit dem Mittler der Schöpfung erkennt. Es geht hier alles nach der Ordnung der Menschenwelt zu. In ihr aber gilt und wirkt nichts, was nicht ge= schichtlich vermittelt ist und sich weiter geschichtlich vermittelt, und niemand, der die ihm zugewiesene Stellung sich nicht persönlich (sitt= lich) erworben hat. Aber er selbst, das wichtigste Rüstzeug Gottes, ist auch Gottes Gabe an die Menschheit, und an der von Gott ge= gebenen Voraussetzung bemißt sich die Wirkung nach Umfang und Art. Geht die Nachwirkung Christi nicht in die geschichtliche Nach= wirkung auf, ist sein Geist nicht das Ergebnis von Predigt und Ge= meindeleben, sondern ihr Urheber, dann schließt der Glaube der Seinen mit gutem Grunde darauf, daß er nicht ein höchst begabtes mensch= liches Individuum, sondern der war, in welchem das Wort bei Gott, das Gott ist, Fleisch geworden ist! Nicht um seiner Leistung eine Zugabe unendlichen Wertes in der göttlichen Arithmetik einzutragen, gehört seine Gottheit in das Verständnis seines Sühntodes, wohl aber um ahnend zu verstehen, wie sein sittlich berufsmäßiges Handeln von dem Bewußtsein getragen und geleitet sein konnte, für die Menschheit und in ihr für jeden einzelnen zu handeln." [1]

Durch diese umfassende Vertreterstellung Christi bekommt die Strafe des Unschuldigen, der die Schuldigen vertritt, ihr gutes Recht. „Es ist das Geheimnis seiner Liebe, daß er unsere Schuld nicht bloß einsah, sondern ihr Elend miterlebte. Es ist die Kälte unseres selb= stischen Wesens, welche sich über fremder Schuld zufrieden die Hände wäscht. So konnte er bei seinem Sterben in der Verlassenheit von

---

[1] Versöhnung S. 389 f.

seinem Gotte, der sonst allezeit mit ihm war, völlig und eigentlich er=
fahren, von Gott zur Sünde gemacht zu sein, behandelt zu werden,
als wäre er die Sünde, die Gott abstößt, während er den
Sünder sucht."[1]

Durch „dieses Tragen des Zornes oder der Strafe...
gelangt die heilige Liebe zum Ziel" mit den Sündern. „In ihrer
Fortwirkung von dem Haupt auf die Glieder bringt sie die willige
Scheidung von der Sünde hervor. Und so leuchtet es ein, wie die
Strafe Gottes in ihrer strengen Vergeltung zugleich die erziehende
Kraft in sich birgt, um die Sünder mit Gottes Ordnung in Einklang
zu bringen."[2]

Es bleibt also „wie die Väter bekannten; denn allein das
Strafopfer des Sohnes Gottes verbürgt dem Sünder die
Unwandelbarkeit der vergebenden Gnade.... Ist die
Heiligkeit in ihrer Verurteilung unwandelbar, dann ist sie gewiß
auch unwandelbar in ihrer Begnadigung, denn sie schließt jene Ver=
urteilung eben in sich; wer sich als Gottloser gilt, eben der darf sich
ja im Glauben der Rechtfertigung getrösten. So wird das böse Ge=
wissen, bestätigt durch das göttliche Wort, zum Prediger der Heils=
gewißheit".[3]

„Die bürgende Vertretung muß einen Ersatz der für den Sünder
unmöglichen Schuldabstattung leisten; aber nicht einen Ersatz, der
die Hingabe des eignen Willens an Gott überflüssig, sondern
einen solchen, der sie möglich macht; nicht einen Ersatz, durch
welchen der Sünder der Bindung an Gottes Willen ledig, sondern
einen solchen, durch welchen er zur Aneignung dieses Willens und
mithin zur persönlichen Bindung an ihn befähigt und veranlaßt
wird. Es muß ein Ersatz sein, in dessen Beschaffung ihm dieser Wille
Gottes überwindend und gewinnend entgegenkommt. Also nicht ein
Ersatz, der, weil er an Gott geleistet ist, uns von dem Verhältnis
zu Gott entbindet; vielmehr ein Ersatz, den Gott selbst für uns
um unsertwillen und in Berechnung auf unsre Wirklichkeit beschafft,
damit wir vermögen, für die Dauer in das Verhältnis zu ihm ein=
zutreten."[4]

[1] Thesen zur Versöhnung S. 32.
[2] l. c. S. 33.
[3] Thesen zur Versöhnung S. 50. 51 f.
[4] Wissenschaft § 428, S. 369; vgl. Versöhnung, S. 412.

„Allerdings hat die Betonung des eignen Glaubens weder die Reformatoren noch die alten Dogmatiker je dazu verleitet, das geschichtliche Werk und die geschichtlichen Vermittlungen zu übersehen oder auch nur zu unterschätzen. Es ist indes eine einseitige Auffassung dieses Verhältnisses, wenn man bloß die Bedeutung des Versöhnungswerkes für jeden einzelnen anerkennt; denn in ihm ist die Versöhnung der Welt mit Gott vollzogen und dergestalt die universale, positive Religion begründet."[1]

---

[1] Thesen S. 37.

## 2. Die Kritik an Kähler.

Dieser großartige, weltumspannende Entwurf Kählers erfüllt an den entscheidenden Punkten die von Schaeder aufgestellten Forderungen einer theozentrischen Theologie.[1] Was Schaeder will: Die Befreiung der Theologie aus dem alten anthropozentrisch-soteriologischen Schema, die Erweiterung des theologischen Gesichtskreises über das ganze Gebiet von Natur, Geschichte und Menschheitserfahrung hin, das wird tatsächlich erreicht, wenn man in Verfolgung der Kählerschen Gedanken das Kreuz in den Mittelpunkt stellt. Die von Schaeder hervorgehobenen Hemmungen durch die Natur, die den Geist „an den Ketten des Natürlichen rütteln" lassen (S. 187), sind nirgends in der Welt so restlos überwunden, wie im Bewußtsein des Christus, der jeden Tag und jede Tat von Gott empfängt im Hinblick auf die Nacht, da er nicht mehr wirken kann. Nirgends in der Welt sind die „Tatbestände des geschichtlichen Menschheitsprozesses, welche sich verdunkelnd vor Gott schieben" in ihrem „gottwidrigen Sündentreiben" (S. 234 f.) so schonungslos aufgedeckt und so sieghaft bekämpft, wie am Kreuz Jesu Christi. Nirgends im Leben Jesu kommen die von Schaeder S. 264 ff. aufgestellten christologischen Aussagen so überzeugend zur Offenbarung, wie am Kreuz. Dort triumphiert der Gottesgeist über den Menschenleib. Dort hängt der Jesus, „der mit Gott persönlich-lebensvoll in gleichem Lebens- oder Geistesbesitz verbunden ist, der aber dabei, weil er diesen Besitz immer durch Gott hat, an ihm hängt, ihm untergeben ist." „Dieser Jesus Christus der Schrift begründet an seinem Teile eine theozentrische Theologie; d. h. eine, die von Gott als dem, der ein anderer ist als Jesus Christus und über ihm steht, ausgeht, diesen Gott dann an Jesus bestätigt findet, zugleich aber in diesem Jesus um seiner Zugehörigkeit zu Gott willen das findet, was sie sonst nirgends findet, die Liebe des majestätisch-heiligen Gottes, mit der er sich an uns, die Kreatur, die ihm widerstrebt und ihn gegen sich hat, zur vollen, von Schuld und Gottgeschiedenheit erlösenden, versöhnenden Gemeinschaft hingibt" (S. 267).

---

[1] II, Systematischer Teil, Leipzig 1914.

Somit ergibt sich: die theozentrische Theologie führt notwendiger=
weise zu einer staurozentrischen Theologie!

Diese Konsequenz wird aber von Schaeder nicht deutlich heraus=
gestellt. Schaeder führt zwar die These durch, daß Gottesoffenbarung
immer auch Gottesverhüllung ist. In stufenweisem Fortschritt wird
dies an der Offenbarung in der Natur, in der Geschichte und endlich
abschließend in Jesus Christus nachgewiesen. Der Glaube hat die
Kraft, entgegenstehende Beobachtungen, Hemmungen, Absurditäten,
σκάνδαλα zu überwinden, und bewährt sich gerade darin als rin=
gender und trauender Glaube.[1]) Dieser These ist in weitgehendem
Maße zuzustimmen. Ihre Anwendung auf Jesu Leiden und Sterben
ergibt das Ärgernis des Kreuzes, in welchem der Machtcharakter der
göttlichen Liebe durch menschliche Machtlosigkeit verhüllt ist. So weist
das Kreuz rückwärts auf die Machterweisungen im Leben Jesu und
vorwärts auf die Machterweisung der Auferstehung mit ihrer not=
wendigen Konsequenz: der einstigen Parusie. Indem der Glaube
„das ‚Nochnicht‘ der christlichen Jetztzeit versteht, indem ihm die Ge=
wißheit der endgültigen Erscheinung Jesu Christi in der vollen Macht=
herrlichkeit des Versöhners aufgeht, wird er mit jener inneren
Hemmung restlos fertig".[2])

Diese Ausführungen Schaeders bedürfen aber einer Ergänzung.
Sonst laufen sie darauf hinaus, daß das Kreuz lediglich Verhüllung
Gottes und ein Anstoß ist, der beseitigt werden muß. Das würde
der zentralen Bedeutung des Kreuzes durchaus widersprechen, und es
würde an Stelle des Kreuzes das Gesetz in den Mittelpunkt treten.
Der Gott, der seine absolute Herren=Majestät durchsetzt, ist der Gott
des Gesetzes. Das Gesetz ist der „uneingeschränkte Gottesbeweis"
(S. 217), und die unter dem Gesetz stehende „Menschensünde ein
Gottesbeleg" (S. 226). In diesem Zusammenhange wird der Christo=
zentrismus konsequent abgelehnt (S. 231 ff.). Aber es wird immer
betont, daß die ganze Erörterung vom Gesichtspunkt des Glaubens
oder des Glaubenden aus vorgenommen ist (vgl. S. 217. 226 u. a.).
Worauf gründet sich dieser Glaube? Wie überwindet er die un=
geheuren σκάνδαλα, die Schaeder selbst als „das handgreifliche
Widerspiel" der Gottesherrschaft anführt (S. 227)? Schaeder denkt
sich diese Überwindung in der Art, daß „gegenwärtiger Gottesgeist

---

[1]) II, S. 185 ff. 234 ff. 281 ff.
[2]) S. 283—285.

der uns heute bindet", zusammentritt mit „seiner Äußerung, die einst erklang . . . im Bußwort der Propheten" und im „alttestamentlichen Gesetz als geschichtlichem Tatsachenbeleg für Gott" (S. 220. 219). Dem so verstandenen Gesetz gegenüber sind die Propheten sogar „sämtlich Epigonen" (S. 219). Ja, es muß nach Schaeder gesagt werden: „Daß wir überhaupt nur mit Hilfe des alttestamentlichen Gesetzes in seiner absoluten Haltung . . . zu einer wirklichen, vollen Gottesgewißheit oder Majestätsgewißheit Gottes kommen" (S. 218). Wie hängt aber dieser Geist des Gesetzes mit dem oben zitierten „gegenwärtigen Gottesgeist" zusammen? Warum nennt Schaeder hier nicht das Kreuz als Bindeglied? Ohne das Kreuz könnte man aus dem Gesetz ebensogut einen Unheilsglauben begründen. Die unter das Gesetz fallenden Gerichte sind oft so furchtbar, ihre Verteilung auf Schuldige und Unschuldige sieht oft so willkürlich und ungerecht aus, daß das Gesetz eher ein Werkzeug des Satans, als des gerechten Gottes zu sein scheint. Wenn Gottes Gerichte statt dessen nach Schaeder sogar „Erfahrungsstützen für den Glauben" (S. 221) sein sollen, dann ist das eine so ungeheure Zumutung, daß dieser Glaube einer noch viel stärkeren Stütze bedarf. Diese Stütze finden wir allein im Kreuz. Dem auf das Kreuz gestützten Glauben wird tatsächlich das Gesetz zum Mittel der Majestätsgewißheit Gottes. Im Rätsel und σκάνδαλον des Kreuzes gehen alle anderen σκάνδαλα unter; ist jenes überwunden, so sind auch diese überwunden. Allerdings gilt dies nicht von der alten Auffassung des Kreuzes. Ihr gegenüber kann Schaeder mit Recht den Vorwurf „soteriologischer Verdrehung der Gottes= und Glaubenswirklichkeit" (S. 236) machen.

In diesen Vorwurf darf aber die Kählersche Theologie nicht einbezogen werden. Das zeigt auch der Verlauf, den die literarische Auseinandersetzung zwischen Schaeder und Kähler genommen hat. Trotz seiner Anerkennung des normalen Charakters der Kählerschen Theologie muß Schaeder Kähler in der Hauptsache widersprechen. Was er an der Theologie Kählers auszusetzen hat, hat er I, S. 100[1]), wie folgt, zusammengefaßt: „Die durchschlagende Betrachtung Gottes und Christi unter dem Gesichtspunkte des gnädigen „Für uns", eröffnet, konsequent durchgeführt und konsequent praktisch behandelt die Gefahr einer egozentrischen oder anthropozentrischen Theologie". Dieser Vorwurf richtet sich gegen den Herzpunkt der Kählerschen

---

[1]) I, Geschichtlicher Teil, Leipzig 1909. Wörtlich ebenso in der 2. Auflage 1916, S. 99.

Theologie. Hätte Kähler ihm nachgeben wollen, dann hätte er sein ganzes System des rechtfertigenden Glaubens aufgeben müssen. Statt dessen hat er mit einem Anflug von Ironie den Vorwurf einfach zurückgewiesen,[1]) und Schaeder hat darauf erwidert, daß es sich bei Kählers Antwort um ein offenbares Versehen und um eine verkehrte Beleuchtung seiner Ausführungen handle (II, S. 38). Wie ist es möglich, daß zwei Theologen, die sich prinzipiell so nahe stehen, wie Schaeder selbst es I, S. 90 hervorgehoben hat, sich gerade in der Prinzipienfrage so wenig haben verständigen können? Der Grund dafür liegt darin, daß Schaeder in der Durchführung seiner berechtigten Forderung zu weit gegangen ist, wie er ja auch in dem Vorwort zu seinem 2. Teile zugibt (S. V). Auf Kählers Theologie angewendet, bedeutet dies, daß zwischen Schaeders Theozentrismus und Kählers angeblichem Anthropozentrismus kein so großer Unterschied besteht, wie Schaeder meint. Wenn Schaeder mit seiner Betonung der gött= lichen Herrenmajestät weder die Willkür der heidnischen Gottheiten, noch die Starrheit des alttestamentlichen Herrengottes, sondern das Wesen des neutestamentlichen Vatergottes herausstellen will, dann muß er notwendig das soteriologische Moment von vornherein in den Gottesbegriff mit aufnehmen. Das Schaedersche „Für Gott" und das Kählersche „Für uns" berühren sich, und der Berührungspunkt ist nichts anderes als das Kreuz. Am Kreuze fordert und nimmt Gott alles für sich und gibt doch zugleich alles für uns.[2]) Das kommt bei Schaeder nicht so deutlich zum Ausdruck, wie bei Kähler. Zwar spricht er es II, S. 42 aus, daß „Jesus Christus sich in ganzer Bewegung seiner Liebe oder Gnade für die schuldgebundene, ver= söhnungsbedürftige Welt" will, und daß „dieses Für uns in seinem Leben in einheitlicher, durchdringender Stärke ausgeprägt" wird. Zwar will er der ausschlaggebenden Bedeutung Christi im Bereich der Offenbarung und des Offenbarungsglaubens in keiner Weise entgegentreten, sondern nur das vorliegende Sachverhältnis sehen, wie es ist (S. 38). Aber das Kreuz tritt bei ihm so sehr zurück, daß von ihm gerade das Sachverhältnis zwischen dem Glauben an

---

[1]) Das Kreuz Grund und Maß für die Christologie. Gütersloh 1911. (Bei= träge 3. Förd. christl. Theol. XV, 1), S. 5 ff.

[2]) Der Nachweis, daß das Kreuz tatsächlich der Berührungspunkt des „Für Gott" und des „Für uns" ist, bildet die Hauptfrage dieser ganzen Schrift. Sie kommt weiter unten in der Auseinandersetzung zwischen Kähler und Häring zur vollständigen Lösung.

Chriſtus und dem Glauben an Gottes Herren-Majeſtät im unklaren gelaſſen wird. Ganz klar iſt dagegen Kählers Verteidigung. Mag er auch in der Parallele zwiſchen Schaeder und dem Kieler Cramer zu weit gegangen ſein, ſo muß man ihm doch vollſtändig recht geben, wenn er verſichert, daß ſein bibliſcher Anthropozentrismus nur die Kehrſeite ſeines Theozentrismus ſei. Der Gott der Geſchichte, der in den Jahrmillionen der Naturentwicklung ein „Fremdkörper" iſt, kann nur in ſeinen der Menſchheit geſteckten Zielen als wahrer Gott offenbar werden. „Seines Lebens Odem iſt die Menſchenliebe, und ihr Triumph iſt das Kreuz." — „Den Glauben weckt der Kruzifixus nur, wenn er zum Transparent des unſichtbaren Gottes wird." Der Chriſtozentrismus iſt nur da auf falſche Bahnen geraten, wo er vom Kreuze abgeirrt iſt. Er hat ſich am Kreuz „zu richten, zu ſichten, zu vertiefen, zu bewähren. Ohne Kreuz keine Chriſtologie, und in der Chriſtologie auch kein Zug, der nicht im Kreuze ſeine Berechtigung aufzuzeigen hätte". Damit wird jeglicher Spekulation gewehrt und der Glaube lediglich an die geſchichtliche Selbſtdarbietung Gottes ge= wieſen. „Daß der am Kreuze Hängende als Mittler der Schöpfung und beſtimmter Richter des Erdkreiſes die Geſchicke der Menſchheit umſpannt, das macht das Kreuz zur Mitte der Wege Gottes mit uns Menſchen." In den Zuſammenhang der Weltgeſchichte „will das Kreuz geſtellt ſein, damit es ſich als die Angel erweiſt, um die ſie ſchwingt. Funkelt das Kreuz im Herzen, dann wirft es auch die Strahlen des Verſtändniſſes über den Gang der Welt." Im Blick auf Golgatha „öffnen ſich die Abgründe des Erbarmens, und aus den Tiefen der Gottheit wird es kund: von Ewigkeit her Gott für uns! Wer mag wider uns ſein?"

Somit ergibt ſich: das Kreuz iſt der gottgegebene Mittelpunkt und zugleich der Einigungspunkt für die Theologie, die Chriſtologie und die Anthropologie. „Crux sola nostra theologia."[1] Die theo= zentriſche Theologie wird nur dann der Ausdruck des ganzen Evan= geliums ſein, wenn ſie zugleich ſtaurozentriſche Theologie iſt. Hat die chriſtliche Theologie einſt unter dem Kreuz das Leben empfangen, muß es auch möglich ſein, vom Zentrum des Kreuzes aus den ganzen Umkreis ihres Lebensgebietes zu beſtrahlen und dadurch das Wort deſſen, der dieſer Theologie das Leben gab, zu bewahrheiten: οὐ γὰρ ἔκρινά τι εἰδέναι ἐν ὑμῖν, εἰ μὴ Ἰησοῦν Χριστόν, καὶ τοῦτον ἐσταυρωμένον (1. Kor. 2, 2).

[1] l. c. S. 74. 45. 13. 71. 12 f. 73. 13.

Wie wenig berechtigt Schaeders Vorwurf des Anthropozentrismus gerade bei Kähler ist, wird noch besonders deutlich durch die Tat=sache, daß man Kähler von anderer Seite den entgegengesetzten Vor=wurf macht, seine Theologie sei zu theozentrisch. In seiner Schrift „Zur Versöhnungslehre"[1] hat **Häring** neben mehrfacher Zustimmung folgende Bedenken gegen Kähler ausgesprochen: „Ich zweifle, ob ein biblischer Beweis — auch in K.s Sinn, der durchaus gleichfalls nur jenen prinzipiellen Schriftbeweis für solche Theologumena gelten lassen will, möglich ist. Mir scheint eben der Kreuzesruf, so energisch ich mich auch jeder Entleerung desselben widersetzen möchte, sein volles Recht nicht nur bei K.s Ausführung zu finden. Ebenso das Paulinische: zur Sünde gemacht. K.s Wunsch, nichts von der Realität des Gerichts zu verlieren, legt ihm Ausdrücke wie Abstoßung nahe, indes ich dabei Annäherung an das Sittlich=Unmögliche besorge und ein nicht ungefährliches Sichanlehnen an den Sprach=gebrauch der Alten, trotzdem die Begriffswelt eine andere ist."

Häring genügt nicht der „offenbarende Stellvertreter" des Kähler=schen Systems, sondern er will mit der Überordnung der Offenbarung über die Vertretung rückhaltlos Ernst machen. Eine Vertretung als Ersatzleistung, die nur für Gott und nicht für die Menschen Wert hat, lehnt er ab. Er „kann im christlichen Gottesbegriff keinen Grund finden, daß etwas geschehen müsse in bezug auf Gott, was nicht auf uns Bezug hätte."

. . . „Nicht ausdrücklich und oft genug kann man der nie be=gründeten Vorliebe für den seltsamen Gedanken widersprechen, daß überhaupt etwas vor Gott Wertvolles geschehen müsse, ganz ohne Rücksicht auf uns. . . . Vielleicht ist in der Tat Stellvertretung, ja „Sühne" nötig. . . . Aber daß diese Leistung, dies Geschehnis, diese wertvolle Tat ohne irgendwelche erkennbare Beziehung auf uns Menschen auch nur einen Augenblick, auch nur in abstracto soll gedacht werden können, ist doch wohl ein un=verständliches Theologumenon ohne Heimatrecht in einer evangelischen Glaubenslehre."[2]

Hier kommt also bei Häring gerade das evangelische Bewußtsein im Gegensatz zu katholisierendem Einwirkenwollen auf Gott zum kraft=vollen Ausdruck. Aber es ist eben die Frage, ob dieser Gegensatz nicht vielleicht überspannt ist. Auf Kähler kann er wenigstens insofern

---

[1] 2. Auflage. Göttingen 1893. S. 93 ff. 65 f.
[2] l. c. S. 65 f.

nicht angewandt werden, als dieser, allem Katholisieren abgeneigt, die
evangelische Rechtfertigungslehre zur Grundlage und zum fortlaufenden
Kriterium seines Systems macht und es (s. S. 14) ausdrücklich aus=
gesprochen hat, daß bei ihm Theozentrismus und Anthropozentrismus
die beiden Seiten derselben Sache sind. Kommt dagegen bei Häring
nicht vielmehr eine Bevorzugung der menschlichen Seite und eine Ver=
kürzung der göttlichen, wenn auch nicht der Absicht, so doch dem Effekt
nach, heraus? Kann man so schlechthin von menschlichen Begriffen
aus feststellen, was Gott für sich beanspruchen kann und was nicht?

Kähler[1]) selbst sagt über Häring: „Mit dem Verfasser verbindet
mich die Grundrichtung auf die biblische Heilslehre; unter verschiedener
Ausdrucksweise und Betonung kommen wir auch im einzelnen viel=
fach überein oder einander nahe, wenn auch das gesamte Verfahren
ein sehr verschiedenes ist.“ Kähler weist weiter nach, daß Häring
mit seinem Begriff der glaubenwirkenden Offenbarung die fides
specialis meint, und fügt hinzu: „Die fides specialis gewinnt nur
der Gekreuzigte den Menschen ab. Wenn also nur da Offenbarung
ist, wo rechtfertigender Glaube als Wurzel festen Gottvertrauens,
dann ist freilich Offenbarung inhaltlich bestimmt; es heißt Wirksam=
keit der sündersuchenden Gnade. Wo aber ist die Berechtigung in
der Bibel und in der Geschichte der Theologie, den Begriff der Offen=
barung so einzuschränken?“ — „Indem Häring die Offenbarung
daran als solche erkennen will, daß sie Glauben wecke, scheint er
gerade diese überwältigende Wirkung auf das Bewußtsein als das
Eigentliche der Offenbarung anzusehn. — Was ist nun die Offen=
barung? Das überlieferte Bild Christi und das Zeugnis von ihm?
Oder ein darüber hinausgehendes Etwas, was meinen Glauben an
Christum hervorruft und mir jene Vermittlungen erst zu offenbarenden
macht? Gilt das letzte, so darf das Wort des Evangelii nicht mehr
eigentlich Offenbarung sein und heißen. Offenbarung ist dann, was
das Neue Testament Wirkung oder Zeugnis des Geistes heißt. Dann
stellt sich eine Gefahr ein. — Der innere Vorgang erscheint so sehr
verselbständigt, daß man ihm einen Bewußtseinsinhalt unabhängig
von dem Worte zutraut. Dann ist man beim Enthusiasmus. — Die
lutherische Dogmatik konnte doch vor diesem subjektivistischen Abwege
warnen.“ — „Unser Leben geht ebensowenig wie die Geschichte in
Bewußtseinsvorgänge auf.“ Hierin hat Kähler die Schriftwahrheit
für sich.

---

[1]) Versöhnung S. 349, A. 3; 354, A. 3; 359, A. 1; 361, A. 3.

Andrerseits wiederum muß zugegeben werden, daß Häring den Finger auf eine wunde Stelle des Kählerschen Stellvertretungsbegriffs legt. Innerhalb der echt biblischen, von Jesus und Paulus bezeugten inklusiven „Vertretung" steht die aus der alten Dogmatik übernommene exklusive Strafstellvertretung wie etwas Fremdes. Der Gekreuzigte vertritt die Welt vor Gott, damit die Welt in ihm und durch ihn vor Gott bestehen kann. Er ist das Haupt, das seine Glieder nach sich zieht. Wir vermögen sein Werk „nicht nachzumachen, wohl aber anzueignen." Seinem allseitig bewährten „mit Gott einhelligem Wollen zuzustimmen und sich von ihm bestimmen zu lassen", das ist der Bekehrungssinn.[1]) In diese „inklusive" Stellvertretung, die uns mit Jesus ganz zusammenschließt, wird eine exklusive Strafstellvertretung hineingearbeitet. Die durch Christi Strafopfer geleistete Sühne ist der Art, daß sie die Gültigkeit der göttlichen Schuldforderung besiegelt, „zugleich aber jede fernere Eintreibung außer Frage stellt."[2]) Indem Jesus den Tod als Folge der Menschheitssünde erleidet, wird „das Todesurteil über die Menschenwelt gefällt", zugleich aber die Vollmacht Jesu wirksam, „alle Sündenfolgen für die Glaubenden zu beseitigen."[3]) Das ist darum möglich, weil Gottes Gericht sich an Jesus erschöpft. Denn: „Die Überlieferung Christi an das Leiden bis zum Tode ist rückhaltlose Preisgabe an den auf der Menschheit lastenden Fluch, sein Dulden ist indes nicht nur ein Ringen mit geschichtlich waltenden Mächten, sondern darin wird die Vollstreckung des göttlichen Zornes erfahren. Dieser Vorgang hat zugleich im vollsten Sinne die Bedeutung der Strafe (326), weil er das Mittel zur zweckentsprechenden Wiederherstellung des Gesamtlebens wird; denn das Gericht erschöpft sich an der Kraft des Glaubens Jesu, und sein Sieg wird in seiner Auferweckung zur Erhöhung kund, die ihn als Begründer der neuen Menschheit ausweist."[4]) Also ist die „Abstoßung", die Jesus in der Gottverlassenheit erfährt, keine Verstoßung, sondern vielmehr die Offenbarung, „daß der Fluch in keiner Gestalt den glaubenden Gottesmenschen von Gott scheiden kann."[5]) Die Erfahrung des Fluches gilt exklusiv Christo, die Überwindung des Fluches gilt inklusiv uns. Dieser doppelte Sinn der Stellvertretung läßt sich nicht aufrechterhalten. Wenn, wie Kähler sagt, die in Jesu Tod offenbarte Gottesordnung „vom Haupt auf die

---

[1]) Wissenschaft § 427, S. 369. — [2]) Wissenschaft § 427, S. 368.
[3]) l. c. § 417, S. 361. — [4]) l. c. § 414, S. 359.
[5]) Wissenschaft § 416, S. 360.

Glieder" fortwirkt und die Strafe Gottes „erziehende Kraft" für die Sünder in sich birgt, dann ist die Konsequenz, daß auch die Straf= stellvertretung inklusiven Sinn hat. Nach der Definition von Kählers „Wissenschaft" ist „Strafe die Folge einer Handlung, in welcher der durch sie vollzogene Bruch einer Ordnung sich i h r e m U r h e b e r selbst zum Nachteile wendet."[1] Diesen seinen eigenen Strafbegriff hebt Kähler auf, indem er in der Sühne die Strafe von dem schul= digen Urheber weg auf den unschuldigen Jesus abwälzt. Die Folge ist, daß innerhalb der speziellen Versöhnungslehre ein anderer, wesentlich abgeschwächter Strafbegriff Anwendung findet, nach welchem, wie wir oben sahen, nur die verletzte Ordnung, o h n e Rücksicht auf den Ur= heber, aufrechterhalten wird.

Hier setzt die Kritik ein, die **Kirn** (Realenz. Bd. 20, S. 572 ff.)[2] an Kähler geübt hat. Er sagt: „Die Anwendung des letzten Be= griffs (sc. Strafe) auf Christi Leiden ermöglicht aber doch nur eine sehr w e i t e Definition desselben: „S t r a f e ist ein Verfahren zur Behauptung einer Ordnung im Leben von Personen" (Dogm. Zeit= fragen II, 393). Nimmt man den vollständigen Begriff der Strafe zum Maßstab, wonach sie d i e D u r c h s e t z u n g d e r A u t o r i t ä t d e s G e s e t z e s a n d e r P e r s o n d e s S c h u l d i g e n ist, so würde der Heilswert des Todes Jesu zutreffender durch den Begriff der S ü h n e bezeichnet, dem Kähler selbst eine zentrale Stellung zuweist" (Wissensch. d. chr. L. 3. A. § 411—31 bes. § 428). Der alte Strafbegriff ver= mochte die Wiederherstellung der sittlichen Weltordnung nicht zu erreichen, „er vermag es noch weniger in der abgeschwächten Gestalt, auf die sich die Neueren meist zurückziehen". V e r m i e d e m a n a b e r d e n B e g r i f f d e r S t r a f e g a n z , so bliebe der Anstoß, daß der Schuldlose die Anerkennung leistet, die nur für den Schuldigen einen Sinn hat. Soll aber wirklich, wie Kählers erste Definition sagt, und wie es nach Kirns richtigem Einwand dem allgemeinen Sprachgebrauch

---

[1] § 326, S. 292. — [2] Zu Kirns Position ist noch zu vergleichen sein Vortrag „Die Versöhnung durch Christus" 1902, (S. 23 ff. über Kähler und die inklusive H e i l s b ü r g s c h a f t ) und die Kritik, die Daxer=Preßburg an Kirns verbessertem Ritschlianismus übt („Das Kreuz Christi", Lichterfelde 1916. Bibl. Zeit= und Streitfragen X, 8, S. 25 ff. 28. 37 ff.). Daxer selbst vertritt die objektive Ver= söhnungslehre: „Nur wenn die Genugtuung für unsere Sünden auf nichts in uns begründet ist, von nichts in uns abhängt, wenn der Grund unserer Sünden= vergebung ganz und gar außer uns, in Christo und in seinem Kreuzestod liegt, kann unser Gewissen zur Ruhe kommen" (S. 38). Diesem Satze ist durchaus zu= zustimmen. (G e g e n Kirns bloße „Bewußtseins=Objektivität", l. c. S. 26.)

entspricht, die Strafe sich auf den Urheber des Unrechts zurückwenden, dann bleibt für die Versöhnungslehre keine andere Möglichkeit als die, daß in Christi Leiden unsere eigene Sünde als der wahre Urheber gestraft wird.

Damit kommt auch der Einwand zur Erledigung, den Martin Schulze[1]) vom Standpunkte eines konsequenten Ethizismus aus gegen Kähler erhebt: „Das Gesetz fordert die Bestrafung des Schuldigen und weiß von keiner Stellvertretung in dieser Beziehung. Ebensowenig kann vom ethischen Standpunkt aus davon die Rede sein, daß die Schuld und alles, was aus ihr folgt, von einem auf den andern übertragen wird. Sie ist etwas ganz Persönliches, geradeso wie ihr Gegenteil (S. 138). Man hat sich „die Versöhnung der Menschen mit Gott nach der Analogie der sittlichen Verzeihung zu denken, wie es auch der Verkündigung Jesu entspricht, die Gewährung derselben ist allerdings an die Bedingung geknüpft, daß auf der andern Seite die Erkenntnis und Empfindung des begangenen Unrechts vorhanden ist. Zu dem Ende muß mit der Offenbarung der Liebe Gottes gegenüber der Sünderwelt die Verurteilung der Sünde Hand in Hand gehen. Aber diese ist nicht in einem an Jesus, speziell in seinem Tode, vollzogenen göttlichen Strafgericht zu finden (er könnte es nicht als solches empfunden haben, da bei ihm die Voraussetzung dafür fehlte, das Schuldbewußtsein), sondern vielmehr in der richtenden Macht, welche von seiner ganzen Erscheinung auf alle ausgeht, die sie auf sich wirken lassen (S. 139). Eine solche Macht übt er aus durch den heiligen Ernst, mit dem er von der Sünde überführt und unter ihr leidet. Er, der selbst nichts von ihr weiß, verfolgt sie teilnehmend bis in ihre tiefsten Wurzeln, um die Menschen von ihr zu lösen. Die Erkenntnis ihres Unwertes . . . . wird aber vollends geweckt durch den Eindruck seines Todes" (S. 139). Die sühnende Bedeutung des Kreuzes ist diese: „Es schafft . . . . ein tiefes nnd lebendiges Schuldgefühl", wie überhaupt das stellvertretende Leiden des Gerechten. „Dieser persönliche Eindruck und das reuevolle Bekenntnis aus ihm heraus ist etwas anderes, als eine theologische Doktrin, welche von Gott aus und um seinetwillen die Notwendigkeit eines stellvertretenden Straf= oder Gerichtsleidens deduziert. . . ." „So ist die Versöhnung und das Gericht, durch welches sie hindurchführt, nicht ein objektives, einmaliges Faktum, das wir zu glauben,

---

[1]) Grundriß der evangelischen Dogmatik, Leipzig 1918.

Steffen, Das Dogma vom Kreuz.

2

sondern ein fortgehendes Werk Christi bezw. Gottes in und durch Christus, das wir zu erleben haben." Doch soll dies nicht eine „Beiseiteschiebung der geschichtlichen Erscheinung und Wirkung Christi" sein, sondern über das Subjektive hinaus wird an dem „um Christi willen" festgehalten (S. 140 f.). In diesem Sinne kann von Genugtuung des Sterbens Christi gesprochen werden, nicht wie in der Kirchenlehre, in der Richtung auf Gott, sondern in der Richtung auf die Menschen. „Man kann die Genugtuung auch als Befriedigung unseres Gewissensernstes durch Christi Heilswirken deuten. Um seinetwillen wird bis in die Gegenwart von manchen (z. B. Kähler) etwas dem Strafleiden der Kirchenlehre Entsprechendes gefordert. Aber jenem Gewissensernst wird vollständig genug getan durch die niederbeugende und sittlich umwandelnde Wirkung der Gnadenoffenbarung Gottes in Christus." (S. 141 Anmerkung.)

Die Kritik an Kähler, auf die es hiermit hinauskommt, ist durch unsere obige Lehrentwicklung ins Unrecht gesetzt. Wir haben nachgewiesen, daß das „Für Gott" die beste Voraussetzung des „Für uns" ist. Schulze stimmt mit Kähler darin überein, daß der niederbeugende Gewissensernst erhalten bleiben muß. Aber er gibt nicht, wie Kähler, die Garantie dafür, daß er wirklich erhalten bleibt. Andererseits enthalten die oben angeführten Sätze über die geschichtliche Heilstat Christi zugleich eine Ablehnung und eine Annahme derselben, also einen Widerspruch. Nur die volle Bejahung der objektiven Tatsache des Kreuzes in Kählerschem Sinne sichert die von Schulze geforderten subjektiven Wirkungen.

Wohin es aber führt, wenn man diese subjektiven Frömmigkeitswerte von der objektiven Grundlage der Kreuzestatsache ganz loslöst, zeigt das Beispiel Niebergalls. Seine ganze Position ist in ihrer Polemik gegen die Tatsachentheologie eine indirekte Kritik an Kähler, die zur völligen Klärung der theologischen Situation besonders wertvoll ist.

Nach Niebergall [1] handelt es sich „um den Ersatz der dramatisch-mythologisierenden durch die geschichtlich-psychologische Betrachtung", und für ihn spielt „die Erlösungstheorie eine sehr geringe Rolle in der ganz auf Praktisches gerichteten Predigt." [2] Des Paulus Sühnetheorie ist nicht mehr anwendbar. Sie ist einst durch die Polemik gegen die Judaisten und durch das Missionsinteresse geschaffen.

---

[1] Die paulinische Erlösungslehre im Konfirmandenunterricht und in der Predigt. Ein Beitrag zur „praktischen Dogmatik". 2. Auflage. Tübingen 1910.
[2] l. c. S. 155.

Aber für Pauli eigene Person „behauptet das ethische Interesse den ersten Platz."[1] Luther hat aus falscher Pietät gegen das paulinische Schriftwort „völlig verkannt, daß die erlösende Wirkung der Taufe bloß von Erwachsenen gelten kann, aber nicht von Säuglingen. Darum wird das, was bei Paulus mystisch war, bei Luther magisch."[2] Das Gleichnis vom verlorenen Sohn und die Sühnetheorie „stimmen nicht miteinander überein".[3] Das Resultat ist: „Jedenfalls scheint die ganze Entwicklung nicht mehr aufzuhalten, die die Vergebung von dem Kreuz trennt und dem lebendigen Jesus zuschreibt, dafür aber das Bild des Kreuzes zum wichtigsten Hebel der Befreiung von der Sünde macht."[4] Trotzdem muß Niebergall schließlich zugeben: „Es ist doch wirklich recht schade, daß wir uns in der Predigt dieser alten kraftvollen Ausdrücke entschlagen müssen, mit denen alte Zeiten die ganze Erlösung dargestellt haben. Es sollte dies unser Ziel sein, daß wir unsere Gemeinden langsam wieder an die b i l d l i c h e Fassung dieser Worte gewöhnen. Wie ja doch überhaupt die Bilderrede die eigentlich religiöse ist, so entspricht die herkömmliche Weise, von der Erlösung zu reden, völlig der ganzen Wucht der Vorgänge, um die es sich handelt."[5] Wir freuen uns dieser Wertung, die Niebergall der Versöhnungslehre zuteil werden läßt, und wir wollen ebenso wie er, die Fehler des alten Dogmas überwinden. Aber wir begnügen uns nicht mit modernen Ideenbildern. Wir wollen Realitäten, festen Boden unter den Füßen haben. Darum nehmen wir die Schriftworte von der Erlösung und Versöhnung wirklich, wie sie gemeint sind, nicht „bildlich". Aber wir befreien sie zugleich von dem Panzer der alten Dogmatik, so daß sie mit dem Wort Jesu, auch dem vom ver= lorenen Sohn, nicht in Widerspruch stehen (s. Schriftbeweis). Wir stellen sie mitten ins Leben, mitten ins eigene Denken, Fühlen und Wollen hinein. Bei unsrer Auffassung der Versöhnungslehre ist es unmöglich, daß der Prediger sie einfach reproduziert, wie es auch unmöglich ist, daß der Hörer, wie Niebergall von der alten Lehre behauptet, ihr Fehlen gar nicht merkt. Je mehr der Prediger eine lebendige Persönlichkeit ist, desto mehr wird er in dieser Lehre leben, desto mehr wird sie ihm zu schaffen machen, desto mehr wird er in ihre Tiefen dringen. Den ganzen Reichtum der Passionsgeschichte, ja der ganzen Bibel überhaupt kann er in ihr entfalten, ordnen, ins rechte Licht rücken. Die unersetzliche Kraft des eigenen, selbsterrungenen

---

[1] l. c. S. 19 ff. — [2] l. c. S. 83. — [3] l. c. S. 85.
[4] l. c. S. 88. — [5] l. c. S. 156.

2*

Gedankens wird seine Predigt durchleuchten, und wo sein Denken vor unergründlichen Rätseln stille stehen will, wird es nicht mit Gewalt weiter gedrängt, sondern zur Anbetung des Unbegreiflichen ermuntert. Zugleich aber wird das Unbegreifliche ihm um so mehr begreiflich werden, je mehr er in der Nachfolge Jesu fortschreitet, je mehr er selber Jesu Taufe annimmt und seinen Kelch trinkt (Mark. 10, 38 f.). So wird, wie bei Niebergall, der Schwerpunkt vom Denken in den Willen verlegt, von der Theorie in die Praxis; aber das Kreuz wird zu einem wirklichen Lebensinhalt, untrennbar verbunden mit dem lebendigen Christus.

Auch darin stimmen wir mit Niebergall überein, wenn wir sagen: Das psychologische Verfahren ist ein unentbehrliches Mittel zum Zweck, durch seine Vernachlässigung hat der alte Dogmatismus großen Schaden in der Volksseele angerichtet. Aber wir fügen hinzu: vielleicht noch größer ist der Schaden, wenn das Psychologisch-Subjektive zum Selbstzweck erhoben wird; wenn die Menschen, statt mit Gott in Berührung gebracht zu werden, nur mit sich selbst in Berührung gebracht werden sollen. So erfrischend es auf der einen Seite ist, die subjektiven Seelen-Funktionen anzuregen, so verzweifelt kann es andererseits sein! Man kann dadurch in der Seelsorge erst recht zu der Überzeugung kommen, daß alles vergeblich und die wirksame Beeinflussung der Menschen eine völlig aussichtslose Sache ist. Die anfänglichen Erfolge der modernen psychologischen Theologie sind nur möglich als die notwendige Reaktion gegen das alte, unpsychologische Verfahren. Aber der Optimismus hat auf diesem Gebiet einen um so schmerzlicheren Pessimismus im Gefolge, sobald man wirklich in die Tiefe dringt. Demgegenüber hatte der alte Dogmatismus den ungeheuren Vorzug, daß er vom Subjektiven völlig unabhängig war. Er vermochte es, den Menschen vor den objektiven Gott zu stellen und in dessen autoritativem Auftrag Glauben zu fordern. Daß er darin in seiner Weise auch Erfolg gehabt hat, bestreitet auch Niebergall nicht. Dagegen wird der Anfangserfolg des psychologischen Verfahrens in Frage gestellt, sobald es sich darum handelt, eine Autorität geltend zu machen. Wenn man den subjektiven Funktionen die ausschlaggebende Bedeutung zuerkennt, gibt es keine Möglichkeit, sie zu beherrschen, geschweige denn, sie von Grund aus umzuwandeln. Den Leidenschaften wird damit freier Spielraum gewährt. Gott kann dann nicht mehr der Herr des Personlebens sein; er wird zum Spielball von Laune und Willkür.

Statt dessen stellen wir, wie die alte Dogmatik, Gottes absolute Autorität in den Mittelpunkt, indem wir das Kreuz in den Mittelpunkt der Theologie und Anthropologie stellen. Aber wir tun das in einer Weise, die das psychologische Verfahren nicht aus-, sondern einschließt. Wir geben der Seele Jesu einen entscheidenden Anteil an der Versöhnung, und wir decken im Verhalten der Menschen gegen ihn die Tiefen der Menschenseele auf. Dabei fällt es uns nicht ein, die Seele Jesu zu unserm Gott zu machen. Ebensowenig vermag man in Jesu Kreuz eine Heilstat der Menschheit zu sehen. Es wäre absurd zu behaupten, die Menschheit habe, indem sie ihren Heiland von sich stieß, sich selbst das Heil geschafft. Vielmehr hat sie damit sich selbst das Urteil gesprochen, und die Heilstat ist ganz und gar Gottes Tat. Aber diese Gottestat geht nicht über die Köpfe der Menschen hinweg, sondern sie umspannt die Menschheit samt allen ihren psychologischen Funktionen. Weil das Kreuz in der Welt aufgerichtet ist, ist es auch in der Menschenseele aufgerichtet. Die Menschenseele hat nur die Freiheit, das königliche Recht des persönlichen Geistes auszuüben: sie darf die Gottestat selbst annehmen, und sie kann sie selbst ablehnen. Diese Freiheit mit ihrer unendlichen Verantwortung herauszuarbeiten und den Menschenseelen unermüdlich einzuschärfen, ist die größte psychologische Aufgabe, die überhaupt gestellt werden kann. Gott selbst hat sie gestellt und damit der Entfaltung des menschlichen Seelenlebens den weitesten Spielraum gelassen, ohne jedoch damit das Heil aus seinen Händen zu geben.

Niebergalls Feststellungen, die sich hauptsächlich an Holtzmann anschließen, haben den großen Wert, daß sie die vorliegende Situation klar zum Ausdruck bringen. Sie vermeiden die modernen Harmonisierungskünste und sprechen es offen aus, daß die Einheit der Schrift auseinandergerissen werden muß. Sie bestätigen aber auch unsere These, daß durch die alte exklusive Stellvertretungslehre die Schrift gleichfalls auseinandergerissen und ein unvereinbarer Gegensatz zwischen dem lebendigen Herrn und dem toten Kruzifixus geschaffen wird. Beide Extreme werden durch den wahrhaft biblischen, inklusiven Stellvertretungsbegriff überwunden, und die Einheit des Schriftzeugnisses vom Kreuz bleibt erhalten, wenn man mit Kähler die Versöhnung Gottes ablehnt und die Versöhnung der Welt in den Mittelpunkt stellt.

## II. Andere Bearbeitungen der Lehre vom Kreuz in ihrer Beziehung zur Kählerschen Theologie und insbesondere zur „inklusiven Stellvertretung".

---

Die subjektiven Wirkungen des Kreuzes werden nun aber auch von solchen Theologen zur Geltung gebracht, die mit Kähler in der Bejahung der objektiven Sühnetat Christi eins sind. An erster Stelle ist hier Bachmann[1]) zu nennen. Er sagt: Alle „Gewissenswerte, die in der Gestalt Jesu enthalten sind", erreichen in seinem Sühnetode „ihre Zusammenfassung und volle Tiefe".[2]) Denn „das Kreuz ist das Wahrzeichen der Heilandschaft Christi". „Die Überzeugung von der persönlichen Würde Christi kann gar nicht anders als den Tod Christi von allem sonstigen Sterben absondern und ihn in die Höhe eines wirklichen Heilandstodes erheben."[3]) Christi Sühnetod allein gibt uns die Fähigkeit, uns „dem verdammenden Urteil des Gewissens vollkommen zu unterwerfen" und doch „die Lebensführung in voller Scheidung von der Sünde zu vollziehen" (These V und VI).

So betont Bachmann die volle objektive Heilstatsache im Sinne Kählers und zugleich auch die für Kähler so wichtigen Gewissenswerte. Aber stärker als Kähler arbeitet er es heraus, daß einerseits das geschichtlich Objektive nicht „als Last für die fromme Persönlichkeit und ihre Subjektivität zu empfinden" sei,[4]) andrerseits „das Dogma eine leere Größe ist, wenn es nicht mit Höhen und Tiefen der Frömmigkeit in unmittelbarem und wechselweisem Zusammenhang steht."[5])

Dieser wechselweise Zusammenhang zwischen Dogma und Leben wird von Bachmann in vorbildlicher Weise herausgearbeitet als der

---

[1]) „Die Bedeutung des Sühnetodes Christi für das christliche Gewissen." Leipzig 1907.
[2]) S. 59. — [3]) S. 4. 27. 61. — [4]) S. 2 ff. — [5]) S. 62.

wechselweise Zusammenhang zwischen Kreuz und Gewissen. So kommt
B. zu dem Resultat: „Das Gewissen, in seiner Majestät durch Christum
zu wachsender Kraft und Reinheit geläutert, gibt es uns zu erleben,
daß erst durch den Gekreuzigten alle seine inneren Spannungen gelöst
werden können, treibt uns dadurch in den Glauben an ihn und
macht uns ganz heimisch unter dem Kreuze." [1]

Zu dem gleichen Ergebnis kommt Julius Kögel in einem Vortrag über „Jesu Kreuz — Jesu Tat".[2] Er nimmt die objektive
Heilstatsache als Ausgangspunkt, füllt sie aber, indem er sie als
„Tat" faßt, ganz mit subjektiven Persönlichkeitswerten. Er hebt
hervor, daß das Nachdenken über das Kreuz durch die „Intensität
unseres Glaubens" gefordert wird. Aber „die protestantische Theologie hat darin gefehlt, daß sie für die Beurteilung des Kreuzes das
Straf- und Vergeltungsprinzip bestimmend, ja ausschlaggebend sein
ließ, und daß sie dabei das für das Verständnis entscheidende Moment,
das Gnadenmoment, stark verkürzte. Das Kreuz ist „der Abschluß
der Heilsgeschichte Gottes . . ., eine Realität, nicht eine Idee, eine
historische Größe, nicht eine bloße Vorstellung." [3]

Im Anschluß an Schlatter wird die Gottheit des Gekreuzigten
festgestellt und das „äußerst wichtige Ergebnis" gefunden:[4] „Christi
Gottheit am Kreuz erweist sich daran und schließt das ein, daß dasselbe in erster Linie nicht als sein Leiden, sondern als seine Tat erscheint. Er erleidet hier nicht etwas, das als Verhängnis über ihn
kommt, in das er sich fügen muß und in das er sich willig fügt,
sofern es ihm vom Vater geschickt ist; sondern er erwirkt hier etwas,
das ihm zur Ausrichtung seines Berufes und zur Erreichung seines
Zieles unerläßlich ist; er betätigt hier etwas, das seine Aufgabe zu
der ersehnten Vollendung bringen soll. So wird Jesus durch seinen
freien königlichen Willen das vollkommene Opfer, so wird das Kreuz
die Tat dessen, der kraft göttlichen Geistes „Herr seiner selbst ist".[5]
Im Kreuz hat Jesus „es zustande gebracht, die Sünde zugleich zu
strafen und zu überwinden. . . . Auch Strafe wiederum ist Tat".[6]
Nur die „majestätische Gottestat", welche „die Größe der Schuld und
die Unermeßlichkeit der Huld" feststellt, verbürgt uns die Verzeihung,
die vor „dem Forum unseres Gewissens" bestehen kann.[7]

Hiermit schließt Kögel sich absichtlich an Bachmann an.

---

[1] S. 63 vgl. S. 25. — [2] Leipzig 1908.
[3] S. 12. 11. — [4] S. 20. — [5] S. 23 f.
[6] S. 27 f. — [7] S. 30 f.

— 24 —

Zugleich führt Kögels Berufung auf Schlatter uns zu Schlatters Schrift über „Jesu Gottheit und das Kreuz",[1]) in der er sich mit dem baltischen magister theol. Konrad Graß[2]) auseinandersetzt. In beiden Schriften steht Jesu Gottverlassenheit im Mittelpunkte der Unter= suchung. An der Tatsache der Gottverlassenheit wird die Größe der „Tat" Jesu besonders deutlich. Jesus hat es vermocht, den ihm widersprechenden Gott als seinen Gott festzuhalten. Damit tritt er aus dem Bereich menschlicher Analogien in die Sphäre göttlicher Einzigartigkeit. Gottes Widerspruch dulden, ohne zu zer= brechen, die Gottverlassenheit erfahren, ohne die Gottesgemeinschaft zu verlieren, das ist nur möglich bei einem Subjekt, das mit Gott eins ist, so vollständig eins, daß auch die stärkste Spannung diese Einheit nicht zerreißen kann. Die Gottverlassenheit kann nur durch Gott selbst überwunden, das Widersprechen Gottes nur durch Gott aufgehoben werden. Hierin schließen wir uns den Ausführungen von Graß (S. 6 ff.) und Schlatter (S. 203 ff.) an. Graß lehnt die Anselmsche Theorie als katholisch ab (S. 185). Dagegen empfiehlt er als die wahrhaft evangelische die, welche hauptsächlich von Melan= chthon stammt und die Überwindung der Gottverlassenheit zum Inhalt hat. Christus mußte Gottes Sohn sein, um den Zorn Gottes in der Gottverlassenheit ertragen zu können. Wenn ein Mensch auch nur ein Tröpflein des Zornes Gottes fühlt, so wird er dadurch vernichtet (S. 187 f.). Beim Tode Christi stärkt und hält die göttliche Natur die menschliche, damit sie die unendliche Last der Weltsünde und des ganzen Zornes Gottes ertragen kann (S. 189, Chemnitz und der Heidelberger Katechismus). Also: „Kraft seines ewigen Wesens= zusammenhanges mit Gott vermochte er das Gefühl der Gottverlassenheit aufzuheben und zum vollen Bewußtsein der Gottesgemeinschaft zurück= zukehren. . . . Die Menschheit hätte als unerlöste in die ewige und absolute Gottesferne versinken müssen. Christus hat die Strafe zu Ende getragen, indem er vermittelst seiner Gottheit sie aufzuheben imstande war" (S. 203).

Graß vermag allerdings nur eine „relative Gottverlassenheit" zu konstatieren, wie auch die Sünde nur eine „relative Abwendung von Gott" sei (S. 198). Er lehnt die absolute Gottverlassenheit der An= selmschen Theorie ab (S. 80 ff.) Aber er lehnt auch Ritschls Ver=

---

[1]) 2. Aufl. Gütersloh 1913 (1. Aufl. „Beiträge" 1901, 5).
[2]) „Zur Lehre von der Gottheit Christi", Gütersloh 1900.

mutungstheorie ab (S. 199) und führt das subjektive Gefühl der Gottverlassenheit „auf eine objektive Veranstaltung Gottes zurück" (S. 201).

Schlatter gibt der Ansicht von Graß darin recht, daß die Gott=verlassenheit ein objektiver, nur durch Gott selbst aufhebbarer Vor=gang sei, der uns Jesu Gottheit offenbart. Aber er stellt mit großer Kraft den Grundgedanken des Anselmismus sicher, daß Gottes Wider=spruch gegen die Sünde ein absoluter sei und daß darum die Ver=söhnung nicht in der Schaffung des „christlichen Bewußtseins" auf=geht, sondern Schaffung einer völlig neuen, in Gottes geschichtlicher Heilstat begründeten Gemeinschaft sei (S. 25 ff.). Nicht Jesu vorbild=liche und von uns nachzuerlebende Selbstvollendung ist das Ent=scheidende. Sondern „damit, daß uns ein Glaubensverhältnis zu ihm zugemutet wird, ist uns der Gedanke aufgegeben, der nicht den Wert Christi nach dem Christenstand, sondern den Wert des Christenstandes nach dem schätzt, was Christus ist" (S. 103). Das, was Christus ist, ist er in erster Linie für Gott, und dadurch erst für uns. Denn das Sterben Jesu ist eine Angelegenheit zwischen ihm und Gott, die von unserm Sterben „qualitativ" verschieden ist, es ist Opfer und Gottes=dienst in besonderm Sinn. Das an Gott im Gehorsam hingegebene Opfer für unsere Sünden, das zugleich Mittel für Gottes Hingabe an uns ist, das ist die Erklärung für Jesu Gottverlassenheit (S. 67 ff. 103).

Über dieses Kreuzesopfer und Jesu Gottverlassenheit sagt Schlatter noch folgende, für uns besonders wertvolle Sätze aus: Jesus „hat nicht nur gelitten, sondern hat leiden gewollt, hat nicht nur das Kreuz, sondern auch den auf das Kreuz gerichteten Willen in sich ge=tragen. Schon im Vorblick auf sein Ende sah er auf zu Gott als zu dem, der ihn verlassen wird und trug Pf. 22 in seinem Herzen als die Beschreibung des Ausgangs, in den ihn der Vater führen wird. Dadurch, daß er bewußt und wollend der Gottverlassenheit entgegenging, in die ihn sein Sterben versetzte, wurde sie mittelst der vorschauenden Gewißheit ein stetiges Element seines Bewußtseins, dem dann die letzte Todesnot noch die besondere Empfindungsstärke der Erfahrung gab" (S. 4).

„Es gibt unter allen Worten Jesu nicht ein einziges, das nicht mit seiner Sterbenswilligkeit vereinbar wäre" (S. 5a[2]).

„Es wäre ein Faustschlag gegen die Geschichte, wenn wir Jesu Kreuzestat nicht auf göttliche Gegenwart und göttliches Offenbar=

werden zurückführten, sondern als die Leistung eines Herrentums deuteten, dessen Selbsterhöhung stets in der Gottesleugnung ihre verborgene Wurzel hat" (S. 7).

„Gottes Gemeinschaft genießen: damit ist nicht mehr genannt, als was auch uns erreichbar ist. Gott genug tun, damit ist etwas genannt, was allein Gott zusteht" (S. 12).

„Daß die Gottheit Jesus ins Leiden führt und darin erhält, und daß sie seinem Leiden den Erfolg gewährt, Gottes Ehre und Freude und der Grund seiner Gnade für uns zu sein, ergibt ein untrennbar geeintes Geschehen" (S. 16).

„Wissen wir uns erlöst, so kennen wir Jesu Gottheit; denn die Frage, ob uns nicht auch ein Mensch erlösen konnte, enthält einen Widersinn. Erlösen ist die Gottestat, die gottheitliche Funktion. Ein Mensch erlöst mich; das hieße: ein Mensch macht sich mir zu meinem Gott" (S. 21).

Der Satz von der Gottheit Jesu „sagt aus, daß uns freilich ein Mensch erlöst hat, doch nicht so, daß wir dadurch Gott verlören und anstatt Gottes einen Menschen zum Gott erhielten, sondern so, daß in dem uns erlösenden Menschen Gott uns erlöst, weil diesem Menschen das Gottsein gegeben ist" (S. 24).

„Mit dem Gott, der für die sündige Menschheit den Heilandswillen hat, blieb er sterbend eins" (S. 51).

„Die Rede von Jesu Gottesgemeinschaft bleibt darum leer und phrasenhaft, bis auch sein Gottesdienst verstanden ist" (S. 52).

„Was das Sterben sei, ist hier die entscheidende Frage" (S. 56). „Wir sterben als das, was wir lebend geworden sind", so daß „die kausalen Zusammenhänge als die Werkzeuge der göttlichen Gerechtigkeit in voller Geltung stehen" (S. 59).

So ist es auch bei Jesus Christus: „Alles, was in seinem irdischen Dienst geschehen ist, wird von seinem Tode mit betroffen, mit ins Nichts gesetzt, und erhält seine Gültigkeit, Kräftigkeit und fortwirkende Macht nur dadurch, daß er sein Sterben in Gewinn zu wandeln weiß" (S. 80).

Ein Christus, der neben und abseits von seinem Kreuze da wäre, existiert nur in der Träumerei" (S. 80). So entsteht „unser Aufblick zu Gott durch die Verkündigung der Kreuzestat. Was die Kirche besitzt, ist mit dieser nicht nur durch jenseitige, unsichtbare Beziehungen verknüpft..., sondern mit ihr durch diesseitige geschichtliche Verbindungen geeint.

Alle diese Sätze sind vom Standpunkt der Kählerschen Theologie aus zu bejahen. Nur der Satz Schlatters ist zu verneinen, daß Anselm recht hat, wenn er die Gnade „als das Versöhntwerden Gottes mit uns" faßt (S. 81).[1]) In seiner Dogmatik hat denn auch Schlatter diese Fassung aufgegeben und erwähnt sie nicht einmal bei der Besprechung Anselms.[2]) Statt dessen wird Anselms „negatives Ziel" und sein Rationalismus kritisiert (S. 330. 331). Aus Schlatters eigener Lehre vom Kreuz in der Dogmatik sind folgende Sätze besonders wichtig:

„Weil sich die Gemeinde gegen sein Bußwort dadurch verteidigt, daß sie ihn kreuzigt, bezeugt er, indem er den Tod leidet, die Wahrheit und Notwendigkeit seines Bußworts und gibt ihm dadurch seine unzerbrechliche, absolute Gültigkeit. Er vollzieht dadurch eine richterliche Handlung; denn so bewirkt er, daß das Recht an denen geschieht, die sich Gott widersetzen und den Bußruf umsonst empfangen. Die Gemeinde macht, indem sie ihn kreuzigt, ihre Sünde voll und bringt das Sterben über sich (S. 317). Jesus hat aber mit der Offenbarung des göttlichen Gerichts die der göttlichen Gnade vereint. . . . Er tut es dadurch, daß er durch den Gang in den Tod das vollständige Vergeben übt" (S. 318). Damit hat er „seinen Gehorsam immer und auch im Kreuz mit der Liebe geeint" (S. 320). „Da er als Sterbender die Vergebung gab, so wissen wir, daß die Übung der Gnade sein beständiges Handeln ist, in dessen Genuß wir immer stehen" (S. 318). „Daraus, daß Jesu Kreuz einheitlich und gleichzeitig beides bewirkt, die Offenbarung der göttlichen Liebe, die vergibt und beruft, und die des göttlichen Zorns, der sich vom Bösen unversöhnlich trennt und darum nur durch Sterben vergibt, ergibt sich die Vollkommenheit der Erkenntnis Gottes, die uns Jesus durch seinen Tod verschafft. Er gewährt uns damit einheitlich und gleichzeitig die Berufung zum Glauben und zur Buße. . . .

Es gibt keinen Anschluß an den Christus ohne die Verneinung des Bösen und dies seines Kreuzes wegen. . . .

Somit gibt der Begriff Stellvertretung dem Verhalten des sterbenden Christus einen historisch wahren Ausdruck. . . . Stellvertretung ist kein willkürlicher, künstlicher Vorgang, sondern erwächst aus der vollendeten Gemeinschaft dann, wenn sie Ungleiches verbindet und sich über den Gegensatz hinweg herstellt. Dann ist die Gemeinschaft

---

[1]) Vgl. dagegen Kähler, Versöhnung. S. 347: Dieser Satz sei nicht nur „unbiblisch", sondern auch „widerbiblisch".

[2]) Das christliche Dogma, Calw 1911, S. 321. 330. 482. 639a. 189.

nur dadurch erreichbar, daß der, der hat, für den eintritt, der nicht hat."

In diesen Sätzen Schlatters liegt eine Vereinigung der exklusiven und der inklusiven Stellvertretung vor, die sich in unserm Sinne wie folgt, formulieren läßt: Jesus steht dem Sünder als exklusiver Stellvertreter gegenüber; er leidet, was kein Sünder leiden kann, er gibt, was kein Sünder hat. Aber mit dem versöhnten Gliede der Gemeinde schließt Jesus sich als inklusiver Stellvertreter zusammen; er bringt ihm sein Sterben und seine Verneinung des Bösen, er schenkt ihm aber auch seine Gottesgemeinschaft, seinen Willen und seinen Gehorsam.

In Übereinstimmung mit Schlatter, Bachmann und Kögel betont auch Lepsius[1]) den Tatcharakter des Kreuzes. „Das Kreuz ist eine Tat, die Tat Jesu, die Tat Gottes (S. 7). Was am Kreuz geschieht, jeder Tag seines Lebens hat es vorbereitet" (S. 8). Am Kreuz ist nicht das Fleisch und das Natürliche an sich, sondern die Sünde verdammt. Nicht physikalisch-metaphysische Werte, sondern Gewissenswerte hat die Versöhnung geschaffen (S. 8—10). Der Schwerpunkt des Kreuzes liegt im Objektiven, nicht im Subjektiven. „Wer an Stelle der Predigt des Kreuzes die Bußbank etabliert, der tut es auf Kosten des Kreuzes" (S. 12). Das Kreuz ist exklusive Stellvertretung (S. 17). In den Evangelien ist es an gewissen Stellen, „als senke sich das Unheimliche mit der Angst der Verzweiflung auf Jesus herab" (S. 19). „Den Druck, den Jesus am Kreuz erlitten hat, würde kein Mensch ertragen haben. Seelische Vernichtung war das Gericht, das er erlitt." Wenn wir das glauben, „dann fürchten wir nicht mehr, gerichtet zu werden" (S. 20).

Inwiefern Jesu Gericht uns vom Gericht befreit, erklärt Lepsius durch den ihm eigentümlichen Begriff der Persönlichkeit. Die Persönlichkeit ist so einheitlich, daß sie von einem Zentrum aus in Bewegung gesetzt werden kann. Dieses Zentrum ist im natürlichen Menschen das Selbstvertrauen, in der christlichen Persönlichkeit aber das Gottvertrauen, das Jesusvertrauen. Weil die Persönlichkeit in dem einen Punkte des Selbstvertrauens balanciert, daher ist es möglich, daß sie sich selbst aufgibt. „Das will das Kreuz Christi, daß wir uns aufgeben, uns beugen unter das moralische Urteil, welches das

---

[1]) Das Kreuz Christi. 2. Aufl. Berlin 1903.

Kreuz über uns fällt" (S. 21). Hier wird der Gedankenwiderspruch
dieses orthodoxen Schemas ganz besonders deutlich: Eben war fest=
gestellt, daß wir vom Gericht frei sind, und nun wird wieder ge=
fordert, daß wir uns unter das Gericht beugen sollen. Es ist sinn=
widrig, die Menschen einem Gericht zu unterwerfen, das gar keine
Geltung mehr hat. Das muß zur Verwirrung der moralischen Be=
griffe führen und hat tatsächlich oft dazu geführt. Es ist aber auch
zugleich unbiblisch! Denn nirgends sagt die Schrift, daß das Gericht
über die Sünde aufgehoben oder überhaupt aufhebbar sei. Die
Sünde bleibt gerichtet, aber der Sünder wird gerettet. Auch die
Anwendung jenes Gerichtsgedankens auf den biblischen Christus ist
unmöglich. Wo gewinnen wir den Eindruck, daß Jesus „seelische
Vernichtung" erlitten habe? Vielmehr hat er die Versuchung
dazu durchgekostet und siegreich abgewehrt, und trotz allem Schweren,
das ihn belastete, seinen Schwerpunkt dennoch in Gott behalten.
Gerade wenn der Persönlichkeitsbegriff von Lepsius gelten soll, darf
er nicht an Christi Person scheitern. Jesus hat gewiß am Kreuz
„sich selbst aufgegeben" und alles Selbstvertrauen Gott geopfert. Aber
dadurch hat er seine Persönlichkeit nicht „vernichtet", sondern in Gott
behauptet. Er, der als der Sündlose nicht zu sterben brauchte, hat
den Tod als der Sünde Sold für uns erlitten, zum Gericht über die
Sünde, aber zur Rettung des Sünders. Nur bei dieser inklusiven
Stellvertretung ist es möglich, die Aufforderung von Lepsius mit voller
innerer Wahrhaftigkeit zu befolgen: „Laß das Leiden des Sohnes
Gottes das Gericht über deine Sünde sein" (S. 23).

Die Erneuerung des alten Stellvertretungsbegriffs durch Lepsius
führt uns weiter zu dem Hauptwerk, das darüber in unserem Zeit=
alter erschienen ist. Die exklusive Strafstellvertretung (satisfactio
vicaria) im strengsten Sinne der alten orthodoxen Dogmatik hat
ihren glaubenseifrigsten Vertreter in Wilhelm Kölling[1] gefunden.
Er sieht mit Recht in der realen Gottverlassenheit Jesu das Zentrum
der Versöhnung und sagt dazu: „Die schwerste Strafe für Adams
Sünde ist am Karfreitag gebüßt. Auch dieser Schuldbrief ist zer=
rissen. Hat der Vater an deiner Statt seinen lieben Sohn am Kreuz
verlassen müssen, so darf er dich nicht verlassen. Kein gerechter
Richter auf Erden darf den Vertreter belasten, ohne den Vertretenen
zu entlasten. Das darf auch der gerechte Richter im Himmel nicht

---

[1] Die Satisfactio vicaria. I. Bd. 286 S. Gütersloh 1897. II. Bd. 428 S. 1899.

tun. Du brauchst nicht noch einmal die Strafe erleiden, die dein hochgelobter Stellvertreter am Kreuz für dich erlitten hat. Man wird sagen, daß auch die Kinder Gottes in großen Angststunden manchmal das Angstgefühl haben, von Gott verlassen zu sein. Das soll nicht geleugnet werden, aber wenn sich ein solches Angstgefühl auf unsre Seele legt, so ist es ein Blendwerk des Satans, und da darf der angefochtene Jünger, wenn anders er ein lutherischer Realist ist, und wenn ihm darum das fünfte Wort am Kreuz eine heilige, soteriologische Realität allerersten Ranges ist, dem Versucher getrost ins Angesicht antworten: Satan, du lügst, mich kann er nicht verlassen, denn er hat an meiner Statt seinen lieben Sohn verlassen."[1]

Hiernach bleibt also für die Kinder Gottes die Gottverlassenheit als Versuchung bestehen. Aber der lutherische „Realist" wird durch die Realitäten des Leidens Jesu zu noch weiterer Annäherung an die reale Not des Christenstandes gedrängt. Das Kreuzeswort: Διψῶ veranlaßt ihn zu dem Ausspruch: „Es muß auch die wahre Menschheit des Herrn Jesu mit feurigen Zungen in der Passionszeit gepredigt werden", denn sie ist es, „welche allein, aber auch unfehlbar, die Sorge löst."[2]

So kommt es zu einer völligen Gleichheit zwischen Jesus und uns: „Warum kann denn der Jünger in jeder Not sich mit vollster und freudigster Zuversicht zu seinem Jesus flüchten?

Darum doch allein, weil sein Herr jede Not kennt, aus eigner Erfahrung.

Der Hungernde kann sich zu seinem Jesus flüchten, denn er weiß es, sein Jesus kennt von der Wüste her den Hunger. Der Dürstende kann sich zu seinem Jesus flüchten, denn er weiß es, sein Jesus kennt den Durst vom Kreuz her. Der Obdachlose kann sich getrost zu dem Jesus flüchten, der selber nicht hatte, da er sein Haupt hinlegte. Der unter Schmerzen sich Windende kann sich getrost zum Herrn flüchten, denn er weiß es, sein Jesus war der Mann der Schmerzen. Der vom Teufel Versuchte kann sich zu seinem Jesus flüchten, denn er weiß es, sein Herr kennt von der Wüstenschlacht her auch diese Not. Der in der Angst des Todes Ringende kann sich zum Herren flüchten, denn er weiß es, sein Jesus ist auch gestorben und kennt die Todesangst. Ja, der von Gott Verlassene

---

[1] Bd. II, S. 347.
[2] Bd. II, S. 358 f.

kann sich zu seinem Jesus flüchten, denn auch diese schwerste von allen Nöten hat der Herr aus Erfahrung kennen gelernt am Kreuz."[1]

Also gilt nach Kölling für die Sorge nicht die exklusive, sondern die inklusive Stellvertretung, während für die Sünde die exklusive Stellvertretung zu lehren ist. Wo in aller Welt findet sich ein Schriftbeweis für eine derartige Auseinanderreißung der Stellvertretung Christi? Hier kommt die völlig gebrochene Stellung der ortho= doxen Dogmatik ans Licht. Es ist für den Dogmatiker, der anderen die Richtlinien für ihr Christentum geben will, ein sehr schwer= wiegender Fehler, wenn er in einer so entscheidenden Frage, wie es die christliche Erfahrung der Gottverlassenheit ist, einfach zwei sich widersprechende Sätze nebeneinander stellt. Einmal soll die Gott= verlassenheit nur eine Versuchung des Satans sein, der keine Realität zukommt, und dann wiederum wird sie auch für den Christen als reale Tatsache angenommen. Ferner: zwischen Sünde und Sorge be= steht nach Kölling ein „Urzusammenhang".[2] Ebenso besteht zwischen Christus und dem Christen der innigste Zusammenhang des Wein= stocks mit den Reben.[3] Daraus folgt ohne weiteres die inklusive Stellvertretung nicht nur für die Sorge, sondern auch für die Stellung zu Sünde und Strafe. Kölling dagegen folgert in seiner dogmatischen Voreingenommenheit genau das Gegenteil daraus und kommt zu folgendem Satze: Von dem Vater gilt, „daß er uns, die Glieder an Christi Leibe, die Reben an Christo dem Weinstocke, nun unter keiner Bedingung verläßt. Er darf es nicht, denn wenn er es tun wollte, so hätte er seinen lieben Sohn nicht verlassen dürfen."[4] Solche Behauptungen bilden eine Parallele zu den Entgleisungen der Kriegs= predigt, die durch die Tatsachen Lügen gestraft worden sind. So konnte man von einem berühmten Prediger, dessen Name ungenannt bleiben möge, folgendes nicht nur hören, sondern sogar gedruckt sehen: „Um seiner selbst willen kann Gott unmöglich uns ver= lassen wollen". Wer gibt uns das Recht zu behaupten, was Gott kann und darf? Mochten die alten Dogmatiker vor Jahr= hunderten hierüber ihre Dogmen bilden — wir können heute mit unserem Empfinden und unserem Denken darin nur eine Verletzung der göttlichen Majestät wahrnehmen, die in unsern Tagen weder als besonders fromm, noch als „rechtgläubig" gelten darf.

---

[1] Bd. II, S. 259 f. — [2] Bd. II, S. 359.
[3] Bd. II, S. 347. — [4] Bd. II, S. 347.

Demgegenüber vertreten wir gerade auf Grund unserer luthe=
rischen Bekenntnisschriften[1]) die Lehre, daß tatsächlich Gottes Zorn
und Strafe auch für den Christen noch gilt, sofern er sündigt und ein
Sünder bleibt bis an sein Ende. Darin haben wir die ganze Schrift
für uns, welche bezeugt, daß Gottes Gericht über die Sünde niemals
aufgehoben wird, daß aber Gottes Gnade den Sünder von seiner
Sünde löst und das Gericht dadurch in Gnade verwandelt. Ansätze
zu dieser Auffassung sind sogar bei Kölling vorhanden, wenn er in
seiner alttestamentlichen Grundlegung, auf die er mit Recht großen
Wert legt, חֶסֶד und אַף, Gnade und Zorn zusammenstellt[2]) und das
schöne Wort über den Prophetismus sagt: „Der Prophet schaut voll
heiligen Geistes durch die Gerichtswege, die der Zorn Gottes geht,
hindurch und sieht in ihnen am Ende doch Gnadenwege."[3]) Hier
kommen wir mit Kölling vollständig zusammen.

Im Tode Jesu ist das Ineinander von Todesgericht und ewigem
Leben, wie es in Jes. 53, 8—12 so geheimnisvoll angedeutet ist,
Wirklichkeit geworden und der Ausdruck 53, 5, den Kölling mit
Recht am meisten betont und ganz in unserm Sinne übersetzt: „Die
Strafe unsres Friedens auf ihn",[4]) bekommt seine zentrale Geltung.
Wenn Kölling sich endlich noch auf 1. Petr. 2, 24 als auf die „absolut
authentische apostolische Interpretation" von Jes. 53 beruft,[5]) so
stimmen wir ihm auch darin bei, fügen aber hinzu, daß man, wenn
man der Petrusstelle nicht Gewalt antun will, die Vorbildlichkeit des
Leidens Jesu in Kap. 2, 21 mit dem Strafleiden in V. 24 ver=
binden muß.

E. Cremer[6]) vertritt ebenfalls mit besonderer Schärfe die von
uns abgelehnte **exklusive** Stellvertretung. Aber um so wertvoller ist
es für uns, daß er trotzdem viele Sätze ausspricht, die die inklusive
Stellvertretung enthalten. Jesus „nimmt den Tod auf sich als
derjenige, welcher die Sache der Welt zu seiner Sache macht" (S. 109).

---

[1]) Hier sei nur ganz kurz verwiesen auf F. C. de tert. usu leg. §§ 12, 14,
17, 18, 19, 20, 21 und besonders 24. Apolog. De dilectione et impl. legis
§§ 39, 40. F. C. II, V § 14 zitiert Luthers Wort aus den Schmalkaldischen
Artikeln. . . . „Das Neue Testament behält und treibt das Amt des Gesetzes,
das die Sünde und Gottes Zorn offenbaret, aber zu solchem Amt tut es flugs
die Verheißung. . . ." Der ausführliche Nachweis für die Lehre des Bekenntnisses
zum Kreuz soll in einer späteren Schrift besonders erscheinen.

[2]) Bd. I, S. 55. — [3]) Bd. I, S. 45.

[4]) Bd. I, S. 200. — [5]) Bd. I, S. 201.

[6]) Die stellvertretende Bedeutung der Person Jesu Christi. 2. Aufl. 1900.

Darin, daß Jesus der ist, „dessen Eigentum die Welt ist, ist . . . . die sittliche Möglichkeit stellvertretenden Eintretens gegeben" (S. 123). „Alles, was er ist, ist er für uns. . . . Zunächst ergibt sich, daß seine Gerechtigkeit . . . . uns zugute kommt. . . . Es ist das nur eine Anwendung der aus seinem Kreuz sich ergebenden Erkenntnis der stellvertretenden Bedeutung seiner Person. Es ist im Grunde derselbe Gedanke wie der, daß ihm unsere Sünden zugerechnet worden sind" (S. 124). „Nur der vergibt wirklich, der mit demjenigen, welchem er vergibt, in volle Gemeinschaft tritt und alle Lasten des-selben zu tragen willig ist. . . . Jesus trägt die Lasten des Ver-hältnisses, wie es denn der Apostel als das Gesetz Christi bezeichnet, daß einer des andern Last trage. Das ist die Bedeutung . . . seines Kreuzes, daß damit Jesus die Lasten des Verhältnisses vergebender Liebe trägt" (S. 168 ff.). Mitten unter diesen Sätzen, die Jesu völlige inklusive Gleichheit mit den Gläubigen dartun, steht nun der exklusive Satz aus der alten Dogmatik: „Die freie Unterwerfung Jesu unter das Gericht ist es, welche die Sünder vor dem Gericht gerettet hat" (S. 139). Von dieser Inkonsequenz abgesehen, vermögen wir uns die andern Sätze Cremers mit ihrer tiefreligiösen Erfassung des Kreuzes wörtlich anzueignen: Jesu „Leiden, sein Tod ist seine Ver-gebungstat. . . . Es kann nicht bleiben beim Wort der Vergebung, es muß . . . die Tat hinzukommen. Er muß leiden, wenn er ver-geben will, sonst muß er richten" (S. 92 f.).

Die von Ernst Cremer herausgearbeiteten Gedanken über das an Jesu vollzogene Gericht sind weiter vertieft worden durch Hermann Cremer in seiner Schrift „Gethsemane"[1]): „Während die Welt hätte gerichtet und vernichtet werden müssen, blieb sie verschont, weil er (Jesus) das ungerechte Gericht ertrug und weil der Vater ihn diesem Gericht überließ" (S. 63, vgl. S. 51 u. 95). Diesem Gericht entsprach die Gethsemane-Erfahrung: „Es war alles an allen vergebens ge-wesen!" (S. 67). Jesus hat „nie den Druck der Aussichtslosigkeit seiner Arbeit verloren" (S. 62). „Nicht freudig, sondern todernst ist Jesus von Anfang an seinen Weg gegangen" (S. 24). Diese Sätze bezeugen die biblische Wahrheit, daß das Kreuz seinen Schatten auf Jesu ganzen Lebensweg wirft. Aber zugleich bedürfen diese Sätze dringend der Ergänzung, daß Jesus diese dunkeln Schatten fortgesetzt mit seiner Seligkeit durchleuchtet hat. Wird das verschwiegen, dann

---

[1]) Gütersloh 1906, C. Bertelsmann. 2. Aufl.

entsteht ein Widerspruch zum Schriftwort, besonders zu den Abschieds=
reden des Johannesevangeliums. Die Tatsache, daß Jesus nach seinen
letzten Kreuzesworten schließlich als Sieger und in Gottes Friedens=
händen gestorben ist, wird verschleiert, wenn man sagt, daß Jesus
starb, wie „nur der Sünder[1]) sterben kann, der sich von Gott ver=
lassen weiß" (S. 92), und „das Sterben so erlebte wie . . . diejenigen,
die jetzt doch noch verloren gehen" (S. 95). Aber der Zweck dieser
düstern Aussagen ist insofern doch ein wahrhaft biblischer, als wir
selbst dadurch die Tiefen der Sünde und des Todes bußfertig er=
kennen sollen. Jesu Grauen „können wir nur ermessen an dem
eignen Grauen, wenn mit der ganzen Größe unsrer Schuld nichts als
die Aussicht auf Tod und Verderben vor uns sich auftut" (S. 64).
Jesu Leiden kann „nur von den Sündern verstanden" werden, die
selber „in der Tiefe liegen" (S. 1). So kommen wir auch in diesen
Tiefen auf Grund der Schrift zur inklusiven Stellvertretung. Cremer
ist unter dem Kreuz selbst ein Mann der Tiefe und dadurch ein
lebendiger Beweis dafür geworden, daß Jesu Tiefen uns nicht aus=,
sondern einschließen, damit wir auch in seine Höhen mit empor ge=
zogen werden.

Von beiden Cremers ist Bensow[2]) mit beeinflußt worden. Bensow
gibt eine sehr ausführliche dogmengeschichtliche Übersicht, besonders
über die neuste Dogmatik. Dann folgt bei ihm eine gleichfalls sehr
eingehende biblisch=theologische Untersuchung und endlich die syste=
matische Darstellung. Letztere enthält fast ein vollständiges System
der Dogmatik vom Standpunkt seiner kenotischen Christologie aus.
Aber in diesem großen Zusammenhang kommen die Hauptprobleme
der Versöhnungslehre nur sehr kurz zur Erörterung. Er legt be=
sonderes Gewicht auf den Charakter des vere homo bei dem Ver=
söhner und auf die relative Selbständigkeit seiner menschlichen Person.
Jesus, von Gott zum Stellvertreter der Menschheit bestimmt, hat sich
auch selbst dazu machen müssen (S. 286). So hat er auch selbst die
Strafe auf sich genommen. Diese persönliche Tat betont Bensow so
stark, daß er sich sogar zu dem Satz versteigt, Jesus habe es durch
seine große Heilandsliebe selbst „‚verschuldet', daß dieses Leiden ihn

---

[1]) Die Schrift sagt niemals, daß Jesus wie ein Sünder starb, sondern sie
sagt, daß in ihm die Sünde starb (s. u. Schriftbeweis). So muß auch Cremer
zugeben, daß Jesus nicht des Vaters Zorn gegen seine Person zu tragen
hatte (S. 88 f.).
[2]) Die Lehre von der Versöhnung, Gütersloh 1904. Vgl. S. 135—143. 283 ff.
299. 300.

trifft" (S. 290). Die Gottverlassenheit wird ganz unbiblisch als „das
für den ewigen Tod Wesentliche" gedeutet (S. 291). Im übrigen
aber ist trotz aller Kürze sehr klar und treffend, was B. von der
Wirklichkeit des Strafleidens Jesu (S. 289 ff.), von der Strafe als
der „Zurechtbringung des durch die Sünde gestörten und unrecht gewordenen Verhältnisses zwischen Gott und den Menschen" (S. 271),
von der Überordnung der Versöhnung über die Genugtuung (S. 276)
und von dem Werk Christi als dem „Werk der Menschheit" (S. 287.
310) sagt. Indem er die paulinische Theorie vom „andern Adam"
übernimmt, kommt er auf die „inklusive Stellvertretung"[1]) hinaus
(S. 283 ff. 308 ff. 313 f.). Der Theologie Kählers widmet Bensow
einen besonderen Abschnitt in zustimmendem Sinne (S. 129—135).

Neuerdings hat die alte exklusive Strafstellvertretung wieder
einen Verteidiger gefunden in Friedrich Bard.[2]) Dabei ist im
einzelnen manch feine und treffende Beobachtung herausgekommen,
aber aufs Ganze gesehen, ist der Versuch mißlungen. Es ist eine
völlige Verkennung des Tatbestandes, wenn Bard behauptet:
„Christus selbst, der Stifter unserer Religion, . . . hat . . . das
‚Dogma' geprägt. Wie viele Freiheit zum Ausbau des Dogmas
gelassen, in seinen wesentlichen Grundzügen ist es hier ganz klargestellt, völlig festgelegt" (S. 62). So findet Bard in der Lösegeld-
stelle (Matth. 20, 28) „das Ganze der biblisch-kirchlichen Satis-
faktionslehre in nuce vor . . .: daß an Stelle der schuldigen, der
ewigen Strafe verfallenen Seelen der Menschheit der Menschensohn . . . seine Seele . . . dem strafenden Richter gegeben, auf Gottes
Altar geopfert habe, um durch solche Stellvertretung die Erlösung
der Schuldigen, ihre Freilassung aus göttlicher Strafhaft, ihre Freilassung zu ewigem seligem Leben zu erwirken" (S. 47). Und so
will er geradezu durch die Abendmahlsworte Jesu die „absolute Kongruenz der biblisch-kirchlichen Passionslehre mit der betreffenden Selbstlehre Jesu" „beweisen" (S. 60). Durch solche Übertreibungen erreicht
Bard das Gegenteil von dem, was er selber will. Ohne es zu
wollen, macht er die unvergänglichen Worte Jesu zu vergänglichen
Formeln eines Dogmatikers, und zugleich setzt er seine eigenen, oft
recht zutreffenden Beobachtungen in ihrem wissenschaftlichen Wert
dadurch herab, daß er sie in das Schema des alten Dogmas preßt.

[1]) Dieser von Ritschl (s. u. Teil II) geprägte Ausdruck kommt allerdings bei
Bensow nicht vor.
[2]) Jesu Selbstlehre von seinem Sühnwerk. Gütersloh 1915.

3*

Darum müssen wir ihm, obwohl wir ihm in vielen Punkten bei=
stimmen, in der Hauptsache widersprechen. Bemühungen, wie er sie
in bester Absicht vorgenommen hat, bilden kein Bollwerk gegen die
Kritik, sondern öffnen ihr geradezu die Türen. Die Ausführungen
Bards beweisen ganz besonders deutlich, daß der reiche Ertrag der
Theologie des 19. Jahrhunderts noch lange nicht genug gekannt und
anerkannt wird, und darum muß immer wieder auf ihn hingewiesen
werden. Es nützt nichts, die dogmatische Entwicklung um 100 Jahre
zurückschrauben zu wollen. Vielmehr wollen wir helfen, daß die
Entwicklung weiter fortschreitet und daß das bisher Erarbeitete nicht
vergeblich gearbeitet ist.

Eine mit allen wissenschaftlichen Mitteln unternommene und an
den vollen Ertrag der bisherigen dogmatischen Arbeit anknüpfende
Darstellung der Versöhnungslehre ist nun von Hermann Mandel[1])
unternommen worden. Der Verfasser baut das ganze System der
verschiedenen Versöhnungslehren auf der Voraussetzung auf, daß Gott
die Sünde straft und richtet.[2]) Aber der im Gericht offenbare Zorn
Gottes ist nicht zukünftig und transzendent, sondern immanent.[3]) Die
Strafe ist in unzertrennlicher Verbindung mit der Sünde zu denken.
„Die Strafe ist nicht außer der Sünde, sondern an und in der
Sünde.“[4]) Wie sich das göttliche Strafgericht im empirischen Leben
der Menschen, sowohl nach seiner persönlichen wie nach seiner natur=
haften Seite hin vollzieht, und wie bei alledem innerhalb der dies=
seitigen Welt die „übersinnliche Macht der Sünde und des Verderbens“
zutage tritt, wird eingehend untersucht.[5]) Diese Resultate eignen
wir uns vollständig an. Sie sind eine umfassende Bestätigung für
unsern Satz, daß der natürliche, unversöhnte Mensch unter Gottes
Strafe zugrunde geht. Damit ist der gemeinsame Gegensatz gegen
die alte juristisch=transzendente Lehre herausgestellt. Es handelt sich
nicht, wie in der alten Lehre, nur um das noch ausstehende zukünftige
Gericht, sondern um das tatsächlich bereits in der Menschheit vor=
handene Gottesgericht. „Die Menschheit ist nach der vorausgesetzten
Gerichtsanschauung gar nicht in der Lage, selbst etwas tun zu können
zur Versöhnung; sie ist verloren und muß ewig verloren bleiben.“[6]) —

---

[1]) Christliche Versöhnungslehre. Leipzig 1914 f.
[2]) S. 3—58. — [3]) S. 31 ff.
[4]) Mandel zitiert diesen Satz S. 32 aus dem Buch von Klaiber: Die neu=
testamentliche Lehre von der Sünde und Erlösung, 1836, S. 216.
[5]) S. 22 ff. — [6]) S. 108.

„Gottverlassenheit und Religionsirrungen, Sündenfolgen und Gesetz samt dem bösen Gewissen, Gerichtscharakter des Todes und Herrschaft der dämonischen Mächte sind nichts anderes, . . . als Gericht Gottes über die ihm Verschlossenen." [1]

Hier setzt die Versöhnung ein. „Gott ist in der Lage, das Gericht aufzuheben; denn es stellt nicht sein Wesen und Wollen selbst, sondern nur in Beziehung zum sündigen Willen dar, so daß es geradezu einer Offenbarung seines Gemeinschafts= und Liebeswillens bedarf. So ist die Versöhnung nicht menschliches Opfer und Kult, sondern göttliche Tat und Offenbarung, und der Versöhner als Ver= söhner nicht Vertreter der Menschheit, sondern Organ Gottes" (S. 108). Das Werk des Versöhners ist die Gerichtsaufhebung, die Ent= mächtigung der Zornesmächte (S. 107. 110). Diese Aufhebung bedeutet nicht volle Beseitigung (S. 111). Das Gericht liegt noch über der Christenheit in der Empirie ihres Daseins (S. 110). Der Zustand der Menschheit behält auch jetzt noch Züge des Fluchs (S. 111). Aber der Stachel des Verderbens ist durch die Erscheinung des Sohnes beseitigt und die völlige effektive Aufhebung wird durch ihn verbürgt.

Die Versöhnung vollzieht sich nicht durch bloße Verkündigung, sondern effektiv, wirksam, indem das Gericht durch Erleidung und Überwindung aufgehoben wird (S. 168). Christi Strafleiden ist aber nicht eine besondere Wirkung Gottes, sondern die selbstverständliche Folge seiner Menschwerdung (S. 171), die Folge seines Eingehens „in Fluch und Gericht des natürlichen Menschentums" (S. 107). An Stelle des Zornes tritt die Liebe Gottes. „Diese Durchbrechung des Gerichts durch die Liebe Gottes bedeutet also eine innere Ent= mächtigung des Gerichts. Sofern die empirischen Erscheinungsformen des Gerichts noch bleiben, läßt sie sich auch als Verwandlung der ewigen Strafe in eine zeitliche bezeichnen," oder als „Ver= wandlung des richtenden Zornes in väterliche Züchtigung". Damit wird auch „die Notwendigkeit bleibenden Gerichts über die Gläubigen offenbar. Auch sie haben noch die Sünde in sich, wenn nicht als Herrin, so doch als Rest und alte Natur. Darum ist es ‚eine große Wohltat, daß er uns richtet und straft, nicht zum Verderben und Verdammnis, sondern zu unsrer selbst eignen Seligkeit. Die Strafen und Anfechtungen des Christenlebens sind doch alle eine väterliche Strafe und nicht eine Rute des Zorns, auf welche hernach folgt der

---

[1] S. 109.

ewige Tod und Verdammnis. . . . Gott erläßt die ewige Strafe denen, so an ihn glauben, und verwechselt sie in solche Plagen und Strafen, die allein dieses zeitliche Leben betreffen und uns nütze sind, dieweil sie uns entweder bewährt machen oder demütigen oder bessern oder Gottes Ehre preisen'."[1] Mit diesem Lutherworte belegt Mandel genau das, worauf es uns besonders ankommt. Aber dieses noch fortdauernde Gericht erscheint wie ein Gegenbeweis gegen Mandels eigene Theorie. Wenn alles auf die Entmächtigung ankommt, dann sieht man hier eben im Gegenteil, daß das Gericht doch noch Macht hat. Es kommt also nach Mandels Theorie gar nicht zu einer wirk= lichen Erlösung „in der Empirie unsres Daseins". Die Erlösung ist „nicht im vollen und eigentlichen Sinne als Erlösung zu bezeichnen"[2]. Wenn Mandel im Gegensatz zur alten konstruktiven, transzendenten' juridischen Lehre seine eigene Lehre faktizistisch, immanent, effektiv nennt, so zeigt sich hier die Schranke dieser neuen Versöhnungslehre. Sie muß die faktischen, effektiven Wirkungen des Werkes Christi sehr stark einschränken, um an ihnen festhalten zu können. Die Ausschaltung des Rechtsbegriffs rächt sich hier am meisten, denn ge= rade das, was Kähler als das Entscheidende am Werke Christi herausgestellt hat, wird von Mandel abgelehnt: „Wenn sich das Gericht schon im Vollzuge befindet, so kann die entscheidende Bedeutung der Versöhnung nicht in der Übernahme des Gerichts durch einen Vertreter, nicht in stellvertretender Genugtuung oder Straferleidung, Sühne oder Gehorsams= leistung gesucht werden, vielmehr kommt alles gerade auf das Gegen= teil an: auf Entmächtigung oder Aufhebung des Gerichts".... Es „ist Genugtuung, Bestrafung, Sühne zur Genüge vorhanden im natürlichen Menschentum, es handelt sich gerade um Befreiung von dem vorhandenen Gericht" (S. 106).

„Die Versöhnung ist demgemäß statt Befriedigung der göttlichen Gerechtigkeit Offenbarung und Verwirklichung der Liebe, die das Wesen Gottes ist" (S. 107), während „Gottes Zorn und Gericht über die Sünde nun nicht mehr als Gottes Wille gelten können" (S. 192).

Hier treten wir in Gegensatz zu Mandel. Gottes Gericht über die Sünde ist und bleibt Gottes Wille in alle Ewigkeit. Hier kann und darf nach biblischen Begriffen keine Entmächtigung oder gar Auf=

---

[1] l. c. S. 112. — [2] S. 110.

hebung eintreten. Sonst müßte der unwandelbare Gott selbst sich
von Grund aus wandeln. Und wie kann denn faktisch und empirisch
das Gericht noch weiter bestehen, wenn es nicht mehr Gottes Wille
ist? Ist Gott nicht Herr über die Wirklichkeit? Hat er nicht die
Macht, seinen Willen durchzusetzen? Ja, Gott setzt sein Gericht über
die Sünde so ausnahmslos durch, daß nicht einmal sein Sohn davon
ausgenommen blieb. Um so weniger bleiben wir davon aus=
genommen! Aber es kann uns nichts mehr anhaben. Wir sind
wirklich „effektiv" erlöst, von der Sünde und ihrem Gericht innerlich
losgelöst, sowie wie wir im Glauben an den Gekreuzigten gebunden
sind. Die Entmächtigung besteht darin, daß wir selbst die Glaubens=
macht bekommen haben, den Fluchmächten entgegenzutreten. Wir
tragen noch Strafe und Gericht an uns, und unser äußerlicher Mensch
verdirbt, aber der innerliche erneut sich immerdar zu Leben und
Seligkeit. Unter dem Kreuz wird Gottes Zorngericht über unsre
eigne Sünde fort und fort als seine größte Liebestat erkannt und
erfahren. So kommen wir konsequenter und wirklicher zu dem von
Mandel erstrebten Ziel. Mandel will den richtigen biblisch=reforma=
torischen Gerichtsgedanken wieder zur Geltung bringen, aber er hat
ihn nicht konsequent durchgeführt, weil er dadurch in die alte exklusive
Straffstellvertretung zurückzufallen fürchtet. Er will aber vielmehr
auf die inklusive effektive Wirkung des Werkes Christi hinaus. Es
ist bei ihm dasselbe Ineinander von exklusiver und inklusiver Be=
deutung Christi, wie wir es oben bei Kähler festgestellt haben. Auch
in dem Begriff der „Entmächtigung" stimmt er mit Kähler[1]) überein.
Was Kähler in Hofmannschem Sinne von der Erschöpfung des Zornes
sagt, drückt Mandel so aus, daß die Aufhebung des Gerichts nur
durch Anerkennung des Gerichts stattfinden kann.[2]) Es ist un=
verständlich, wie ein Recht durch Anerkennung aufgehoben wird. Nur
wenn es sich, wie in der alten Lehre, um sachliche Bezahlung einer
ausstehenden Schuld handelt, hat dies einen Sinn. Denn wenn die
Rechtsschuld bezahlt ist, muß der Gläubiger befriedigt sein und kann
keine weiteren Rechte geltend machen. Aber wenn es sich eben nicht
um solch juridisches Sachverhältnis, sondern um Gottes ewigen
Willen handelt, dann kann nichts aufgehoben werden. Darum bleibt
Gottes Stellung zur Sünde als Sünde unwandelbar dieselbe. Gott
und die Sünde sind unversöhnbar. Gott will nicht die Sünde retten,

---

[1]) Thesen S. 29. — [2]) S. 119. 168.

sondern die Sünder. Seine Versöhnung gilt der Person des Sünders, während sein Gericht der Sünde des Sünders gilt. Auf die Person gesehen, ist allerdings das Gericht nicht Gottes Wille, und insofern ist nicht die Strafe an sich, sondern die Überwindung der Strafe das Entscheidende. Hierin ist Mandel zuzustimmen. Aber diese Offenbarung des Liebeswillens für den Sünder tritt nicht an die Stelle der Befriedigung der göttlichen Gerechtigkeit, sondern ist mit dieser eins. Derselbe Akt, der den Sünder in Liebe annimmt, verdammt die Sünde durch die göttliche Gerechtigkeit. Gericht und Gnade sind vereint in der inklusiven Stellvertretung des Gekreuzigten.

# Positive Entwicklung der Lehre vom Kreuz.

## I. Das Kreuz als Strafleiden.

### 1. Stellvertretung.

Jesus selbst hat Johannes 15, 11—13; 17, 13 seine inklusive Stellvertretung offenbart als stellvertretende Freude. Wie die ganzen Abschiedsreden bei Johannes und bei den Synoptikern zeigen, und wie es die genannten Schriftstellen besonders deutlich aussprechen, ist Jesu ganzes Leidenswerk erklärt von einer Freude, die den Zweck hat, auf die Seinen übertragen zu werden. Er freut sich für uns, damit wir uns in ihm freuen können. Er macht uns selig, weil er in aller unsrer Not selig bleibt. Jesus, der Brunnquell der Freude, hat durch seinen Tod unsern Tod zu einem Freudenquell, zum Eingang in das Leben, zur Tür des Vaterhauses gemacht. Seine Freude war, uns zu erlösen, unsere Freude ist, uns von ihm erlösen zu lassen. Seine Freude war es, den Willen des Vaters zu tun; unsere Freude ist es, durch ihn in seiner Nachfolge denselben Willen tun zu können.

Das Bindeglied zwischen seiner und unserer Freude ist die Liebe. Wahre Liebe ist immer inklusiv. Sie will ihren Gegenstand mit ihrer eigenen Liebe füllen. Sie vertritt unsere Stelle, damit wir fähig werden, ihre Stelle zu vertreten. Das Handeln der Liebe ist niemals düster und freudlos, sondern so der Freude voll, daß es auch die tiefsten Dunkelheiten erhellt. Der Heiland durchleuchtet alle Tiefen menschlichen Lebens mit der Freude seiner Liebe und macht sie dadurch ertragbar und segensreich. In jeder Tiefe steht er selbst! Er ging einmal für uns durch alle Tiefen hindurch, damit wir fort und fort mit ihm und durch ihn unsere Tiefen überwinden. Über seinem stellvertretenden Leiden steht nicht ewige Nacht, sondern die Sonne der stellvertretenden Freude. Wer ihm nachfolgt, ist Nachfolger seiner Freude! Das ist der köstlichste Sinn seiner Stellvertretung.

Durch dieses Verständnis der Stellvertretung werden die Leidens=
tiefen der Menschheit noch besser als in der alten Lehre, ausgeschöpft
und siegreich überwunden. Daß der Christ und die Christenheit zu
leiden hat, ist allgemein zugestanden. Die Theorien, die das Leiden
ignorieren oder eliminieren, haben durchaus als unterchristlich oder
unchristlich zu gelten. Sie sind durch die erschütternde Realität des
Leidens Christi ein für allemal widerlegt, und jedes eigene Leid, das
uns trifft, widerlegt sie ständig von neuem. In dieser Beziehung
wird es ohne weiteres klar, daß Christi Leiden nicht exklusive, sondern
inklusive Bedeutung hat. Jesus leidet nicht, um uns vom Leiden
frei zu machen, sondern um uns zum Leiden zu befähigen. Sein
Leiden umschließt all unser Leid mit Heilandsarmen und trägt uns
hindurch.

Ohne Gottes abschließende Kreuzesoffenbarung liegt über der
Welt ein ungewisses Licht, das gegen die Finsternis nicht durchdringen
kann. Die Spuren Gottes sind da. Aber je dunkler es wird, desto
schwerer ist es, sie im Auge zu behalten, und oft bricht die Finsternis
so jäh herein, daß man jede Spur verliert. Das ist die Situation
unzähliger Seelen, die in schweren Schicksalsschlägen an ihrem Gott
irre wurden. Gott ist ihnen im Weltlauf verloren gegangen, weil sie
ihn vorher zu selbstverständlich im Weltlauf vorausgesetzt haben.
Sie waren es nicht gelehrt worden, daß man Gott in der Welt nur
kämpfend behaupten kann. Nun ist ihnen im großen Zusammenbruch
Gott mit zusammengebrochen. Sobald sie den Namen Gottes hören,
schreit ihr Herz vor Qual auf, sie zermartern ihre Seele an der Frage:
Wie konnte Gott die Welt schaffen, um sie so zu quälen? Entweder
ist dieser Gott unser schlimmster Feind, oder er ist überhaupt nicht
da. In irgend einer Form tritt diese Frage der „Gottverlassenheit"
jedem ernsten Menschen einmal nahe, und alle Erörterungen über das
„Wie" der göttlichen Schöpfung sind wertlos, solange das „Daß" in
Frage steht. Mochte es vorher in der Theologie vielleicht als rück=
ständig gelten, die Theodizee noch zu erörtern — jetzt ist diese Er=
örterung zu unserer dringendsten Pflicht geworden. Es gibt für den
Christen nur eine Theodizee: das Kreuz. Der Gott des Kreuzes, der
es für gerecht erachtet hat, seinen gerechten Sohn für uns Ungerechte
leiden und sterben zu lassen, lenkt unser ganzes Leben nach den
Grundsätzen derselben Gerechtigkeit. Vor ihm hat keiner, auch der
Frömmste nicht, Anspruch auf ein gutes Leben. Er läßt stets die
Gerechten für die Ungerechten leiden. Er läßt die Sünder triumphieren

und sendet seine Gläubigen in Not und Tod. Aber in dem allen ist seine Absicht nur das Heil. Er gibt den Seinen durch das Kreuz des Heils so ungeahnte und unerschöpfliche Kraft, daß sie in der tiefsten Trübsal selig sind. Und wo nur immer ein schweres Leid auf uns wartet, dürfen wir um des Kreuzes willen wissen: es wartet eine Gottesgabe auf uns, die unendlich viel größer ist, als dieses Leid. Christi Kreuz ragt mitten hinein in unser Kreuz und Leiden. Es täuscht uns nicht darüber hinweg, sondern überwindet es von innen heraus. Es bestätigt die furchtbare Realität des Leidens. Aber es versetzt uns zugleich in eine höhere Realität, die über dem Leiden steht. Daß das Leiden selbst Segens- und Besserungskräfte in sich trägt, hat sich uns als verhängnisvoller Irrtum erwiesen. Einem leidzerquälten Herzen sein Leiden als Segen zu predigen, ist in den meisten Fällen unangebracht, oft sogar taktlos, wenn nicht lieblos und grausam. Aber dies leidzerquälte Herz über sein Leiden hinaus zum leidenden Heiland emporzuheben und es am Herzen Gottes zur Ruhe kommen zu lassen, das bringt Segen und Trost.

Daß hier unser Gedanke der inklusiven Stellvertretung tiefste Leidenstiefen zu erklären vermag, sei durch ein Wort aus einer Lazarettpredigt[1]) belegt: „Ihr lieben Brüder, die ihr auf irgend einem Schmerzenslager liegt, verwundet, krank, gefangen oder dienst= unfähig, neigt euer Herz dieser Weisheit Gottes: die Erfahrung von allerlei Not ist eine Zubereitung zum Dienst. Ihr leidet in viel tieferem Sinne „für andere", als man es sonst nur meint, wenn man davon spricht. Gebt mir in der Stille Antwort, ob auch nicht da= durch ein wenig eure jetzige Lage erleuchtet und erklärt wird, wenn ihr über euren Schmerzen das vom Heiland ausgesagte Wort für euch als eine Verheißung festhalten dürft: „Wunden müssen Wunden heilen!"

Diese Leidensstellvertretung vertieft sich bis zur inklusiven Strafstellvertretung. Wenn ein Christ es fertig bekommt, ohne Murren sich mit unter die Strafe der andern zu stellen, erst dann weiß er, wie tief seines Heilandes Leiden und die von ihm geschaffene Freude reicht. Die stellvertretende Freude, die alle Leidenstiefen durch= leuchtet, bleibt der Schlußakkord der Liebe, bei Jesu, wie bei uns. Die strafende Liebe und die gestrafte Liebe reichen sich am Kreuz die

---

[1]) Paul Humburg, Aus der Quelle des Worts. Berlin 1917, Furche=Verlag. S. 139.

Hände zur Versöhnung. Ohne das Kreuz sind Gottes Strafen un=
erträglich und trennen den Menschen immer weiter von Gott, bis er
in den Abgrund der Verzweiflung sinkt. Alles, was die Bekenntnis=
schriften unter Gottesflucht, Gotteshaß und Desperation[1]) verstehen,
hat seinen Grund darin, daß der Sünder ohne Christum Gottes Strafe
nicht zu ertragen vermag. Dagegen alles, was das Bekenntnis über
die im Christenleben fortdauernden Strafen des Fleisches und des
alten Adam sagt,[2]) ist ein Zeichen dafür, daß der Mensch in Christo
Gottes Strafen wirklich zu tragen und Gottes Segen daraus zu er=
fahren vermag. Wenn nach dem bisherigen Ergebnis Christi gesamtes
Leiden inklusive Vertretung ist, dann muß auch sein Strafleiden in=
klusiv sein. Er hat unsere Strafe getragen und überwunden. In
seiner Nachfolge und in der fortwirkenden Kraft seines Werkes tragen
und überwinden wir unsere Strafe fortgesetzt durch ihn. Was keiner
aus eigener Kraft vermag, das vermögen wir durch den, der uns
mächtig macht. Wie er in allen Stücken uns gleich geworden ist,
werden wir in allen Stücken ihm gleich. Der Jünger ist nicht über
seinen Meister. Derselbe Kelch, den der Meister trank (Matth. 20, 22 ff.
und Parallelen), und dieselbe Taufe,[3]) mit der er sich hat taufen
lassen, kommt den Seinen zu. Aber auch dieselbe Freude und Selig=
keit, die er in diesem „Überwinden" geschmeckt hat, gibt er seinen
Überwindern. Durch Christi Kreuz wird die Strafe aus einem
Trennungsmittel zum Mittel der Gemeinschaft zwischen dem sündigen
Menschen und dem heiligen Gott. Es gibt dem Christen fortgesetzt
zu erfahren, daß „Gott die Sünde abstößt, während er den Sünder
sucht" und „daß der Fluch in keiner Gestalt den glaubenden Gottes=
menschen von Gott scheiden kann." Diese Kählerschen Worte kommen
so erst zu ihrem vollen Recht. Nur so wird das sittliche Bewußtsein,
das sich immer gegen die exklusive Strafstellvertretung sträuben wird,
unverletzt erhalten. Nur so bleibt die Unwandelbarkeit Gottes, die
von Kähler im Sinne der Bekenntnisschriften zur Grundlage der
Versöhnungslehre gemacht wird, wirklich gewahrt. Wenn sich Gottes
Strafgerechtigkeit an Jesus „erschöpft" hätte, dann hätte sich ja auch
Gottes Unwandelbarkeit damit erschöpft. Denn was wäre das für
eine Unwandelbarkeit, die nur dazu bestätigt wird, um fortan auf=
gehoben zu sein? Der Begriff der Erschöpfung des Gotteszorns, den

---

[1]) Apol. XII, § 38. F. C. II. V, § 10—20 usw.
[2]) F. C. II. VI, § 18—24. Apolog. de confessione et satisfact. § 51—68.
[3]) „Die Menschheit ist am Kreuze getauft." Kähler, Thesen S. 57.

Kähler von Hofmann übernimmt, paßt nur auf einen leidenschaftlichen Affekt, der durch seinen Höhepunkt hindurch zur Abkühlung kommt. Er paßt aber nicht auf das, was das Bekenntnis die dei immutabilis voluntas nennt. Auch der Christ erfährt es und muß es sein Leben lang bei jeder Sünde erfahren, daß „Gott die Sünde abstößt, während er den Sünder sucht". Beides tut Gott, indem er in Christo straft. Als Beweis für Christi Strafleiden führt Kähler die Tatsache des Todes an.[1]) Nicht erst, wie Christus starb, sondern daß er überhaupt stirbt, ist Strafleiden. Denn der Tod ist und bleibt der Sünde Sold. Die Tatsache an sich kann nicht durch eine „idealistische Umstellung des Sehwinkels" geändert werden, wie Kähler selber sagt.[2]) So gewiß auch der Christ tatsächlich stirbt und bis zum Tode tatsächlich sündigt, so gewiß erlebt er den Tod auch als der Sünde Sold.[3]) Diese Erfahrung braucht nicht am Ende seines Lebens zu stehen. Sie kann früher oder später Gewalt über ihn gewinnen, wenn er zum erstenmal die Tiefe seiner Sünde und den Ernst der Buße erfährt. Auch Jesus ist durch diese Tiefen vor seinem Tode gegangen und blieb mit ihnen verbunden von der Taufe bis Gethsemane und bis zum Ruf der Gottverlassenheit. Aber danach ist er doch friedlich und selig in Gottes Händen gestorben, wie nur je ein Gotteskind sterben kann (Luk. 23, 46; Joh. 19, 30). Es ist unbiblisch, das selige Sterben der Gläubigen und das Sterben Jesu in Gegensatz zu stellen. Auf beiden Seiten ist das Sterben im voraus überwunden. Aber auf beiden Seiten bleibt die dunkle Tatsächlichkeit des Todes bis ans Ende bestehen. Selbst ein Paulus, der größte Triumphator des Todes, vergleicht sich mit dem Schlachtschaf (Röm. 8, 36), bangt vor dem Entkleidetwerden (2. Kor. 5, 4), und klagt über den „Leib dieses Todes" (Röm. 7, 24). So selig er ist, bricht doch zuweilen unter dem Druck der Sünde der „elende Mensch" ($\tau\alpha\lambda\alpha\iota\pi\omega\varrho\sigma\varsigma$ $\dot{\epsilon}\gamma\grave{\omega}$ $\ddot{\alpha}\nu\vartheta\varrho\omega\pi\sigma\varsigma$ Röm. 7, 24) bei ihm durch. Mögen die Exegeten darüber streiten, ob die große Klage von Röm. 7 wirklich auf den erlösten Christen zu deuten ist, fest steht, daß die Reformatoren sie so gedeutet haben und daß sie

---

[1]) Versöhnung S. 391 ff. Vgl. Röm. 6, 23 mit Luk. 24, 19.

[2]) Versöhnung S. 392.

[3]) Vgl. Schlatter, „Das christliche Dogma," Calw 1911, S. 266: „Mit dem Sterben ist festgestellt, was wir vor Gott gelten, nämlich nichts, und dies trifft zusammen mit der Wertlosigkeit unseres Willens und Werks. So fällt der Tod unter den Begriff Strafe als Leiden, das durch die Sünde der Menschen verursacht ist und ihre Verwerflichkeit offenbart."

in diesem Sinne in den Bekenntnisschriften, wo sie 35mal (!) vor=
kommt, zitiert wird.[1]) Die Gewißheit, auch diese Anfechtungen des
Christenstandes getrost unter das Kreuz bringen zu dürfen, gibt dem
Paulus erst den unanfechtbaren Trost. Tod und Hölle, Sünde und
Strafe, bleiben für den Christen Paulus als Realitäten bestehen.
Aber sie haben ihren verderblichen Stachel verloren. Der Gekreuzigte
hat ihnen den Stachel genommen, indem er seine Seligkeit in sie
hineingetragen hat, und so können auch wir sie tragen, ohne ihren
Stachel zu fürchten. Es ist eine unvollziehbare Vorstellung, daß
Paulus das Kreuz Christi anders verstanden hat als sein eigenes
Kreuz, das er dem Herrn nachträgt. Er wird vielmehr nicht müde,
immer wieder seine völlige Gleichgestaltung mit dem Gekreuzigten
hervorzuheben, die bis zum ὁμοίωμα τοῦ ϑανάτου geht (Röm. 6, 5)
(s. u. den Schriftbeweis).

## 2. Züchtigungs= und Vergeltungsstrafe.

Die Strafe, die der Christ trägt, ist keine Herabsetzung, sondern
ein Lobpreis der Strafe Christi. Vor Christo gab es zweierlei Arten
Strafe: die richterliche Vergeltungsstrafe und die väterliche Züchtigungs=
strafe. Beide Formen sind in der Lehre des Alten Testaments bis
zur unübertrefflichen Vollkommenheit ausgebildet. Die richterliche
Vergeltung faßt sich zusammen in dem Grundsatz: Auge um Auge,
Zahn um Zahn, Blut um Blut. Die väterliche Züchtigung wird zu
einer unersetzlichen Segensquelle gemacht durch folgende Worte der
Weisheit: Ps. 140, 5: Der Gerechte schlage mich freundlich und strafe
mich; das wird mir so wohl tun als Balsam auf meinem Haupt.
Ps. 94, 12: Wohl dem, den du, Herr, züchtigest. Spr. 1, 23: Kehret
euch zu meiner Strafe. 3, 11 f.: Mein Kind, verwirf die Zucht des
Herrn nicht und sei nicht ungeduldig über seine Strafe; denn welchen
der Herr liebet, den straft er, und hat doch Wohlgefallen an ihm,
wie ein Vater am Sohn. 23, 14: Du hauest ihn mit der Rute, aber
du errettest seine Seele von der Hölle. Hiob 5, 17: Siehe, selig ist
der Mensch, den Gott strafet. Also: wer Gottes Züchtigungsstrafe

---

[1]) „Und bleibet gleichwohl in den Wiedergeborenen, das St. Paulus geschrieben
Röm. 7," F. C. II, II § 63; II, IV § 19 usw.

annimmt, ist selig (Pſ. 94, 12; Hiob 5, 17); wer ſie nicht annimmt, ist
verloren (Spr. 1, 23 ff.).

Nun wäre die Löſung unſeres Problems ſehr einfach, wenn man
dieſen Strafbegriff auf Jeſum anwenden könnte. Gott hat Jeſum
aus Liebe geſtraft und dabei Wohlgefallen an ihm gehabt, wie ein
Vater am Sohn (vgl. Sprüche 3, 12). Wenn irgendwo in der Welt,
dann ist es am Kreuz Wahrheit geworden: Selig ist der Menſch, den
Gott ſtrafet (Hiob 5, 17). Aber wenn das der Sinn des Kreuzes wäre,
dann brauchten wir kein Kreuz. Dann hätten wir ſchon im Alten
Teſtament die volle Offenbarung, die das Kreuz überflüſſig macht.
Aber dann würden wir das Problem ſo verflachen, daß es nicht ein=
mal in die Tiefen des alttestamentlichen Hiobbuches reicht. Hiob
ſelber muß den ſchönen Troſt ablehnen: Selig ist der Menſch, den
Gott ſtraft. Er kann für ſich keine Strafe anerkennen. Leid und
Krankheit will er gerne tragen, ja er will ſich von Gott zerſchlagen
laſſen (6, 9 f.). Aber Strafe kann er darin nicht ſehen, denn er hat
nichts getan, was Strafe verdient. Zwar weiß er, daß „ein Menſch
nicht rechtfertig beſtehen mag vor Gott" (9, 2). Das liegt aber nur
an Gottes unumſchränkter Macht (9, 5 ff.), nicht an Gottes Recht.
„Sage ich, daß ich gerecht bin, ſo verdammt er mich doch; bin ich
unſchuldig, ſo macht er mich doch zu Unrecht" (9, 20). Denn Gott
hat keinen Richter über ſich, der ihm gegenüber das Recht vertreten
könnte (9, 32). „Er macht der Wunden viel ohne Urſache (9, 17) und
bringt beide um: den Frommen und den Gottloſen" (9, 22). Dieſe
Worte Hiobs ſind nicht nur einſeitige Tendenz, ſondern in ihnen
kommt das dringendſte und quälendſte Problem der ganzen alt=
teſtamentlichen Frömmigkeit zum Ausdruck: „Wie kann Gott den
Unſchuldigen ſtrafen?" Alſo nicht ſo ſehr das Leiden an ſich, als
vielmehr das Leiden, das offenbar den Charakter der Strafe trägt,
ist's, worauf es ankommt. Die unvollkommene Löſung, die das
Hiobbuch ſelbſt gibt, zeigt, daß das Problem auf dem Boden des
Alten Teſtaments unlösbar war. Erſt der neuteſtamentliche Stell=
vertretungsgedanke gibt die Löſung. Stellvertretung ist unmöglich,
wo es ſich nur um pädagogiſche Züchtigung handelt. Letztere gilt
nur dem, den ſie trifft. Irgend welche Übertragung auf andere kann
nur dann ſtattfinden, wenn die rechtliche Vergeltung mitſpricht. Die
Geſchichte der Verſöhnungslehre zeigt das ganz deutlich: überall, wo
man die richterliche Vergeltung ausſchaltet, wird auch das Strafleiden
Chriſti ausgeſchaltet. Als bloßes Züchtigungsleiden kann es, da es

den Unschuldigen trifft, niemals den Charakter der Strafe haben. Es kann nur noch Bewährung des eigenen Gehorsams sein, und so kommt man auf Ritschls Bahnen zu der Versöhnungslehre, die neuerdings von Stephan=Nitzsch, wie folgt, zusammengefaßt ist:[1]

„Der Tod Christi behält seine volle Bedeutung, wenn man von der unvollziehbaren Vorstellung eines Strafleidens absieht. Ohne ihn wäre die Gegenliebe erweckende Offenbarung der Liebe Gottes, welche durch die Liebe des Gottessohnes repräsentiert wurde, den gegebenen Umständen nach unvollendet geblieben; ebenso andrerseits die Bewährung des in Demut und Geduld, aber auch in Heldenkraft sich darstellenden Berufsgehorsams. Es war eine Gnadentat Gottes, daß er den Heilsmittler sterben ließ. Christi Tod war also nicht (als stellvertretendes Strafleiden) die Ursache der gnädigen Gesinnung Gottes, wohl aber ihre Folge. — Die Sühne ist nicht Strafe, sondern wendet die Strafe ab."

Aber in der Konsequenz dieser Gedanken wird nicht nur die Strafe, sondern auch der Begriff der Sühne und des Opfers im biblischen Sinne aufgelöst, und dies Verfahren muß sich den oben zitierten Vorwurf Härings gefallen lassen, daß damit „ein nicht ungefährliches Sichanlehnen an den Sprachgebrauch der Alten" geübt werde, obwohl „die Begriffswelt eine andere ist". Was von der Begriffswelt des Neuen Testaments dann noch übrig bleibt, ist das maßgebende Vorbild geduldig ertragenen Leidens, dessen Maßgeblichkeit aber sofort in Frage gestellt wird, wenn man die Frage nach Gott stellt: Wie kann Gott diesen heldenhaft bewährten besten Menschen in solche Gottverlassenheit kommen lassen? Die Gottverlassenheit wird denn auch von Stephan=Nitzsch als unwirklich hingestellt und ihr Gefühl lediglich als „Durchgangspunkt" gedeutet,[2] während es nach Matthäus und Markus sogar der tatsächliche Endpunkt des irdischen Lebens Jesu ist. Das alttestamentliche Problem des Leidens bleibt also ungelöst.

Würde man dagegen die Vorbildlichkeit Jesu erweitern und ihn auch zum Vorbild geduldig ertragener Züchtigungsstrafe machen, dann beginge man eine contradictio in adiecto. Denn vorbildlich ist er nur als Unschuldiger, und Strafe erleiden kann er unter diesem Gesichtspunkt nur als Schuldiger. Über diesen Tatbestand schafft der

---

[1] Lehrbuch der evangelischen Dogmatik von Fr. Aug. Berth. Nitzsch. 3. Aufl. Bearbeitet von Horst Stephan. Tübingen 1912. S. 603.

[2] Stephan Nitzsch, Dogmatik II. S. 603, vgl. 601.

Vergleich mit Hiob absolute Klarheit. Die Meinung der Aufklärungs=
zeit, Gott sei nichts weiter, als der große Pädagoge der Menschheit,
ist schon über 2000 Jahre vorher durch das Hiobbuch widerlegt.
Pädagogen sind schließlich nur dazu da, sich auf die Dauer bei ihren
Objekten überflüssig zu machen. Die Übertragung dieser pädagogischen
Anschauung auf das Strafleiden Christi ergibt die berüchtigte Ab=
schreckungstheorie des Hugo Grotius. Der Gott des Neuen Testaments
aber will sich bei uns weder überflüssig machen, noch uns von sich
abschrecken, sondern er will uns alle zu sich ziehen. Ja, mehr noch:
er hat uns am Kreuz schon zu sich gezogen.

Diese Tatsache einzusehen, ist ohne einen universalen Rechts=
begriff nicht möglich. Damit kommen wir zur Vergeltungsstrafe.
Nicht umsonst begegnet uns im Neuen Testament beim Werke Christi
immer wieder die göttliche Gerechtigkeit. Durch den Stellvertretungs=
gedanken offenbart Gott am Kreuz, daß er gerecht ist, wenn er den
Gerechten für die Ungerechten straft. Aber dieses alttestamentliche
Problem verwandelt sich sofort in das andere, wahrhaft neutestament=
liche Problem: wie kann Gott gerecht sein, wenn er den Ungerechten
gerecht spricht? Beide Probleme werden durch die Stellvertretung
gelöst, wenn man den Begriff inklusiv faßt. Die Strafe des Gerechten
ist zugleich Strafe für die Ungerechten. Der Gerechte wird nicht zum
Lückenbüßer und Sündenbock der anderen gemißbraucht, sondern die
Ungerechten erleben durch ihn die wirkliche Verurteilung ihrer Un=
gerechtigkeit. Daß der Begriff der göttlichen Gerechtigkeit durch die
alte Lehre zu einem juristischen gestempelt ist und daß dadurch das
innerlichste Persönliche in äußerlich sachliche Kategorien gepreßt wurde,
muß zugegeben werden. Aber ebenso muß zugegeben werden, daß
das Neue Testament mit dieser menschlichen Verdrehung ewiger gött=
licher Wahrheit nichts zu tun hat. Die menschliche Jurisdiktion und
der menschliche Rechtsstaat sind nur sehr mangelhafte Vertreter des
ewigen göttlichen Rechtes. Es hängt sich an sie vielerlei an, wodurch
alles, was die Bezeichnung „juristisch" trägt, dem modernen Denken
verleidet ist. Aber es ist eine unberechtigte Unterschiebung, wenn
man deswegen überhaupt alles Recht aus der religiösen Gedanken=
welt verbannen will. So gewiß die Religion ein Lebensinteresse an
der Wahrheit hat, so gewiß hat sie es auch am Recht; sonst würde
sie zum Deckmantel für Unrecht und Unwahrheit. Wenn wir also
im folgenden von Recht und Gerechtigkeit sprechen, meinen wir nicht
die juristische, sondern die sittliche Form des Rechts, wie sie in

klassischer Weise von Kähler[1]) formuliert ist: „Der Christ erkennt im Glauben, was die edleren Geister ahnten und forderten, nämlich die unwandelbare Ordnung der sittlichen Welt, ohne welche diese Welt nicht die Welt Gottes wäre. Der Bruch dieser Ordnung macht unerläßlich, daß ihre Geltung nicht nur verkündigt, sondern auch bestätigt werde, das Tiefste und Beste unseres Lebens hängt an dieser Geltung. Des Menschen Wert ist besser gewahrt, wenn er an ihrer Aufrechterhaltung zerbricht, als wenn sie um seines bloßen Daseins willen vernachlässigt würde. Um unsertwillen, weil um Gottes, unsers Schöpfers willen, ist die Ordnung der sittlichen Welt indispensabel.

In diesem Sinne ist das geschichtliche Werk Christi und die in ihm begründete Versöhnung auch für Gott selbst eine Notwendigkeit; sie fließt ihm aus seinem heiligen Zwecke, den er seiner Menschenwelt bestimmt hat. Der Gott der Geschichte, Jehova, der Gott und Vater unseres Herrn Jesu Christi, kann uns nicht mit sich versöhnen, ohne die Welt mit sich versöhnt, ohne die Schuld der Menschheit zur Geltung gebracht und die Sünde der Welt in ihrer Überführung zugleich im Innersten entmächtigt zu haben.“

Dies Geltendmachen des sittlichen Rechtes steht in keiner Beziehung im Widerspruche mit der sittlichen Erziehung. Diese Art Rechtsstrafe verfolgt genau denselben Zweck, wie die Züchtigungsstrafe. Der moderne Gegensatz zwischen Vergeltungsstrafe und Besserungsstrafe liegt nicht im Wesen des Sittlichen. Denn unter dem Gesichtspunkt der ewigen sittlichen Normen ist die Vergeltung das beste Mittel der Besserung, und es ist eine sentimentale Erweichung des Sittlichen, wenn bei einem Vergehen der Schwerpunkt von den unwandelbaren sittlichen Normen weg in das wandelbare Ich des Menschen verlegt wird. Wir vertreten an Stelle der Vergeltungs- und Besserungsstrafe den Begriff einer „sittlichen Strafe“, in welchem Vergeltung und Besserung zusammentreffen. Dieser Begriff besagt für uns nach einer früher aufgestellten Definition:[2])

„Die sittliche Strafe will weder bloß das Recht, noch bloß die Pädagogik wahren, sondern sie bringt beide zu einer höheren Einheit, die in Gott gegründet und darum im christlich-sittlichen Bewußtsein unmittelbar gegeben ist. Sie verfolgt allein den Zweck der Buße,

---

[1]) Thesen S. 27 ff.
[2]) Diese Definition habe ich in meiner Schrift über Hofmann und Ritschl S. 150 f. gegeben.

d. h. sie will das Unrecht des Schuldigen und das Recht des Ver=
letzten in einer Form geltend machen, welche die Gemeinschaft zwischen
beiden nicht auflöst, sondern vielmehr betätigt."

Um den Sinn dieses sittlichen Strafbegriffs gegen jeden Zweifel
zu sichern, berufen wir uns nicht nur auf das Wort des Theologen
Kähler über den absoluten Wert der sittlichen Norm, sondern wir
stellen daneben auch die Resultate des Pädagogen F. W. Förster[1])
über den absoluten Wert der Strafe.

„Die Anwendung fester Normen ist schon deshalb pädagogisch
unentbehrlich, weil sie geradezu ein Appell ist an alles „Normale"
im Menschen, eine Hilfe, die gerade Menschen von leicht gestörtem
Gleichgewicht ganz unentbehrlich ist" (S. 17).

„In der Strafe wird dem Menschen die außerindividuelle Kehr=
seite seines Tuns, nämlich die zerstörende Wirkung auf andere, sozu=
sagen symbolisch, durch eigenes Leiden und Entbehren zum Bewußtsein
gebracht. Er wird in ein klares Verhältnis zu den Realitäten
des Lebens gerückt. Die egozentrische Haltung wird durch
die Strafe in einer jedem Menschen verständlichen Weise erschüttert
und widerlegt. Dies nannten wir die „erzieherische Kraft der ob=
jektiven Ordnung" (S. 18).

„Wenn in der Tat das Wesen aller Erziehung darin besteht,
daß das Subjektive zur Einordnung in die objektive
Ordnung geleitet ... wird, so ist nichts wichtiger, als ... von
vornherein die tragische Unerbittlichkeit der objektiven Lebens=
ordnung fühlbar und sichtbar zu machen. Das aber geschieht
gerade durch das, was wir Strafe nennen, durch einen empfindlichen
Eingriff jener universellen Ordnung in die Lebenssphäre des un=
gezügelten Individuums. Ich betone gerade die Worte ,sichtbar'
und ,fühlbar', weil die Erziehung solche drastischen Symbole einer
überindividuellen Ordnung am allerwenigsten gegenüber dem Jugend=
lichen entbehren kann, da ja dieser noch ganz besonders stark in
seiner Subjektivität befangen ist" (S. 26).

„Also nicht: ,Erziehung statt Strafe', sondern: ,erst Strafe,
dann Erziehung'! Die Strafe ist Vorbedingung der Erziehung,
weil ohne klare Sühne überhaupt der richtige Standpunkt gegenüber
dem eigenen Vergehen fehlt" (S. 28).

---

[1]) F. W. Förster: Schuld und Sühne. Einige psychologische und pädagogische
Grundfragen des Verbrecherproblems und der Jugendfürsorge. München 1911, Beck.

„v. Liszt sagt (Strafrechtliche Aufsätze und Vorträge, Berlin 1908, S. 229): Die Begriffe ‚Schuld und Sühne‘ mögen in den Schöpfungen unsrer Dichter weiterleben, wie bisher; strenger Kritik der geläuterten wissenschaftlichen Erkenntnis vermögen sie nicht standzuhalten. Damit tritt auch der Begriff der Strafe zurück hinter der heilenden Besserung und der sichernden Verwahrung“ (S. 51).

Dazu sagt Förster: ‚Die Eliminierung des Begriffs der persönlichen Schuld führt zweifellos zur Auflösung des Charakters ...‘, in die ‚entwürdigendste Sklaverei‘. Denn sie macht den Menschen „zum bloßen Reflex seiner sozialen Umgebung, zur Marionette seiner nervösen Zustände, zum willenlosen Produkt seiner physiologischen Organisation. Der Determinist, so meint v. Liszt, könne dem Verbrecher gegenüber keine andere Empfindung haben, als gegenüber dem Aussätzigen... Schreit gegen einen solchen Vergleich ... nicht etwas auf in unserem Innern, ... fühlen wir uns durch die scheinbare „Entlastung“ nicht unerträglich belastet und erdrückt? (S. 52.)

„Wenn unser Wille wirklich nur ein Produkt der Verhältnisse ist, was soll dann noch Reue, Buße, Schuld und Zurechnung?“

„Man kann sagen: Strafe macht den Menschen persönlich, weil sie ein Gegenschlag ist nicht gegen Milieu und Physis, sondern gegen den bösen Willen; sie hebt dies Element „Wille“ gleichsam heraus aus dem ganzen unabsehbaren Kausalzusammenhang und gibt dem Menschen das Bewußtsein, daß die Tat nicht ein bloßes Produkt der Umstände, sondern ein Ergebnis seiner persönlichen Entscheidung sei. Er fühlt, daß er nicht bloß entschuldigt, erzogen oder verwahrt werden müsse, sondern daß er ganz persönlich selber seine Willensrichtung verdammen und etwas anderes aus sich machen müsse. Strafe ist also der Verkehr der gesellschaftlichen Ordnung mit einem verirrten Gewissen — die bloße ‚Verwahrung‘ des Verbrechers aber ist die mechanische Einsperrung eines gemeingefährlichen Tieres“ (S. 18).

„Die strafende Gegenwirkung mit ihrer eingreifenden Ächtung deprimiert den Menschen zwar auf der einen Seite, auf der anderen Seite aber zeichnet sie ihn aus, indem sie ihn als ein Aktivum und nicht als ein bloßes Passivum behandelt“ (S. 19).

„Aus diesem Grunde wird die Strafe auch mit Recht als ‚Sühne‘, als Versöhnung des Menschen mit dem höheren Gebot betrachtet — ohne die Sühne bleibt der Mensch ein Ausgestoßener und muß sich selbst als solcher fühlen“ (S. 20).

„Man darf sagen, daß das Element der Milde und des Er=
barmens nur neben einer solchen Strenge zu gesunder Wirksamkeit
kommen kann, während es sonst nur zu leicht dazu führt, die innere
Haltlosigkeit im Menschen zu steigern."

„Im Christentum selber liegt ja nicht bloß die verzeihende
Liebe; vielmehr entsteht dort gerade aus der klarsten Erkenntnis des
allein Echten und Wahren, aus dem tiefsten Gegensatz des christlichen
Geistes zu aller Verschwommenheit des Urteils, auch die Idee des
jüngsten Gerichts, die Idee der Buße und Sühne: in der
höchsten Wahrheit ist Richten und Erbarmen untrennbar
vereinigt" (S. 8).

--------

## 3. Jesu Heilsstrafe.

Diese schlagenden Ausführungen des Pädagogen übernehmen wir
in ihrem ganzen Umfange, aber in dem Sinne, daß wir von der
Pädagogik zur Theologie gelangen. Wir erkennen in ihnen den
Ausdruck des christlichen Bewußtseins, das tatsächlich mit Gott ver=
söhnt ist. Denn der natürliche Mensch sieht in der sittlich=rechtlichen
Vergeltungsordnung den geschworenen Feind. Sich mit ihr versöhnen
kann er nur dann, wenn der innerste Kern seiner Persönlichkeit durch
diese Vergeltung nicht vernichtet, sondern gerettet wird. Die menschlich=
richterliche Vergeltung kann immer nur einen begrenzten Teil mensch=
licher Handlungen treffen. Nur die göttliche Vergeltung trifft die
ganze Persönlichkeit und verurteilt in einer einzigen Handlung mit
Recht den sündigen Gesamtzustand des Menschen. Unter dieser Ver=
urteilung seines gesamten Wesens bricht der natürliche Mensch zu=
sammen.

Zwar trifft die Strafe Gottes zunächst die sinnlich=leibliche Seite
des Menschen. Aber der Unversöhnte ist mit seiner ganzen geistigen
Persönlichkeit so in das Leiblich=Sinnliche verstrickt, daß er die Strafe
nicht zu tragen vermag. Der primitive Heide flieht vor der Strafe
der Götter (Geisterfurcht, Animismus, Todesangst, Furcht vor Ver=
letzung der Zeremonien). Der hochstehende Grieche trotzt der Strafe
(ὕβϱις) und geht an ihr zugrunde (Prometheus, Antigone, Ödipus).
Der zähe Jude zwingt die Strafe unter sich, bis er sich an ihr auf=
reibt (Psalmen, Propheten, Schicksal des Volkes Israel).

Die ganze Welt steht also um der Sünde willen unter Gottes Strafe. In dieser Strafverhaftung ist sie verloren. Denn sie vermag die Strafe nicht zu tragen. Sie lehnt sich dagegen auf, oder sie bricht unter ihr zusammen. In beiden Fällen führt sie zur Entfernung von Gott, zur Gottverlassenheit und zur Gottlosigkeit. Mit ihr wird das Kausalitätsgesetz auf das Geistige übertragen und wirkt hier mit einer ebensolchen absoluten Präzision. Alle Schuld rächt sich auf Erden. Jede Sünde verursacht in ihrer Wirkung Strafe. Womit jemand sündigt, damit wird er gestraft.

Gott hat nur einen Willen in Natur und Geisteswelt: seinen Herrschaftswillen, der jeder Ursache die verdiente Wirkung gibt. Die Kausalität ist der Ausfluß der göttlichen Gerechtigkeit.

Dieses göttliche Kausalitätsgesetz kann nimmermehr aufgehoben werden. Auch Jesus hat es nicht aufgehoben, sondern am Kreuz erfüllt. Dort tritt er ganz unter den Kausalzusammenhang von Schuld und Strafe. Das tut er nicht gezwungen, sondern in freister, persönlicher Tat. Während die Menschheit nicht fähig war, Gottes Strafe zu tragen, hat er sie in der Kraft des Geistes aus lauter Liebe auf sich genommen und durch sein Tragen überwunden.

Wenn wir auf diese Heilstat Christi verzichten und beim natürlichen Menschen stehen bleiben, werden alle heilsamen, bessernden Wirkungen der Vergeltung und der Strafe illusorisch, weil in dem völligen Zusammenbruch nichts mehr übrig bleibt, was gebessert werden kann. Erst wenn im christlichen Versöhnungsglauben über der zusammenbrechenden Erfahrungswelt eine neue göttliche Welt aufleuchtet und uns zur seligen Gewißheit wird, erkennen wir in dem von Gottes Richtermacht gewirkten Zusammenbruch des IrdischNatürlichen das Mittel zu radikaler Erneuerung aus himmlischgöttlicher Kraft. So wird das völlige ausnahmslose Gericht zur völligen Gnade. Es bleibt als Gericht über das Natürlich-Menschliche bestehen, solange die Natur und der Mensch besteht. Aber dieses Fortbestehen ist zugleich Mittel zu dem Zweck, daß wir der höheren, übernatürlichen Gottesordnung gewiß werden, deren Fortbestehen sich von jenem Fortbestehen des Gerichts nicht trennen läßt. Das Nebeneinander von Gericht und Gnade liegt im Wesen Gottes und ist darum unaufhebbar. Es findet kein „Ausgleich" zwischen beiden statt. Gott erlöst sich nicht selbst von seinem Zorn, sondern sein Zorngericht über die Sünde bleibt unwandelbar bestehen, wie er selbst unwandelbar ist. Dies Zorngericht über die Sünde ist in Christo lauter

Gnade für den Sünder. Denn das Gnadenwerk Christi besteht
darin, daß er den Sünder von seiner Sünde loslöst, so
daß das Gericht nur die Sünde trifft, während der
Sünder begnadigt wird. Es kann für den Sünder keine
größere Gnade geben, als daß er von seiner Sünde losgelöst
wird. Es kann für ihn keine größere Seligkeit geben, als daß er
die Sünde, seinen schlimmsten Feind, verdammt sieht. Von Natur
ist der Sünder unlöslich mit seiner Sünde verbunden. Das wird
durch das Kreuz Christi erst in seiner ganzen Furchtbarkeit offenbar.
Denn hier kommt es zu einer Tat, „in welcher die Menschheit in
einer allseitigen Vertretung (Akta 4, 27; 2, 23; Matth. 20, 19; Joh.
11, 47 f.; Mark. 14, 64; Luk. 23, 12; Matth. 27, 25; 38—49; Luk.
22, 21—34; 1. Kor. 2, 8) sich so völlig mit ihrer Sünde zusammen=
schließt, daß sie den Sündlosen von sich ausstößt."[1]) So wird das
Wesen der Sünde erkannt als Widerspruch gegen Christi Kreuz
(Hebr. 12, 3, vgl. Luk. 2, 34 f.), das heißt: als persönlicher Widerspruch
gegen den sichtbaren, im Fleisch offenbarten Gotteswillen. Jeder ein=
zelne Mensch ist an diesem persönlichen Charakter der Sünde beteiligt.
Jede sündige Tat ist die Schuld der sündigen Person. Das Gewissen
macht den Sünder für seine Sünde verantwortlich und haftbar. Es
gibt keine Rettung für den Sünder, wenn er nicht von seiner Sünde
erlöst wird. Er kann diese Erlösung niemals selbst vollziehen, weil
mit allem, was er selbst vollzieht, die Sünde unlöslich verbunden ist.
In dieser Not kommt Gott als Retter. Er sendet seinen Sohn in
der Gestalt des sündigen Fleisches (Röm. 8, 3) und macht ihn zur
„Sünde" (2. Kor. 5, 21), zum Sündenfluch (Gal. 3, 13). Er läßt ihn
alles auf sich nehmen, was zur Sünde gehört: Strafe, Gottverlassen=
heit, Tod, Fluch und Verdammnis der Sünde. Aber Gott läßt ihn
durch seinen Geist dies alles überwinden, so daß er selbst in den
tiefsten Tiefen der Sünde nicht zum Sünder wird.
Theoretisch ist die Frage, wie ein Mensch Sünde sein kann, ohne
ein Sünder zu werden, unlösbar. Aber im Evangelium ist dieses
Irrationale zur Tatsache geworden, und nachdem die Tatsache von
Gott als vollzogen offenbart ist, kann nun hinterher das Denken sich
damit beschäftigen und dies Unbegreifliche zu begreifen versuchen.
Als Mittel für das Verständnis bietet sich uns die lebendige Person
Jesu selbst dar. Jesu eigenes Verhalten ist innige Gemeinschaft mit
den Sündern ohne jegliche Gemeinschaft mit ihrer Sünde. Er ver=

---

[1]) Kähler, Wissenschaft § 415, S. 359.

kehrt mit den Sündern so, daß er ihre Sünde zum Tode verurteilt.
Die Gemeinschaft mit ihm ist ihrem Wesen nach Buße und Glauben
in untrennbarer Einheit. Es entsteht nie das Mißverständnis oder
der Vorwurf, daß er es mit der Sünde leicht nehme. Keiner begehrt
seine Vergebung, um sich dadurch in seiner Sünde bestärken zu lassen
und einen Freibrief zum Sündigen zu bekommen. Nur, wer von
seiner Sünde los sein will, fühlt sich von ihm angezogen. Nie ging
seine Selbsterniedrigung so weit, daß er „den Sündern ein Sünder"
geworden wäre. Er ist stets den Sündern ein Retter von ihrer
Sünde gewesen. Seine heilige Gegenwart war der Tod der Sünde
und durch ihn hindurch das Leben des Sünders.[1]) Sein Wesen war
Gericht und Gnade in einer Person. An diesem seinem Verhalten
war nichts zu ändern und nichts zu bezweifeln. Aber um so dringen=
der erhob sich der Zweifel an der Berechtigung zu diesem Verhalten.
Dies Verhalten Jesu war unerhört. Nie war es in eines Menschen
Sinn gekommen. Alle Begriffe wurden dadurch auf den Kopf gestellt.
Man war gewöhnt, Gericht und Gnade als unverträgliche Gegensätze
zu fassen. Den einen galt das Gericht, den andern die Gnade. Nun
kam Jesus und stellte alle unter das Gericht, um gerade dadurch
allen die Gnade zu spenden. Er schränkte die Gnade in unerhörter
Weise ein, um sie zugleich damit in unerhörter Weise zu erweitern.
Und er tat dies Unerhörte mit einer solchen Selbstgewißheit, daß es
unbegreiflich war, wie er dazu kam. Die Frage nach seiner Vollmacht
war von vornherein die Entscheidungsfrage seines Lebens. Diese
Entscheidungsfrage seines Lebens hat Jesus erst durch seinen Tod
gelöst. Daß er bei Lebzeiten Sünden tatsächlich vergab und dadurch
starke, subjektive Wirkungen zu erzielen wußte, mußten auch seine
Gegner anerkennen. Aber daß dieses Tun nicht menschliche An=
maßung und diese Wirkung nicht vorübergehende Illusion war,
sondern daß beides auf Gottes ewigen Rat zurückging, das hat der
Kreuzeswille Jesu bewiesen. Der Tod hat weder seinen Zusammen=
hang mit Gott, noch seinen Zusammenhang mit den Menschen zer=
rissen, sondern beide in einer Weise offenbart, die über die Offen=
barung seines Lebens qualitativ hinaus geht. Denn sein Leben
konnte jederzeit als nur irdisch=menschlich mißdeutet und seine Gnaden=
gabe dadurch als Gotteslästerung verurteilt werden. Indem er dieses

---

[1]) Diese die Buße wirkende Kraft des Wortes und der Tat Jesu ist besonders
eindrucksvoll von Schlatter dargestellt: Die Theologie des Neuen Testaments.
I. Das Wort Jesu. Calw 1909. Vgl. besonders S. 58 ff.

Leben hingibt, die Verurteilung als Gotteslästerer erträgt und dennoch in der Spendung der göttlichen Gnade beharrt, hat er bewiesen, daß das, was er spendet, nicht aus diesem Leben, sondern aus der Ewigkeit stammt. Seine Verurteilung der Sünde ist also Gottes Gericht, und seine Annahme des Sünders ist Gottes Gnade. Daß es wirklich so ist, das offenbart sein Tod. Sterbend ist er im Vollsinne unser Vertreter vor Gott und Gottes Vertreter bei uns. Seine Hingabe an Gott ist unsere Hingabe. Er gibt uns so an Gott, daß die Sünde Gottes Gericht und der Sünder Gottes Gnade empfängt. Das ist die Versöhnung, deren Ziel Gott allein ist.

Dagegen hat die Erlösung ihr Ziel im Menschen. Der Unterschied zwischen Versöhnung und Erlösung darf nicht so festgestellt werden, daß die Versöhnung sich allein auf die Sünde und die Erlösung sich allein auf die Übel bezieht. Sonst entfernt man sich zu weit von dem biblischen Sprachgebrauch. Die Bibel bezieht auch die Erlösung auf die Sünde, ganz im Sinne von Luthers Erklärung zum zweiten Artikel. Die Erlösung ist die dem Menschen zugewandte Seite des Werkes Christi. Zwar geht die Versöhnung auch in der Menschheit vor, aber sie ist völlig Gott zugewandt. Ihre Kehrseite aber ist die dem Menschen zugewandte Erlösung von der Sünde. In der Versöhnung wird der Sünder an Gott gebunden, in der Erlösung wird er von der Sünde losgelöst. Beides ist eins. Die Bindung an Gott ist Lösung von der Sünde. Die Lösung von der Sünde ist allein Gottes Werk; denn sie geht über Menschenkraft und Menschenmöglichkeit. Aber zugleich geht sie durchaus in menschlicher, religiös-sittlicher Form vor sich. Jegliche Physik, Metaphysik und Spekulation fällt dabei fort. Wie in der Gemeinschaft unter Menschen einer dem anderen sich mitteilt, so teilt uns der Erlöser in der Gemeinschaft mit uns seine Erlösungstat mit. Er schafft die Gemeinschaft mit dem Sünder so, daß die Sünde stirbt. Die Gemeinschaft mit dem sterbenden Jesus ist der Tod der Sünde und darum unsere Erlösung von der Sünde. Diese einmalige Erlösungstat darf nicht zusammengeworfen werden mit unsrer fortgesetzten Loslösung von der Sünde in der Heiligung. Sonst kommt man schließlich auf die Selbsterlösung hinaus. Vielmehr schöpft die eigene Loslösung von der Sünde ihre ganze Kraft und Fähigkeit aus der vollbrachten Erlösung durch Christus. Durch ihn sind wir von der Sünde los, noch ehe wir begonnen haben, uns von ihr loszulösen. Unsere Aufgabe ist nur, zu glauben, daß wir von ihr los sind. Wie der Glaube „sich

hält an den, den er nicht sieht, als säbe er ihn", so läßt er die
Sünde, die er sieht, fahren, als säbe er sie nicht. Die Sünde ist für
ihn wirklich tot, und darum ist er von ihr wirklich erlöst.

Durch diese Deutung des Todes Jesu wird die Kontroverse
zwischen Kähler und Häring in biblischem Sinne beigelegt. Der Satz
Kählers, Jesus sei von Gott behandelt, „als wäre er die Sünde, die
Gott abstößt, während er den Sünder sucht," wird durch unsere
Deutung rückhaltlos bejaht, aber es wird ihm die unerträgliche
exklusive Bedeutung genommen, um derentwillen Häring das Wort
„Abstoßung" mit Recht kritisiert. In der alten Lehre ist die Ab-
stoßung so gemeint, daß Jesus persönlich von Gott abgestoßen wird,
als sei er selbst ein Sünder. Im Neuen Testament aber wird an
Jesus die Abstoßung der Sünde so vollzogen, daß die Person Jesu
und mit ihr der Sünder der Sünde n i c h t verfällt, sondern trotz des
Gerichtes selig ist. Die Abstoßung der Sünde von Gott muß auch
Häring zugeben. Denn nach ihm stirbt Jesus, um zu zeigen, welcher
Ernst es Gott mit der Verurteilung der Sünde ist.[1]) Die Abstoßung,
die Jesus an sich erfährt, ist in keiner Weise eine Verstoßung seiner
Person; sie ist vielmehr eine Verstoßung der auf ihm ruhenden Sünde.
Es ist gerade das Entscheidende an seinem Versöhnungswerk, daß er
unter der Last der Sünde nicht zum Sünder wurde, sondern persönlich
von ihr losgelöst blieb. Dieses Losgelöstsein Jesu von der Sünde
als „Erlösung" zu bezeichnen, so daß Jesus sich selbst erlöst habe,
wäre eine Verfälschung des Tatbestandes. Denn Erlösung gibt es
nur für den, der persönlich ein Sünder ist. Ebenso falsch wäre es,
Jesum als den ersten vorbildlichen Empfänger der Gnade hinzu-
stellen, der sie an uns einfach weitergibt. Denn auch die Gnade
empfängt nur der Sünder, nicht der sündlose Gottessohn. Jesus bleibt
der S p e n d e r der Gnade, wie der Erlösung; er ist stets ihr Subjekt,
wie ihr Objekt.

Mit dieser Feststellung wird auch der von Schleiermacher und
Ritschl stammende Einwand Härings überwunden, daß Jesus die
Strafe nicht habe als solche empfinden können, weil die Strafe immer
mit Schuldgefühl verbunden und daher nicht auf andere Personen
übertragbar sei. In diesem Einwand kommt der moderne Subjektivismus und Anthropozentrismus zum Ausdruck, welchem gegenüber
Kähler den biblischen Theozentrismus vertritt. Die Bibel hat an

---

[1]) Zu Ritschls Versöhnungslehre. Zürich 1888. S. 40 f., wo Häring sich gegen
Ritschl auf Kähler beruft.

Stelle der Schuldfrage die Frage nach der Sünde,[1]) an Stelle der
Folgen in bezug auf den Menschen die Folgen in bezug auf Gott.
Während das menschlich=subjektive Bewußtsein des leidenden Jesus
ein unenthülltes Geheimnis bleibt, deckt die Schrift sein Bewußtsein
von Gottes objektivem Tun ganz klar und unmißverständlich auf.
Sie zeigt, daß Jesus sich der Tatsache, die die Apostel von ihm aus=
sagen, selbst bewußt war: daß er die Sünde der Welt ans Kreuz
trug, daß er Träger der Gnade nur sein konnte, indem er an seiner
Person die Sünde in den Tod trug. Wenn die beiden Sätze feststehen:
„Für uns zur Sünde gemacht," und: „Für uns in den Tod gegeben,"
dann hat man auch ein Recht zu sagen: „Für uns zur Strafe gemacht."
Denn der Tod ist der Sünde Sold, und Strafe ist ebenso ein objektiver
Begriff, wie Sünde und Tod. Weder die Sünde noch die Strafe kann
man auf das subjektive Schuldgefühl reduzieren. Sonst könnte sich
Gott die Strafen an den Verstockten sparen. Beide, Sünde und Strafe,
müssen auf Gott bezogen werden, um vollständig bestimmt zu sein.
Es gibt viele Sünder, die sich ihrer Sünde nicht bewußt sind, deren
Schuldgefühl gleich Null ist. Ihre Sünde wird dadurch nicht annulliert,
sondern vergrößert. So gibt es auch viele Gestrafte, die sich der
Strafe nicht bewußt sind. Viele leben zur Strafe für ihre Sünden
in der Gottesferne und merken es gar nicht, wie schwer sie dadurch
gestraft werden. Die Verstockten werden von Gott noch weiter gestraft,
auch wenn keine Aussicht mehr zu ihrer Besserung vorhanden ist.
Die ganze Lehre von der Strafe Gottes bekommt nur Sinn, wenn es
feststeht, daß Gott um seiner selbst willen straft. Dem entspricht auch
das Rechtsempfinden. Nur die objektive Strafordnung sichert allen
gleiches Recht. Sobald der Richter anfängt, subjektive „Rücksichten"
zu nehmen, wird das Recht gebeugt. Die Folge wäre, daß der Arme
eine geringere Geldstrafe zu zahlen hätte, als der Reiche, und daß
der mit seinem Ehrgefühl ausgestattete Verbrecher gelinder mit ent=
ehrender Strafe belegt würde, als der Ehrlose.

Dadurch würden die Armen und die Heuchler einen Freibrief
zum Verbrechen erhalten, und das Recht würde zum Unrecht werden.
Statt dessen hat die unbeugsame objektive Rechtsordnung zugleich die
heilsamsten subjektiven Folgen. Der Arme, der viel mehr in Ver=
suchung kommt als der Reiche, wird durch die gleiche Strafe um so

---

[1]) Vgl. S c h l a t t e r , Die Theologie des Neuen Testaments. I. Das Wort Jesu.
Calw 1909. S. 104: Jesus „hat es verstanden, eine egoistische Verderbnis des
Bußrufs zu verhüten. Sein Hauptbegriff bleibt ‚Sünde', nicht ‚Schuld'."

mehr in Schranken gehalten, und wer ein feines Ehrgefühl hat, soll dieses umsomehr vor seiner Tat zur Geltung kommen lassen. Tun beide trotzdem Unrecht, dann trifft sie die Strafe zwar um so härter, aber auch um so gerechter. Jedes Strafurteil hat Folgen für die Gesamtheit; es wirkt entweder bewahrend oder zerrüttend. Deswegen begeht der Richter, der sich nur von der subjektiven Rücksicht auf den einen Verbrecher leiten läßt, ein Verbrechen gegen die Gesamtheit. Solche Verirrungen darf man Gott nicht zutrauen. Gott ist der Hüter der Strafe, wie des Rechts. Allerdings liegt in der alten exklusiven Strafstellvertretung eine Strafe vor, die wie Unrecht aussieht, da sie den Unschuldigen trifft. Die inklusive Stellvertretung dagegen ist ganz auf dem Recht aufgebaut. Sie trifft den wahren schuldigen Teil: die Sünde. Sie vergewaltigt nicht die sittliche Persönlichkeit Jesu, sondern gibt ihr entscheidenden Anteil an der Strafe, indem sie deren Erleiden zu seiner freien Tat macht. Einen Unschuldigen wider seinen Willen zu strafen, wäre unrecht. Aber einem Unschuldigen, der mit eigenem freien Willen die Strafe auf sich nehmen will und diese Stellvertretung selbst als Recht anerkennt, diesem die Strafe auf= zuerlegen, kann kein Unrecht sein. Im Gegenteil, das Recht kommt dadurch erst zur wahren absoluten Geltung. Denn nur ein völlig Unschuldiger kann dem göttlichen Recht die absolute Anerkennung zollen, die ihm gebührt. Das ist ja gerade das Verhängnisvolle an der Sünde, daß sie die Begriffe von Recht und Unrecht, von Schuld und Strafe verwirrt. Kein Sünder kann in vollem Umfang und in der vollen Tiefe ermessen, was Sünde, Strafe und Schuld sind. Die Sünde selber hindert ihn daran. Es mußte erst der absolut Sündlose und Schuldlose kommen, um diese Tiefen aufzudecken. Er deckte sie auf, indem er selbst in sie hineinschritt. Die unerkennbare und unsichtbare Sünde wird erkennbar und sichtbar, indem Jesus sie trägt. Nur an ihm und in ihm erfahren wir, was Sünde ist. Nur das Kreuz schafft die Erkenntnis:

> Nun was du, Herr, erduldet,
> Ist alles meine Last.
> Ich hab es selbst verschuldet,
> Was du getragen hast.

Jesu Strafe ist unsere Sünde. Was die Menschen an ihm taten, ist Sünde; was Gott an ihm tat, ist Strafe. Leugnet man Jesu Strafe, dann vermag man nicht zu beweisen, daß wirklich Gott ihm das Kreuz antat, daß Gott „unser aller Sünde auf ihn" warf. Wenn

man in der modernen Weise Gottes Tun und der Menschen Tat
identifiziert, kommt man dazu, daß Gott sich an Jesus versündigt hat.

Das ist der Gedanke, daß Gott an dem Unschuldigen Unrecht
tut, indem er ihn straft. Daraus entwickelt sich dann der weitere
Gedanke, daß Gott überhaupt Unrecht tut, indem er die Menschen
leiden läßt. Demgegenüber kommt es am Kreuz zur Offenbarung,
daß zwischen dem Tun Gottes und dem Tun der Menschen scharf
unterschieden werden muß. Der Menschen Tun ist Sünde — darum
ist Gottes Tun Strafe. So gewiß die Sünde etwas Objektives, gegen
Gott Gerichtetes ist, so gewiß ist auch die Strafe etwas Objektives,
gegen den Menschen Gerichtetes. Dieser doppelte Gegensatz führt zur
Vernichtung des Menschen. Aber Gottes unergründliche Weisheit und
Güte hat einen Weg gefunden, wo gerade dieser Gegensatz zum Heil
wird: den Weg des Kreuzes. Am Kreuz sind die beiden entgegengesetzten Willen, der Wille Gottes und der sündige Menschenwille,
tatsächlich eins. Sie bringen beide Jesum ans Kreuz. Jesus steht
in der Mitte zwischen diesen beiden feindlichen Willen. In seinem
persönlichen Bewußtsein stoßen beide zusammen und erzeugen in ihm
selbst den Kreuzeswillen. Jesus behauptet sich als der Heilige unter
lauter Unheiligen, indem er ihre Sünde und Gottes Strafe auf sich
nahm, ohne darunter zu zerbrechen, ohne selbst sündig zu werden.
Damit erledigt sich auch die vielerörterte Frage, ob Jesus die fünfte
Bitte des Vaterunsers habe mitbeten können; sie ist zu verneinen.
Um Vergebung „unserer" Schuld bitten kann nur, wer selber Schuld
hat. Jesus ist nicht stellvertretend mitschuldig geworden an unserer
Schuld. Sondern das ist gerade das Erlösende an seinem Werk, daß
er unsere Sünde trug, ohne an ihr sündig zu werden. Die fünfte
Bitte können nur Sünder beten. Hier liegt die Grenze des Stell-
vertretungsgedankens. Keiner kann für den andern stellvertretend ein
Sünder werden. Wenn wir hier halt machen mit unseren Gedanken
über Jesu Eingehen in uns, dann tun wir es nicht mit Bedauern
darüber, daß wir nicht weiter können, sondern mit Dank dafür, daß
wir hier aufhören dürfen. Andrerseits würde Jesus mit in unsere
Schuld hineingezogen und könnte uns nicht von ihr helfen.

Jesus hat kein böses Gewissen gehabt. Den Ruf der Gottverlassenheit preßt ihm nicht die Gewissensangst um sein eigenes Tun, sondern
die Angst um Gottes Tun aus. Gottes Widersprechen gegen die Sünde
hat er getragen, als er das Widersprechen der Sünder wider sich er-
duldete (Hebr. 12, 3). Aber daraus ist bei ihm selbst kein Wider-

sprechen geworden. Er blieb unter der Schande und Schmach des Kreuzes (Hebr. 12, 2 u. 13, 13) der geliebte Sohn, von dem das Wort gilt: welchen der Herr lieb hat, den züchtiget er (Hebr. 12, 6). Nur galt die Züchtigung nicht ihm für sich allein, sondern ihm als unserem Stellvertreter vor Gott. Nicht die Menschen haben Jesum gestraft, sondern Gott hat ihn gestraft. Nicht die Menschheit schafft das Heil. Sondern was die Menschheit tut, ist Unheil, ist Sünde. Gott allein schafft das Heil. Gott tut nicht Sünde, sondern überwindet die Sünde. Gott tötet die Sünde und rettet den Sünder, indem er ihn loslöst von der todbringenden Sünde. Gott bekommt sein Recht, und der Mensch bekommt Gottes Gnade. Die Unheilsstrafe wird in Heilsstrafe verwandelt. Die sittlichen Begriffe werden nicht verwirrt, sondern bestätigt und gereinigt. Ihre ganze Hoheit und Unverbrüchlichkeit wird offenbar. Das sittliche Selbst=Verantwortungsgefühl des einzelnen wird nicht vergewaltigt, wie es in der exklusiven Stellvertretung geschieht. Es kommt vielmehr zu der vollen Geltung, wie sie von Häring gefordert wird. Aber zugleich wird der einzelne nicht in pharisäischem sittlichem Selbstgefühl isoliert, sondern mit in den sündigen Gesamtzusammenhang gestellt. Eine verständige Mutter fühlt sich oft genug für die Verfehlungen ihres unverständigen Kindes mehr gestraft als dieses. Ein älterer Bruder, dem die Verantwortung für seine jüngeren Geschwister auferlegt ist, wird mit Recht für deren Ungehorsam gestraft. In beiden Fällen liegt das inklusive Verhältnis vor. Mutter und Bruder haben die Pflicht, den Kindern je länger, desto mehr die sittlichen Begriffe einzuschärfen und ihnen den Ernst der Strafe klar zu machen. Ein sittlicher Erzieher wird immer so strafen, daß er die Sünde abstößt und den Sünder an sich zieht. Er wird so strafen, daß er das Band mit dem Zögling nicht zerreißt, sondern fester knüpft, als zuvor.

Gott hat seinem liebsten Kinde die Vergeltung für die Sünden seiner Kinder nicht erspart. Für sich allein brauchte Jesus keine Strafe; der Besserung bedurfte er nicht. Eine bloße Besserungsstrafe könnte auch niemals den anderen zugute kommen. Nur Vergeltungsstrafe ist übertragbar, durch Stellvertretung ablösbar. Aber diese Ablösung bindet zugleich. Die Stellvertretung wirkt inklusiv. Sie schließt unsere eigene Strafe mit ein (vgl. das obige Resultat). Wir werden auch als Christen noch von Gott gestraft, oft sogar recht hart. Doch diese Strafe ist für uns nicht mehr Zorn, — der Zorn gilt nur der Sünde, — sondern reine Liebe. Diese Strafe ist nicht zu

verwechseln mit den Schreckgespenstern des bösen Gewissens. Sondern
das Bewußtsein von ihr fließt aus einem getrösteten Gewissen. Der
liebende Vater, nicht der zornige Richter straft uns in Christo. Gott
mißt uns als Vater zu, was wir zu tragen haben. Gott sorgt dafür,
daß es kein Übermaß wird. Darin stellt er Jesum uns völlig gleich
und stellt damit auch uns Jesu gleich. Gott ist's, der uns die Strafe
zumißt. Nicht einen Schritt weiter darf die Anfechtung gehen, als
Gott will. Nicht ein Tüttelchen von Leid und Strafe trifft uns über
das hinaus, was wir nach Gottes Willen zu tragen vermögen. Alles
Leid und Strafe liegt in Vaterhänden. An dieser Tatsache des Kreuzes
lassen wir uns genügen und schieben damit allem menschlichen Vorwitz
einen Riegel vor. Wir maßen uns nicht an, ihm über die Verteilung
von Leid und Strafe in den einzelnen Fällen Vorschriften zu machen.
Er übt diese Verteilung nach verborgenem Rat, gegen alle menschliche
Berechnung. Er straft oft Kleinigkeiten furchtbar hart und nimmt
große Sünder scheinbar straflos an. Er bewirkt es unter Umständen,
daß ein Sünder sich durch den Erlaß der Strafe mehr gestraft und
beschämt fühlt, als durch die Strafe selbst. Er läßt in manchen Fällen
das böse Gewissen und die Not der Reue die einzige Strafe sein, und
er gibt sich andrerseits unendliche Mühe, unbußfertige Sünder durch
fortgesetzte Strafen zur Einsicht zu bringen. Aber er zeigt auch durch
die Strafen, die er an den Verstockten und Verlorenen vollzieht, daß
er nicht um der subjektiven Wirkungen willen, sondern um seiner
göttlichen Majestät willen straft. Er häuft das Leiden an manchen
Stellen in unfaßbarer Weise und verschont manchmal noch viel un=
faßbarer. Er schafft ein solches Chaos von dunkeln Erfahrungen,
daß man sich ohne den festen und hellen Wegweiser des Kreuzes
Christi darin gar nicht zurechtfinden kann. Das schwere Problem,
das hier vorliegt, wird dadurch noch drückender, daß Leid und Strafe
sich durchaus nicht decken. Der Umfang des Leidens ist ein größerer
als der der Strafe. Lange nicht alles Leid stammt aus der Sünde.
Aber — das ist der andere Satz, an dessen Feststellung uns besonders
viel liegt — alles Leiden trägt den Anreiz, die Versuchung zur Sünde
in sich. Daß wir Menschen tatsächlich alle Sünder sind, zeigt sich an
keiner Stelle so deutlich wie im Leiden. Uns allen wird der natür=
liche Widerwille gegen das Leiden zum Murren und damit zur Sünde
gegen Gott. Es gibt keinen Heiligen, der nicht irgendwann einmal
in einer schwachen Stunde sich gegen das menschliche Leiden aufgelehnt
hätte. Hier wird erst die ganze Größe Jesu Christi offenbar. Er

blieb im Maximum des Leidens seinem Gott treu. Er hat ein Ver=
dienst erworben, das in keines Menschen Macht stand, und darum hat
er die Macht, uns auch in unserem Leiden und in unserer Sünde zu
bewahren. Durch ihn hat gerade die Strafe bewahrende Macht.
Sie will uns vor weiterer Sünde schützen, sie ist nicht mehr ein
Hindernis der Gemeinschaft, sondern ein Mittel der Gemeinschaft, ein
Band zwischen Gott und uns, ein Gruß des Vaters und Freundes,
im Sinne der Paul Gerhardt=Verse:

> Seine Strafen, seine Schläge,
> Ob sie mir gleich bitter seind,
> Dennoch, wenn ich's recht erwäge,
> Sind es Zeichen, daß mein Freund,
> Der mich liebet, mein gedenke
> Und mich von der schnöden Welt,
> Die uns hart gefangen hält,
> Durch das Kreuze zu ihm lenke.
> Alles Ding währt seine Zeit,
> Gottes Lieb in Ewigkeit!

Dieser Vers läßt sich im Sinne der Schrift durchaus auf Jesu Straf=
leiden übertragen. Es geht nicht an, dem Leiden Jesu einen Inhalt
unterzuschieben, der sich von dem Inhalt unseres menschlichen Leidens
entfernt. Sonst entfernt man sich von Jesu Menschlichkeit und von
seinen eigenen deutlichen Worten, die uns denselben Kelch zuweisen,
wie er ihn getrunken hat. Die Wirkung seines Leidens war aller=
dings eine besondere, qualitativ einzigartige, wie der Opferbegriff sagt
(siehe unten Teil II). Der Inhalt seines Leidens aber bleibt unserm
Leiden qualitativ gleich, da er durchaus menschlich bleibt.

Dagegen ist quantitativ ein ungeheurer Unterschied festzu=
halten. Jesus trug um unsertwillen das Maximum von Leiden und
Strafe, das je einem Gotteskinde auferlegt werden kann. Wir tragen
um seinetwillen ein Minimum von Leiden und Strafe.

Keiner von uns hat die Aufgabe, die Sünde der ganzen Welt
zu tragen. Wir tragen in Christi Kraft nur unsere eigene Sünde
und allenfalls die unserer Nächsten mit. Wir sind an die unreine
Sündensphäre gewöhnt und empfinden sie daher meist gar nicht mit
der vollen Intensität. Die reine und zarte Seele Jesu dagegen hatte
den höchsten Abscheu und Widerwillen vor allem Sündenschmutz, und
überwand sich doch, die damit Beladenen in seine Gemeinschaft auf=
zunehmen und ihre Sünde mit seinem eigenen Leibe ans Kreuz zu
tragen. Er empfand den Fluch der Sünde viel tiefer als je ein

Mensch, und sah die furchtbaren Folgen der Menschheitssünde mit prophetischem Geist voraus. Er wußte, daß er allein die Rettung bringen konnte und mußte doch erfahren, daß der Fluch der Sünde vor dem Retter nicht halt machte. Er ging durch alle Tiefen allein und ohne Hilfe, während wir in allen Tiefen seine hilfreiche Nähe bei uns haben.

Wenn immer wieder der oben zitierte Einwand auftaucht, Jesus habe die Strafe als solche gar nicht empfinden können, dann muß erwidert werden: mit demselben Rechte könnte man sagen, er habe auch Leid und Sünde gar nicht als solche empfinden können. Er sei so voller göttlicher Seligkeitskräfte gewesen, daß dadurch jeder Druck aufgehoben wurde, und er sei so absolut rein geblieben, daß die Sünde in ihrer wirklichen Gestalt gar nicht an ihn heran konnte. Alles, was uns als Leid und Versuchung erscheint, wäre dann für ihn lauter Wonne gewesen. Denn es war ja nur das beste Mittel zur Bewährung all seiner herrlichen Kräfte und Eigenschaften, die in freier, durch keine menschliche Schwäche oder Schuld gehemmten Tätigkeit zur frohen Entfaltung kommen.

Aber solch ein „in lauter Seligkeit getauchter Christus ist Mythus und Phantasterei!"[1]) Die Schrift sagt deutlich, daß Jesus sowohl für das Leiden, wie für die Versuchung empfindlich war, und daß er die Sünde in völliger Gemeinschaft mit den Sündern trug, statt als der Reine sich von ihr zu trennen. Diese Empfindlichkeit für das Leiden wie für die Sünde wird am besten durch das Strafleiden erklärt. Das war der Stachel des Leidens, daß es den Widerspruch Gottes gegen die Sünde enthielt. Das war der Stachel der Sünde, daß Jesus für die Versuchung empfänglich war und den Anreiz zum Widerspruch gegen Gott von sich abwehren mußte. So tief hat er sich für uns erniedrigt. Die Strafe war nicht ein abstraktes Etwas, das über ihn verhängt wird ohne jegliche persönliche Beziehung zu ihm, sondern sie schloß dauernd die persönliche Versuchung zur Sünde ein. Was wir oben vom Leiden gesagt haben: daß es den Anreiz zum Wider= spruch gegen Gott in sich trägt, das gilt von Jesu Leiden ganz be= sonders. Daß Gott es ihm wirklich in solcher Tiefe und Intensität antat, wie es Gethsemane, das Erlebnis von Joh. 12 und die Gott= verlassenheit bezeugen, das wird überhaupt erst faßbar, wenn es

---

[1]) Schlatter, Jesu Gottheit und das Kreuz S. 5. Entsprechend läßt sich gegen die Anselmsche Theorie sagen: ein in lauter Unseligkeit getauchter Christus ist Phantasterei.

Steffen, Das Dogma vom Kreuz.

5

Strafleiden, göttliche Reaktion gegen die Sünde, ist. Jesus wußte, daß er sich nach Gottes Willen dem nicht entziehen, sondern daß er gerade das Sündengericht der ganzen Welt tragen sollte. So wird durch diese Strafe auch bei weitgehender Stellvertretung schließlich doch **der schuldige Teil getroffen, nämlich die Sünde.** Die Strafe trifft nicht **seine** Sünde, sondern **unsere** Sünde und zwar so, **daß wir dadurch mit getroffen sind.**

Dieser Gedanke ist wörtlich in Jes. 53 ausgesprochen. Der erwartete Gottesknecht trägt die Strafe für die Sünden der Ungerechten (53, 4—5). Der Herr warf unser aller Sünde auf ihn (53, 6). Er wird sein Leben zum Schuldopfer geben (53, 10), aber er selbst bleibt der Gerechte (53, 11). Doch die Strafstellvertretung, die hierin ausgedrückt ist, ist nicht exklusiv, sondern inklusiv. Wie Moses und Daniel sich mit ihrem gestraften Volk zusammenschließen, so tut der Knecht Jahwes es auch. Das ist unmöglich so zu verstehen, als ob er allein die Strafe, und das Volk allein das Heil bekommt. Sondern Strafe und Heil sind ein untrennbarer Begriff, wie die hebräische Wortverbindung zeigt: מוּסַר שְׁלוֹמֵנוּ.[1]) Man muß also übersetzen: unsere Heilsstrafe liegt auf ihm. Seine Strafe ist Heil und geschieht uns zu gut. In ihm wird **unsere** Strafe zum Heil, so gewiß **seine** Strafe Heil ist. Er hebt also unsere Strafe nicht auf; er bestätigt sie vielmehr. Aber er schafft ein Heil so groß, daß es die Strafe nicht nur erträgt, sondern vollständig überwindet, in Heil umsetzt. Seine Wunden sind nicht Zeichen des Unheils, sondern des Heils. Das Gericht, das ihn trifft, gilt nur seinem vergänglichen Erdenleben und der Sünde, die er trägt. Er selbst, seine Person, ist in ein neues Leben hinein genommen, in welchem er als Frucht seines Sterbens eine große Menge zur Beute haben wird. So ist der Gottesfluch, der auf der Sünde liegt, aufgehoben, indem der Widerwille gegen Gottes Strafe durch Gottes Wirkung überwunden und in gehorsames Dulden der Strafe verwandelt ist. Das alles ist am Gekreuzigten wirklich erfüllt. Er trägt unschuldig die Todesstrafe für die Schuldigen. Sein blutendes Haupt krönen die Dornen des verfluchten Ackers. Er ist das Wort, das unter die Dornen fiel. Seine blutende Seele tritt in der Gottverlassenheit unter Gottes Zorn. Aber das alles ist lauter Heil. Die Höllenflammen, die ihn umzingeln, löscht er siegreich aus,

---

[1]) Vgl. Hofmann, Schriftbeweis, Bd. II, Nördlingen 1853, S. 132.

statt daß sie über ihm zusammenschlagen. Er erleidet nicht die Höllen=
strafen, sondern er wehrt sie ab (s. u. III, 2). Seine Strafe ist nicht Unheils=
strafe, sondern Heilsstrafe. Gott bekommt sein volles Recht. Die
Sünde ist gestraft, zum Tode verurteilt, verdammt. Aber die gestrafte
Menschheit ist versöhnt: ihr Widerwille ist in duldenden Gehorsam
verwandelt. Von der Strafe ist nichts nachgelassen. Aber es ist eine
solche Fülle göttlicher Heilskraft zu ihr hinzugekommen, daß sie aus
einem Trennungsmittel zu einem Gemeinschaftsmittel zwischen Gott
und Menschheit geworden ist. Die Strafe trägt also eine doppelte
Bestimmtheit an sich: einmal ist sie wirkliches Gericht. Der Träger
der Sünde ist den Übeltätern gleichgerechnet. Was er duldet, trifft
ihn um unserer Missetat willen, und diese Missetat reißt ihn „aus
dem Lande der Lebendigen hinweg." Aber zugleich damit ist er
„aus dem Gericht genommen". Er wird Lust und Fülle haben und
durch den Tod ein neues Leben gewinnen. So wird das Gericht
aufgesogen vom Heil, und sein Leiden kann vom Standpunkt seines
unverletzten persönlichen Lebens aus als bloße heilsame „Züchtigung"
als Zuchtmittel für seine Vollendung angesehen werden, obwohl es
zugleich vernichtendes Gericht ist.

Dieses Zusammentreffen von Züchtigung und Gericht in der
Strafe führt uns wieder zu Försters Normentheorie zurück und setzt
uns in den Stand, nun den Hauptpunkt in der Kontroverse zwischen
Kähler und Häring zur Erledigung zu bringen. Kähler hatte die
Aufrechterhaltung der göttlichen Norm als das Entscheidende an der
Versöhnung herausgestellt. Darauf hatte Häring geantwortet, daß
dieses „Für Gott", ohne Rücksicht auf den Menschen, unverständlich
und ein Theologumenon ohne Heimatrecht in einer evangelischen
Glaubenslehre sei. Auf den Strafbegriff der Versöhnungslehre über=
tragen, ergibt sich bei Kähler die Vergeltungsstrafe, bei Häring die
Züchtigung, die nicht Strafe ist. Für uns hat sich dagegen die sitt=
liche Strafe mit inklusiver Stellvertretung als Vereinigung von Ver=
geltungsgericht und Züchtigung im Sinne von Jes. 53 ergeben. So
wird Kählers theozentrischer Gerichtsgedanke in biblischer Absolutheit
aufrecht erhalten. Das ganze Versöhnungswerk geschieht „für Gott".
Keinerlei pädagogische oder sonstwie den Ernst der Sache abschwächende
Rücksicht auf den Menschen wird genommen. Aber aus dieser un=
erbittlichen Durchsetzung der Norm wird zugleich das beste Erziehungs=
mittel, wenn es in der Hand des Vaters liegt, der den Sünder und
seine Sünde voneinander trennt. Damit wird Härings Wunsch erfüllt,

5*

die Wirkung auf den Menschen erreicht. Gott thront nicht in starrer, liebloser Richterhoheit über uns, sondern seine unergründliche Weisheit hat einen Weg gefunden, auf dem er uns seine rettende Vaterliebe gerade d a d u r ch zeigt, daß er sich selbst bei uns zur absoluten Geltung bringt. So kommt die Entscheidungsfrage der Versöhnungslehre zu der Geltung, die ihr nach den Worten Kirns[1]) gebührt: „Ist der Wert des Heilswerks Christi für Gott ohne Rücksicht auf seine Wirkung innerhalb der Menschheit zu begründen, oder können wir ihn nur nach Maßgabe der letzteren verstehen? An dieser Frage scheiden sich heute noch die Wege der dogmatischen Konstruktion." Wir haben diese Frage auf Grund des biblischen Zeugnisses auf einfache Weise gelöst und damit eine Kontroverse überwunden, die durch eine unbiblische Problemstellung entstanden ist. Wir machen in keiner Weise das Mensch= liche zum Maß des Göttlichen. Aber wir geben der biblischen Gewiß= heit Ausdruck, welche uns sagt: Gibt man ganz und gar Gotte, was Gottes ist, dann gibt man damit auch am besten dem Menschen, was des Menschen ist. Gott hat den Menschen dazu geschaffen und sein Wesen darauf angelegt, daß er sich an Gott hingibt, wie das Gewissen bezeugt. Darum entspricht der Kreuzesglaube „einem Bedürfnis, einer Anlage, die aber aus sich selbst heraus nicht zur Befriedigung gelangen können und daher im natürlichen Menschen zu einem „Mangel" werden (Kähler).[2]) Christus hebt den Mangel auf und befriedigt das Be= dürfnis, indem er die Menschheit an Gott hingibt. Darin ist beides vereinigt: Christi Wert für Gott und Christi Wert für uns.[3]) Wenn Gott in absoluter Herrenmajestät sich selbst n i m m t, was sein ist, dann muß er Welt und Menschheit vernichten; dann ist er überhaupt nicht mehr der Heilsgott, sondern der Unheilsgott. Aber seine uner= gründliche Weisheit hat im Kreuze den Weg gefunden, wo er sein Recht und der Menschheit Heil vereinigt, indem er aus der Mitte der Menschenwelt heraus sich g e b e n läßt, was sein ist. Es ist eine durchaus unbiblische Antithese, wenn Schaeder[4]) in seiner Kritik Kählers den Satz wagt: „D e r C h r i s t u s d e r S c h r i f t h a t n i c h t u n s e r e R e t t u n g a l s l e t z t e s m a ß g e b e n d e s Z i e l! Indem er für Gottes Reich oder Herrschaft lebt und dieses Reich bringt, lebt er, wirkt er

---

[1]) l. c. S. 574.

[2]) Vgl. Kählers Apologetik in seiner „Wissenschaft" S. 81—214, besonders S. 69—76.

[3]) Vgl. dazu Schaeder, Theozentr. Theol. I 1909, S. 104.

[4]) Theozentrische Theologie I 1909, S. 102. Auch in die 2. Aufl. 1916, S. 100 ist dieser unbiblische Satz unverändert übernommen. Gesperrtes ist von mir gesperrt.

letztlich für Gott." Nach neutestamentlicher Auffassung ist das „Für Gott" und „Für uns" untrennbar eins. Am Kreuz geschieht das Gericht über die Sünde ganz und gar „für Gott" und ist doch zugleich ganz und gar Heil für die Sünder. Die Kreuzestheologie stellt Gottes absolutes Recht in den Mittelpunkt und wird gerade dadurch zur Gnadentheologie. Sie baut sich auf der stellvertretenden Strafe auf und ist zugleich durchleuchtet von der stellvertretenden Freude. Denn es gibt für den Sünder keine größere Freude, als daß er seine Sünde hingerichtet sieht, während er sich gerettet sieht. So setzt sich schließlich der Kählersche Theozentrismus, dessen Kehrseite der Anthropozentrismus ist, gegen alle Einwände siegreich durch, und es erweist sich, daß Kählers Begründung der Dogmatik durch den rechtfertigenden Glauben nichts anderes ist, als die Gründung auf die objektive Gottestat des Kreuzes.

---

## 4. Einwände und Bestätigungen.

Die hier vorgetragene Auffassung der Strafstellvertretung hat ihr Recht nun noch zwei Einwänden gegenüber zu behaupten. Der erste Einwand kommt von seiten der alten Lehre und befürchtet, daß der Ernst und die Tiefe des Leidens Christi abgeschwächt wird, wenn es mit dem Leiden des Christenstandes in völlige Parallele gesetzt wird. Dagegen ist zu sagen: Die erschütternden Selbstbekenntnisse ernster Christen[1]) von der Not, die ihnen die fortdauernde Sünde macht, und

---

[1]) Daß es hierbei bis in die Tiefen der Gottverlassenheit gehen kann, dafür zeugt in erschütternder Weise das Sterben eines der Größten unserer Tage! „Seine Seele durchlebte die von ihm so oft gepriesene theologia crucis Luthers, die Schule der Theologie, in die Gott selbst seine Heiligen nimmt, um sie in dem Angstgefühl der Gottverlassenheit zum sehnenden und flehenden Glauben zu erziehen. (D. Wilhelm Engelhardt im Nachruf für Bezzel N. K.-Ztschr. 1917/7, S. 494.) Diese Erfahrungen werden durch den Krieg ganz besonders bestätigt. Eines von vielen Zeugnissen dafür ist die Tagebuchaufzeichnung des Theologen Franz Dibelius (Gedichte und Gedanken, Titel: Meine Last ist abgelegt, Stuttgart 1917, S. 22):

„Nun ist die dunkle Stunde da, Mein Flehen, Schreien ging verloren,
Den starken Engel fühl' ich nah, Er will das Schwert ins Herz mir bohren.
Vollbring er denn, was ihm gefällt, Ich duld' es, kann ich's gleich nicht fassen.
Doch Zeuge sei mir alle Welt Der Stunde, da mich Gott verlassen."

Diese Beispiele sollen nicht etwa als das Normale gelten, sondern die äußerste Grenze dessen, was ein Christ durchleben kann, darstellen.

von der Anfechtung, die sie auszuhalten haben, sind wahrlich ernst und tief genug, um unter das Kreuz gestellt zu werden. Dagegen die oberflächliche Auffassung des Christenstandes, wie sie üblich ist, bedarf dringend einer Vertiefung, wie sie durch den Ernst der fort= dauernden Strafe geschaffen wird. Weil die fortdauernde Strafe, die ohne das Kreuz zur Verlorenheit führt, unter dem Kreuz sich fort= gesetzt in Heil verwandelt, darum schreckt sie nicht von Gott ab, sondern führt zu Gott hin.

Jeder christliche Vater und Erzieher, der sein Kind in rechtem Ernste und in rechter Liebe straft, steht samt dem Kinde mitten in der Versöhnung des Kreuzes. Wie er die Sünde des Kindes richtet und von sich stößt, während er das Kind an sich zieht, so macht es Gott mit allen seinen Kindern. Wir müssen nur den Mut haben, dieses heiligste Heiligtum der Versöhnung in unsere alltäglichen prak= tischen Verhältnisse hineinzustellen. Eine Profanation ist dabei ebenso= wenig zu fürchten, wie sie der Heiland selbst gefürchtet hat, als er sich in unsere unheiligen Verhältnisse als der Heilige stellte. Wir wollen also nicht eine Abschwächung des Strafleidens Christi, wohl aber eine Vertiefung unseres Strafleidens und damit unseres ganzen Lebens herbeiführen.

Wie notwendig solche Vertiefung ist, wird durch den andern entgegengesetzten Einwand erhärtet, welcher behauptet, daß in der inklusiven Strafstellvertretung die Strafe nicht zu wenig, sondern zu sehr zur Geltung komme. Die Erde sei nicht dazu da, daß man sie zu einem „Strafplatz" mache. Es kann uns nicht einfallen, diese schöne Erde zu einem Strafplatz zu machen. Aber wir müssen allerdings erkennen und anerkennen, daß überall, wo man das Kreuz Christi ablehnt, die Erde tatsächlich ein Strafplatz ist. So sehr sich auch das moderne Geistesleben bemüht, uns durch schöne Illusionen darüber hinwegzutäuschen — die brutale Tatsache, der unerbittliche Kausalzusammenhang von Sünde und Strafe, bricht immer wieder hervor. Nur unterchristliche und untersittliche Naturschwärmerei kann sich vor dieser Tatsache so lange verschließen, bis sie von der rauhen, rächenden Wirklichkeit zertreten wird. Wir stellen dagegen mit vollem Bewußtsein der Welt das Ärgernis des Kreuzes vor Augen. Wir decken die Abgründe des Lebens nicht mit Rosen zu, sondern wir decken sie auf und zeigen die einzig sichere Brücke, die darüber führt. Wir schläfern die Menschen nicht durch den Gedanken ein, daß es keine Strafe mehr gibt, sondern wir wecken sie auf aus

ihrer Trägheit und Gedankenlosigkeit, indem wir ihnen den unerbitt=
lichen Kausalzusammenhang von Sünde und Strafe zeigen. „Alle
Schuld rächt sich auf Erden." Viele Schuld wird überhaupt erst
durch die Strafe erkannt, und wo sie unter dem Kreuz voll erkannt
ist, da ist bußfertige Strafwilligkeit die Folge. Die Vergebung wird
oft erst durch die Strafe möglich; manchmal aber ist auch nach der
Vergebung noch Strafe nötig. So groß soll der Einfluß und die Liebe
des Vergebenden sein, daß durch die Strafe die Gemeinschaft nicht zer=
rissen, sondern bestätigt wird.

Luthers große Worte von der Buße des ganzen Lebens (1. These)
und sein fundamentaler Schlußsatz zu den Geboten: „Gott dräuet zu
strafen alle, die diese Gebote übertreten . . ." kommt hier so zur
Geltung, daß in ihm die ganze Heilsgnade des Neuen Testa-
mentes liegt.

Diese Straflehre ist also nicht eine finstere Drohung, sondern
eine strahlende Verheißung, die die dunkelsten Tatsachen aufhellt.
Der wirkliche Tatbestand menschlichen Lebens wird nicht um des
Dogmas willen vergewaltigt, sondern zur Grundlage des Dogmas
gemacht. Aber alles verschwommene und illusionistische Vertuschen dieses
Tatbestandes wird als Fälschung aufgedeckt und der Mensch wird der
wahren Wirklichkeit von Sünde und Strafe gegenübergestellt, wie sie
durch das Wort Harnacks[1]) gekennzeichnet ist: „Keine ‚vernünftige‘ Re-
flexion und keine ‚verständige‘ Erwägung wird aus den sittlichen Ideen
der Menschheit die Überzeugung austilgen können, daß Unrecht und
Sünde Strafe verlangen, und daß überall, wo der Gerechte leidet,
sich eine beschämende und reinigende Sühne vollzieht. Undurchdringlich
ist diese Überzeugung, denn sie stammt aus den Tiefen, in denen wir
uns als eine Einheit fühlen, und aus der Welt, die hinter der Welt
der Erscheinung liegt. Verspottet und verleugnet, als wäre sie längst
nicht mehr vorhanden, behauptet sich diese Einsicht unzerstörbar im
sittlichen Empfinden der Menschen. Das sind die Gedanken, die von
Anfang an durch den Tod Christi erweckt worden sind und ihn
gleichsam umspült haben."

Der Tod Christi bringt dies unerbittliche Kausalgesetz von Sünde
und Strafe zur absoluten Geltung und überwindet es zugleich durch
den Geist des Gekreuzigten. So wird der „Strafplatz" zum Segens=
ort, an dem die Liebe Gottes sogar durch die Strafen hindurchleuchtet

---

[1]) Das Wesen des Christentums. Leipzig 1900. S. 100.

(Hebr. 12, 6; Offb. 3, 19). Allerdings gilt dieser Grundgedanke unter
Christen niemals für die lieblose Beurteilung der Nächsten (Joh. 9, 2 ff).
Wir werden dort, wo es sich nicht um pädagogische Verhältnisse, sondern um den uns gleichstehenden Mitmenschen handelt, sehr zurück-
haltend mit dem Strafgedanken sein.[1]) Aber um so rücksichtsloser
werden wir ihn in der Selbstbeurteilung anwenden. Wir werden
dort das göttliche Vergeltungsprinzip genau so schonungslos durch-
führen, wie es Jesus (Matth. 6, 21 ff.; Luk. 13, 1—9) tut, und
werden uns ganz unter den Grundsatz göttlicher Erziehungs- und
Vergeltungsweisheit stellen, den Paulus am vollkommensten und
kürzesten mit den Worten formuliert: $\varkappa\varrho\iota\nu\acute{o}\mu\varepsilon\nu o\iota$ $\acute{\upsilon}\pi\grave{o}$ $\tau o\tilde{\upsilon}$ $\varkappa\upsilon\varrho\acute{\iota}o\upsilon$
$\pi\alpha\iota\delta\varepsilon\upsilon\acute{o}\mu\varepsilon\vartheta\alpha$, $\acute{\iota}\nu\alpha$ $\mu\grave{\eta}$ $\sigma\grave{\upsilon}\nu$ $\tau\tilde{\omega}$ $\varkappa\acute{o}\sigma\mu\omega$ $\varkappa\alpha\tau\alpha\varkappa\varrho\iota\vartheta\tilde{\omega}\mu\varepsilon\nu$ (1. Kor. 11, 32).
Dieses Gericht Gottes gilt unserm alten, sündigen Menschen; aber
„wir" leiden als neue, geistliche Menschen darunter mit. Der idealistische Satz: „Für den versöhnten Christen . . . hört der Tod auf,
ein Übel zu sein",[2]) widerspricht den Tatsachen des realen Alltags-
lebens. Wer berufsmäßig an Krankenbetten, in Lazaretten oder gar
auf dem Schlachtfelde gestanden hat, weiß, daß die Ausnahmefälle
eines verklärten Stephanus-Todes nicht verallgemeinert werden dürfen.
Sonst käme man ja zu der Konsequenz, daß auch für Jesus der Tod
kein Übel mehr war, obwohl er ihn nach den sichersten Überlieferungen
als solchen empfunden hat. Durch diese Feststellung wird der andere
Satz Kaftans, daß der Tod „der Eingang zum ewigen Leben" ist,
nicht abgeschwächt, sondern bestätigt. Beides steht nebeneinander: der
Tod als Übel und der Tod als Heil, und das erstere treibt auch den
Christen fortgesetzt zum zweiten. Aber der Christ hört, solange er
in diesem Leibe lebt, normalerweise nicht auf, den Tod als etwas
Abnormes und Sinnwidriges zu empfinden, und zugleich zu wissen:
„Ich habe den Tod verdient". Allerdings wird das Todesgrauen
und der Strafcharakter des Todes in der Buße und im täglichen
Sterben der Sünde vorweggenommen, und steht daher oft nicht am
Ende des Christenlebens, sondern wird schon vorher durchlebt. Aber
es wäre eine Verletzung des Andenkens an viele wahrhafte Christen,
wenn man die Regungen des Grauens und des bösen Gewissens im
Sterben als etwas Unchristliches hinstellen wollte. In Wirklichkeit

---

[1]) Daß er trotzdem auch dort zuweilen seine Berechtigung hat, lehrt die
seelsorgerliche Erfahrung und bestätigt das Neue Testament: 1. Kor. 3, 15; 5, 5;
11, 27—32; 2. Thess. 3, 14 f.; 2. Kor. 2, 6 ff.

[2]) Kaftan, Dogmatik. 3. u. 4. Aufl. Tübingen 1904, S. 345.

führen solche Regungen uns unmittelbar unter das Kreuz des Hei=
landes, der mit seinem guten Gewissen unser böses Gewissen deckt,
indem er durch Strafe und Tod uns gleich geworden ist vor Gottes
Angesicht.

Unter dasselbe Urteil fällt der Satz Kaftans: Daß für den
Christen das Übel aufhört „Strafe zu sein, weil es den **Charakter
des Übels verliert** ... und als ein **relatives Gut erfahren
wird**",[1]) während die gegenteilige Empfindung ein Zeichen man=
gelnden oder unvollkommenen Glaubens sei.[2]) Zwar ist anzuerkennen,
daß es Höhepunkte des Glaubenslebens gibt, wo die dunkle Wirklich=
keit tatsächlich geschwunden ist und man weder Sünde noch Strafe,
weder Leid noch Tod mehr spürt. Insofern kommen Kaftans Sätze
zu ihrem Recht. Aber als der Ausdruck normalen Christenlebens
sind sie abzulehnen. Diese Erfahrungen sind entweder ganz besondere
göttliche Gnadengaben oder sie sind die Folge eigener geistiger Er=
hebung über das Übel in asketischem Sinne. Beide Fälle treffen
auf Jesu Leiden nicht zu. Jesus hat sich nicht in asketischer Starr=
heit über sein Leiden erhoben, sondern er hat sich mit voller Intensität
seinem Leiden hingegeben, weil es von Gott kam. Auch den Enthusias=
mus des Märtyrers, der nichts mehr von den Leiden spürt, suchen
wir bei ihm vergeblich. Jesus steht ebenso, wie der normale Christ,
in der vollen rauhen Wirklichkeit von Sünde und Strafe und Leid.
Kaftan selbst bietet die beste Hilfe zur Überwindung seiner eigenen
Einseitigkeit. Er sagt deutlich: „Der **Charakter** der Strafe ver=
schwindet nicht überhaupt. ... In der Erziehungsstrafe sind die
beiden Momente der Strafe und des Erziehungsmittels verbunden."[3])
„Die christliche Erkenntnis der göttlichen Strafgerechtigkeit ergibt sich
aus dem Glauben an die vollkommene Offenbarung Gottes in Jesus
Christus." „Die Lehre von der göttlichen Strafgerechtigkeit gehört
zu den **Grundartikeln** des christlichen Glaubens. Daß Gott das
Böse straft, ist die Grundlage aller menschlichen Strafgerechtigkeit.
Die, welche sie üben, handeln im Namen Gottes als seine Diener,
führen ein heiliges Amt in seinem Auftrag. Ihre Ordnung ist daher
niemals bloß eine Sache der Zweckmäßigkeit, sondern beruht auf
den unantastbaren Gedanken von gut und böse, die in dem heiligen
Willen Gottes begründet sind. Es ist falsch, dieser Erkenntnis des
christlichen Glaubens entgegenzuhalten, daß nur die Tugend wahre

---

[1]) l. c. S. 344. — [2]) l. c. S. 343. — [3]) l. c. S. 343.

Tugend sei, die um der Tugend willen gesucht und geübt werde, und daß es zu einer Beeinträchtigung der wahren, reinen Sittlichkeit ausschlagen müsse, hier, nämlich in der sittlichen Erziehung, den Gedanken an Lohn und Strafe beizumischen."[1]

Aus diesen Sätzen Kaftans kann man sehr wohl folgern, daß die Beziehung der göttlichen Strafgerechtigkeit auf das eigene Selbst des Christen kein Zeichen mangelnden Glaubens, sondern ein Zeichen vorhandenen Glaubens ist. Für das Werk Christi ergeben sich aus den Voraussetzungen Kaftans folgende, für uns wichtige Sätze: Den Unschuldigen statt der Schuldigen zu strafen, ist nicht Gerechtigkeit, sondern „schreiende Ungerechtigkeit". Stellvertretung ist in sittlichen Verhältnissen überhaupt unzulässig. Entweder ist Strafe nötig — dann muß sie den Schuldigen treffen. Oder sie ist nicht nötig — dann ist „der ganzen Theorie die Grundlage entzogen".[2] Vielmehr ist vom Tode Christi zu sagen: „Die Sünde der Menschen, um deren willen er geschichtlich unvermeidlich war, macht ihn auch zum notwendigen Mittel für die Verwirklichung des göttlichen Liebeszweckes in der Menschheit."[3] „Der Tod Christi war nicht notwendig als Strafe, sondern als Erziehungsmittel, dieses im höchsten Sinn verstanden, wie es sich im Zusammenhang der weltgeschichtlichen Führung der Menschen durch Gott gestaltet. Es muß nur hinzugenommen werden, daß der Tod des Heilandes das für den Zweck der Erziehung allein zureichende Mittel war, und daß dieser Zweck im Wesen des Erziehers, d. h. Gottes selbst begründet ist. Denn dann schwindet der Schein des Willkürlichen und der Auswahl, der dem Begriff des Erziehungsmittels zunächst anzuhaften scheint, und stellt es sich evident heraus, daß es sich um eine Notwendigkeit für Gott selbst handelt. . . . Jeder minder tief eingreifende Änderungsversuch dagegen läuft Gefahr . . ., hinter dem sittlichen Ernst der alten Lehre zurückzubleiben. Denn es hat sein Bewenden dabei, daß der Gedanke der Sühne, gerade ethisch verstanden, der der Strafe ist, durch welche dem verletzten Gesetz genug getan wird" (S. 581). Mit diesen bedeutungsvollen Sätzen schließt Kaftan den ganzen großen Abschnitt über „das Werk Jesu Christi". Er beweist damit, daß ihm der schon oben stark hervorgehobene Gedanke der göttlichen Strafgerechtigkeit sehr wichtig ist. Seine Bedenken gelten nur der unbiblischen exklusiven Strafstellvertretung. Dagegen wird durch die

---

[1] l. c. S. 339. 345. — [2] l. c. S. 560. — [3] l. c. 568.

Erweiterung der Ritschl'schen inklusiven Stellvertretung Kaftans Gedankengang bestätigt. Es ist Kaftan zuzugeben, daß das Entscheidende nicht die Strafe selbst, sondern die Überwindung der Strafe ist, und daß nur der schuldige Teil, nämlich die Sünde, von der Strafe getroffen werden kann. Mit Kaftan und der Schule Ritschls sehen wir diese Überwindung der Sünde nicht in einem undurchdringlichen metaphysischen Geheimnis, sondern in dem geschichtlichen Leben und Sterben Jesu Christi verwirklicht. Jesu persönliches Verhalten, das die Sünde trägt und dabei innerlich abstößt und verdammt, während es die Sünder rettet, ist das Versöhnende. Aber wir sehen dies Verhalten Jesu am Kreuz in einer einzigartigen, in Gottes Willen begründeten und in der Weltgeschichte verankerten Tat zusammengefaßt und wirksam gemacht, deren Wesen weiter unten (s. II u. III) noch besonders festzustellen ist. Und wir bauen unsere Lehre nicht wie Ritschl auf dem Gegensatz von Körper und Geist, sondern auf der Einheit und Wechselwirkung beider auf. So nimmt der Geist teil an der Strafe, die das leiblich-natürliche Wesen trifft, und es ist für uns im Sinne des Neuen Testaments der wahre Trost, daß der Versöhner in unser leiblich-natürliches „Fleisch“ eingegangen ist. Die Strafe gilt zwar nur dem natürlichen Menschenwesen. Der Geist, den der Christ besitzt, wird nicht gestraft. Darin treffen wir mit Kaftan durchaus zusammen. Aber der Geist bleibt bis zum Tode mit dem natürlichen Wesen verwachsen, und Jesu Heilstat ragt in diese Verwachsenheit von Fleisch und Geist hinein. Jesu Geist litt mit unter der Strafe, die das natürliche Menschenwesen trifft, und darum kann er helfen allen denen, die dieselbe Not erleiden, denn hier knüpft die Versuchung der Sünde am häufigsten an. An sich ist die Sünde durchaus nicht nur etwas, das aus der Natur kommt, sondern sie hat geistige Macht über unsern Willen und hält unsre Persönlichkeit dadurch gefangen. Aber durch die göttliche Strafe und die menschliche Bereitwilligkeit, sie zu tragen, wird die Sünde in das Naturhafte, Irdisch-Leibliche herabgedrückt und die geistige Persönlichkeit des Christen von ihr innerlich losgelöst. Die Strafe, die den Christen trifft, soll und kann alle Tage überwunden und in den Tod gegeben werden, wie die Sünde selbst. Doch dieser Zustand bleibt bis zum letzten Tage unseres Lebens, wie er bei Jesus bis ans Ende blieb. Alle perfektionistischen Gedanken, als ob an dem Maß, in welchem jemand die Übel nicht mehr als solche empfindet (Kaftan, S. 344), das Maß des Christenstandes gemessen werden müßte, lehnen wir ab.

Denn durch sie würde nur dem Larismus Vorschub geleistet, der schließlich auch die Sünde nicht mehr als solche empfindet. Je feiner und empfindlicher das Gewissen unter dem Kreuz wird, desto empfindlicher wirkt schon die geringste Strafe auf den Christen. Ein sittlich waches Bewußtsein will gar keinen Straferlaß. Ein Kind, das bei dem Vater die erwartete Strafe ausbleiben sieht, wird dadurch leicht verwirrt. Und wenn der Vater in verhaltenem Zorn einhergeht, ohne zu strafen, dann wünscht das Kind selbst die Strafe herbei. So kann für den Christen das prompte Eintreffen der Strafe Gottes geradezu zu einer Betätigung der väterlichen Gesinnung, ja sogar zu einem Gruß des Vaters werden. Aber dabei sind alle schwärmerischen und asketischen Gedanken auszuschließen, als ob die Strafe an sich etwas Begehrenswertes oder ein relatives Gut sei. Sie bleibt für den Christen ein reales, schmerzhaftes Übel wie Sünde und Tod auch. Das wird durch den Blick auf Jesu Kreuz ganz klar. Jesus hat seinen Vater nicht um das Kreuz gebeten; sein ganzer natürlich-menschlicher Wille war vielmehr auf die Bitte gerichtet, das Kreuz an ihm vorübergehen zu lassen. Er hat diesen eigenen Willen in schwerem, innerem Kampf niederringen müssen (Gethsemane!). Jesus hat den Todeskampf mit der Sünde ausgefochten, wie wir ihn auch ausfechten müssen. Er hat das Gericht über die Sünde getragen, damit wir Sünder es in seiner Kraft auch tragen können. Jesus ist nicht mit Jauchzen ans Kreuz gegangen. Er ist kein Virtuose des Leidens gewesen. — Seine gesunde und reine Natur empfand das Unnatürliche von Leid, Sünde und Tod ganz besonders tief. Obwohl er die Fülle des Geistes besaß, wurde das Natürliche dadurch nicht aufgehoben. Darum ist er der wahrhaftige Erlöser aller, die unter ihrer Natur seufzen, und die in namenlosem Leiden das Unnatürliche des Übels durchzukosten haben. Hier kommt das Irrationale zu seinem vollen Recht. Es wird nicht jenseits in Gott allein gesucht, sondern mitten in unseren alltäglichen Leidens- und Sündennöten aufgezeigt. Indem wir die Gottverlassenheit des Gekreuzigten zum Mittelpunkt der Versöhnung machen, stellen wir eine ungelöste Frage in den Mittelpunkt. Dieses erschütternde Warum des Sterbenden läßt das Irrationale unseres Menschendaseins auf das schärfste hervortreten. Wir wollen davon nichts abschwächen. Wir lehnen alle Umdeutungsversuche ab. Auch wenn wir es in biblischem Sinne als Strafe und Sündensold erklären, nehmen wir ihm dadurch nichts von seiner herben Unerklärbarkeit. Denn die Strafe behält für den Gestraften immer etwas Unerklärbares, das nur in dem über ihm stehenden Willen des Strafenden seine Erklärung findet. Und wenn zu diesem an sich Unerklärbaren noch das Geheimnis stellvertretenden Leidens hinzukommt, dann ergibt sich der Tatbestand, wie er wohl am tiefsten von Heim[1]) empfunden und dargestellt ist: „Es ist kein gutes Zeichen für unsern Charakter, wenn es uns leicht wird, die Predigt vom Kreuz zu glauben. Paulus und Luther ist es schwer genug geworden. Sie sind darüber innerlich zerbrochen. Wir müssen einen Sprung über einen Abgrund tun, um auf den Boden der Kreuzestatsache zu gelangen. Dies ist uns nicht aus eigener Kraft möglich, sondern nur durch die Kraft, die vom Gekreuzigten selbst ausgeht. Nur so weit können wir mit unserm eignen Nachdenken kommen, daß wir sehen: die Stellvertretung wäre dann kein unsittlicher Gedanke, wenn wir sie uns so denken könnten, daß die Schuld dabei den Besitzer nicht wechselte. Dies wäre dann der Fall, wenn der Stellvertreter mit dem, den er vertritt, eine Person werden könnte. Dann würde die Schuld nicht wie eine Sache aus einer Hand in die andere wandern, sondern in der Hand einer und derselben Person bleiben. Es müßte also so sein, wie es Luther im Sermon von der Freiheit eines Christenmenschen beschreibt, „daß Christus und die Seele ein Leib werden" (S. 88).

„Nur wenn unser beschwertes Gewissen angesichts des Todes still geworden ist in der Gewißheit, daß Christus unsre Sünde auf sich genommen hat, merken wir auch hier: Die Wirklichkeit ist größer als unsre widersprechenden Gedanken; neben dem Verhältnis der Personen, das wir im alltäglichen Leben sehen, gibt es in der Tat ein Verhältnis der Personen, das wir nicht sehen und mit unserm Denken auch nicht fassen können, ein Ineinandersein von Personen, ein unsichtbares Band, durch das die Welt der sittlichen Persönlichkeiten zu einem Leib miteinander verbunden ist, den ein Geist beherrscht; vermöge dieser übersinnlichen Zusammengehörigkeit aller können wir, wie Luther sagt, an uns selbst verzweifelnd zu ihm sagen: „Du, Herr Jesu, bist meine Gerechtigkeit, ich aber bin deine Sünde, du hast auf dich genommen, was mein war, und hast mir gegeben, was dein war" (S. 89).

Statt der Aufhebung des Sündengerichts müssen wir also von seiner Bestätigung durch Christum sprechen, und wir Christen gehören

---

[1]) Aus der Heimat der Seele, Kassel 1915.

in dieser Beziehung mit unserm Herrn Christus so eng zusammen, wie es auch Ihmels darstellt[1]): „Durchlebe ich immer wieder, daß meine Sünde Gottes Gericht notwendig macht, so heißt glauben nichts anderes, als daß ich Jesum Christum mir den sein lasse, der in Gottes Namen meine Sache bis zum Durchleben des Gerichts zu seiner Sache gemacht hat, und in dem Gott mir eben darum Ver= söhnung anbietet.

Das ist die Gerechtigkeit, die ganz außer mir liegt und eben darum eine Gewißheit des Heils ermöglicht, die allem Schwanken entnommen ist, und das wieder doch nur, weil sie ganz mein eigen ist, so gewiß Jesus Christus ganz mit mir zusammengehört und ich mit ihm."[2] „,Eigentlich' verklagt mich meine Lieblosigkeit Gott gegenüber; eigentlich muß um deswillen Gott mir zürnen —. Wir müssen uns klarmachen, daß es im Wörterbuch unsers Gottes das Wort ,eigentlich' nicht gibt. Ganz uneigentlich fordert Gott uns ganz für sich . . ., ganz uneigentlich will er mit denen ins Gericht gehen, die diese Forderung nicht restlos erfüllen. Das ist die Wirklichkeit. Alles kommt darauf an, ob wir sie erleben."[3]

Noch mehr als Ihmels kommt unsern Gedanken Girgensohn[4]) entgegen: „Wie gleichgültig ist uns im praktischen Leben ein ewiger, geheimnisvoller Weltengrund, der uns nie deutlich sichtbar wird, und den wir nicht fassen und begreifen können! Wie belebt sich da= gegen der Gottesgedanke, wenn wir erfahren, daß Gott unsere Sünde straft oder daß er liebend für unser Ergehen sorgt. Dies beides bildet aber den Kernpunkt der Offenbarung Jesu Christi."

„Die klassische Theorie der evangelischen Kirche in dieser Frage ist die Lehre vom stellvertretenden Strafleiden Christi." Gottes Zorn und Haß ist „Gottes unbeugsame heilige und gerechte Konsequenz, mit der er auf die Sünde die Strafe folgen läßt. Wenn wir für sie die beiden ungenügenden, dem menschlichen Seelenleben entnommenen Bilder beibehalten (sc. Zorn und Liebe), so geschieht es nur, weil wir ausdrücken wollen, daß Gott nicht kalt und gefühl= los die Strafe über die Sünde verhängt. Er ist kein starres, teilnahm= loses Fatum, sondern empfindend nimmt er Stellung zu den Menschen. Aber sein Zorn und seine Liebe sind ruhiger und überlegter als die menschlichen Affekte. Deshalb ist es möglich, daß er seinen Zorn auch

[1]) Aus der Kirche, ihrem Lehren und Leben. Leipzig 1914.
[2]) l. c. S. 82. — [3]) l. c. S. 88.
[4]) Karl Girgensohn: Zwölf Reden über die christliche Religion. München 1913.

auf denen lasten läßt, die andererseits Gegenstand seiner innigsten
Liebe sind. Das Verhältnis eines strengen, aber liebevollen mensch=
lichen Vaters zu seinen Kindern bietet eine treffliche Analogie hierzu.
Letzterer wird die volle Strenge seines Zornes auf den Kindern lasten
lassen, wenn in ihrer Mitte etwas Schlechtes begangen ist. Er wird auch
die Unschuldigen mit darunter leiden lassen, damit sie die Bedeutung
der Sünde voll ermessen können. Trotzdem wird er dabei alle Kinder,
auch das schuldige, herzlich lieb haben. . . . Auf dem sterbenden
Heilande konnte Gottes Zorn lasten, und dennoch hat ihn Gott sicher
nie mehr geliebt als gerade damals, wo die Strafe auf ihm lag"
(S. 362—364). „Gottes Heiligkeit und Gottes Liebe treten uns in
Christo verkörpert und anschaubar entgegen. Die ungeheure
Paradoxie im Wesen Gottes, daß er die Sünde der Menschheit un=
barmherzig straft und verfolgt, und daß er dennoch dem reuevollen
Sünder barmherzig Sünde vergibt, hat in Jesus greifbare Gestalt
gewonnen" (S. 340). „Sein Tod hat die Bedeutung, daß Jesus den
Fluch der Sünde und ihre Folgen auf sich nahm, und auch in diesem
schwersten und drückendsten Zuge unsres Lebens unser Bruder wurde.
Er hatte keine Sünde und litt und starb doch so, als ob er ein Sünder
wäre. Er nahm geduldig die Strafe auf sich, die er nicht verdient
hatte. . . . Dadurch macht er unser Joch leicht. Wir lernen dadurch,
uns zu beugen unter Gottes Gericht und Strafe und ge=
duldig zu leiden. Auch der Tod ist uns nicht mehr schrecklich in der
Gemeinschaft mit ihm. Durch das Leben des Auferstandenen entsteht
erst der volle Segen der Leidensgemeinschaft. Denn er lebt, und
wir dürfen mit ihm leben, wenn wir mit ihm gelitten haben und
mit ihm gestorben sind" (S. 380).

# II. Das Kreuz als Opfer.

## 1. Voruntersuchung.

Die Lehre vom Opfer Christi wurde früher allgemein aus der exklusiven Stellvertretung hergeleitet. Bei diesem Verfahren ist es ganz besonders deutlich, wie sehr das Schriftverständnis von den dogmatischen Theorien abhängig ist. Wo die satisfactio vicaria dogmatisch feststeht, wird das biblische Opfer als Strafstellvertretung aufgefaßt. Es ist natürlich, daß auf diese Überspannung die entgegengesetzte Überspannung folgte. Man erkannte, daß die exklusive Stellvertretung im biblischen Opfer tatsächlich nicht vorliegt, und man löste zugleich mit ihr den Opferbegriff selbst auf. Für dieses letztere Verfahren ist die Dogmatik von Stephan-Nitzsch typisch. Dort heißt es einmal: „Die meisten Forscher lehnen für den Opferkult des Alten Testaments den Gedanken an satisfactio vicaria ab."[1] Dann wird weiter das Opfer selbst eliminiert, wenn es heißt: „In welchem Sinne die Opferidee zu deuten ist, ergibt sich namentlich auch aus der Anwendung, die Paulus von ihr auf sein eigenes Werk macht. Paulus bezeichnet den Erfolg seiner eigenen Berufstätigkeit . . . und seine in Ausübung seines Berufs zu erduldenden Leiden als ein darzubringendes Opfer" (Röm. 15, 16; Phil. 2, 17).[2] Statt daß also, wie es schriftgemäß wäre, das Berufswerk Pauli vom Opferbegriff aus verstanden wird, wird umgekehrt der Opferbegriff durch das Berufswerk Pauli erklärt und damit gänzlich aufgelöst. Von dieser Ritschl'schen Position aus ergibt sich dann naturgemäß eine völlige Skepsis gegen die weiteren Schriftaussagen: „Der Sinn, den das Neue Testament mit der Anwendung des Opfergedankens auf Jesus verbindet, und der Umfang, in dem es geschieht, sind noch heute heiß umstritten. Das gilt von den Worten Jesu selbst (Mark. 10, 45, Abendmahlsworte), wie auch von Paulus."[3] Wenn von den Ver-

---

[1] S. 600, A. 2. — [2] S. 601. — [3] l. c. S. 600, A. 1.

tretern dieses Standpunktes die Schriftworte Sühne, Opfer, Hohes=
priestertum noch gebraucht werden, so müßte man dies einen Miß=
brauch der Schrift nennen, wenn nicht die Überspannungen der alten
Dogmatik diese Gegenposition hervorgerufen und ihr dadurch ein
relatives Recht gegeben hätten. Dieses relative Recht ist aber nur
für die vergangene theologische Periode anzuerkennen. Denn
gegenwärtig sind wir in der Lage, auf Grund der neusten Forschungen
die Opferlehre des Neuen Testaments durchaus sicherzustellen. Wir
können dabei um so unbefangener und objektiver vorgehen, weil wir
den für viele so wichtigen Begriff der Strafstellvertretung vorher
auf anderem Wege ermittelt und sichergestellt haben. Hier kommt
es nun auf die entscheidende Frage an, ob durch den Begriff des
Opfers tatsächlich noch ein neuer, unveräußerlicher Gedanke zu
der Strafstellvertretung hinzukommt.

Über diese Frage ist neuerdings von Rudolf Otto[1]) völlige
Klarheit geschaffen worden. Otto rechnet mit dem modernen Moralis=
mus gründlich ab und stellt ihm gegenüber das wahrhaft religiöse
Interesse sicher. „Was ‚Sünde‘ ist, versteht der natürliche Mensch,
auch der nur sittliche Mensch, nicht. . . . Auf nur sittlicher
Grundlage erwächst weder das Bedürfnis nach ‚Erlösung‘, noch das
nach jenem eigentümlichen andern Gute, das auch wieder ganz und
spezifisch numinösen Charakter hat, nach ‚Bedeckung‘ und ‚Entsühnung‘.
Es würde vielleicht weniger Streit um das Recht dieser beiden Dinge
. . . sein, wenn sie nicht durch die Dogmatik selber aus ihrer mystischen
Sphäre in die rational=ethische übertragen und zu moralischen Be=
griffen abgewalmt wären“ (S. 55 f.).

„Das Mysterium des unschuldigen Leidens der Gerechten“ von
Hiob bis auf Golgatha wird „ganz im Irrationalen“ gelöst. „Hiob,
Kap. 38 ist Weissagung auf Golgatha. . . . Das Kreuz Christi,
dieses Monogramm des ewigen Mysteriums, ist davon die ‚Erfüllung‘.
Und in der Verschlingung jener rationalen Momente seiner Bedeutung
und dieser irrationalen, in dieser Mischung des Offenbaren mit dem
ahndevoll Unoffenbaren, der höchsten Liebe mit der schauervollen
ὀργή des Numen im Kreuze Christi hat das christliche Gefühl die
lebendigste Anwendung der „Kategorie des Heiligen“ vollzogen und
damit die tiefste religiöse Intuition hervorgebracht, die je auf dem
Gebiete der Religionsgeschichte zu finden gewesen ist“ (S. 181).

---

[1]) Das Heilige. Über das Irrationale in der Idee des Göttlichen. Breslau 1917.

Steffen, Das Dogma vom Kreuz. 6

„Christentum ist ... im eigentlichsten und ersten Sinne ‚Erlösungs=
religion‘, Heil und überschwängliches Heil, in eigentümlich religiösem
Sinne, Befreiung und Überwindung der ‚Welt‘, des weltlich=gebundenen
Daseins, ja der Kreatürlichkeit überhaupt, Überwindung von Gottes=
ferne und Gottesfeindschaft, Erlösung von Sündenknechtschaft und
Sündenschuld, Versöhnung und Entsühnung, darum aber Gnade und
Gnadenlehre, Geist und Geistesmitteilung (S. 170). ... So ist Christi
erste unmittelbare Leistung, wie wir sie heute noch klar und leuchtend
verstehen können, Wirkung und Spende von Heil in Hoffnung und
Besitz, der Gott des Neuen Testaments ist nicht weniger heilig als
der des Alten, sondern m e h r, der Abstand der Kreatur gegen ihn
nicht geringer, sondern absolut ...; daß er sich dennoch selber nahbar
macht, ist keine Selbstverständlichkeit ..., sondern unbegreifliche
Gnade; ist eine ungeheure Paradoxie. Dem Christentum diese Para=
doxie nehmen, heißt, es bis zur Unkenntlichkeit verflachen“ (S. 170 ff.).

Wohin uns diese rationalistisch=ethizistische Verflachung schließlich
führt, ist mit aller wünschenswerten Deutlichkeit von einem anderen
Forscher der neuesten Zeit klargestellt worden, von Otto Schmitz in
seinem Buch über „Die Opferanschauung des späteren Judentums
und die Opferaussagen des Neuen Testaments“.[1]) Schmitz greift sich
als Beispiel für die opferfeindliche Stimmung der Moderne das Buch
von Fiebig über „Jesu Blut“[2]) heraus. Das Resultat, zu dem
Schmitz selber kommt, ist dies, daß er den „erweiterten Opferbegriff“
aufzeigt. Nicht der Kultus im antiken oder streng alttestamentlichen
Sinn liegt im Neuen Testament vor, sondern eine Anwendung „im
übertragenen Sinn“. Der Opfergedanke im rein kultischen Sinne
steht tatsächlich n i c h t im Mittelpunkte der paulinischen Frömmigkeit
oder Theologie (S. 229). Das Neue Testament atmet eine „völlig
opferfreie Luft“, da „der ganze kultische Apparat durch die Über=
macht eines neuen Geistes mit einem Schlage aus den Angeln ge=
hoben ist“ (S. 300). Sogar in der kultischen Bildersprache des Hebräer=
briefs zeigt sich „das unbedingte Überlegenheitsbewußtsein des neuen
Geistes über den Ritualismus“ (S. 301). Das bedeutet aber nicht
eine ethische Umbiegung des religiösen Opfers, sondern eine Ver=
bindung der ethischen Tat mit der geschichtlichen Heilstatsache, durch
die Gott selbst das Neue schafft (S. 302). Bei Fiebig dagegen tritt

---

[1]) Tübingen 1910.
[2]) Jesu Blut, ein Geheimnis? Lebensfragen, herausg. von H. Weinel. Heft 14.
Tübingen 1906.

an die Stelle des religiösen Opfergedankens ganz und gar der Begriff der sittlichen „Aufopferung". So kommt Fiebig zu dem Ergebnis: „Der Tod Jesu ist nicht ein undurchdringliches Rätsel". Er ist vielmehr die verständliche und heilsame sittliche Anregung zu „Freude und Begeisterung über die Erlösung... Denn wir lernen durch ihn, daß der Glaube an Gott, unsern Vater, uns alle Rätsel dieses Lebens löst und der Sieg ist, der die Welt überwindet, die Welt mit allen ihren Leiden und dem Tode, dem wir nicht entrinnen."[1]

Diesem oberflächlichen Vaterglauben spricht Otto Schmitz das Urteil, indem er bei Fiebig nichts anderes als „eine christliche Modifikation der Religion Philos"[2] findet. Jesus ist danach nur „der wirkungsvollste Anschauungsunterricht Gottes über die Notwendigkeit von Glauben und Liebe und die Verwerflichkeit des Gegenteils. . . . Jesus ist also sozusagen das beste Durchgangsstadium, das seine Bedeutung verliert, sobald es seinen Dienst getan hat. . . . Das lösende Wort ist: Nachfolge. Ob diese so ohne weiteres möglich ist für einen ‚Gottlosen', wird nicht gefragt".[3] Was Fiebig noch emphatisch vom „Gottesgericht" beim Tode Jesu sagt,[4] wird von Schmitz aus Fiebigs Voraussetzungen reduziert auf einen „drastischen Ausdruck für die motivierende Kraft dieses Vorbildes", dessen Wirkung nichts weiter ist, als „ein psychologischer Vorgang in der Menschenseele".[5] Zwar verwahrt sich Fiebig gegen dies Verständnis seiner Gedanken: „Dabei ist vor dem völligen Mißverständnis zu warnen, als sei . . . ‚Erlösung' damit als etwas lediglich ‚Subjektives' gedacht, als ein Vorgang, dem nichts Objektives zugrunde liege. . . . So gewiß Gott etwas Wirkliches ist und Gottes Arbeit an der Seele des Menschen, so gewiß ist Bekehrung und Erlösung etwas Wirkliches und Objektives."[6] Aber Schmitz sieht ganz richtig, daß Fiebig nicht imstande ist, dieses Objektive zu sichern, weil bei ihm die moderne „religiöse Antipathie gegen alles ‚Geschichtliche' in der Religion vorliegt, welche „das negative Korrelat bildet zum Kultus der reinen Innerlichkeit".[7]

Diese moderne Sachlage ist nach der Äußerung eines anderen Theologen der neuesten Zeit schuld an der „Zerfahrenheit, in welcher

---

[1] Das Blut Jesu, S. 77. — [2] l. c. S. 309. 306 ff.
[3] l. c. S. 308. 307. — [4] Jesu Blut S. 67.
[5] Opferanschauung S. 308. — [6] Jesu Blut S. 67 f.
[7] Opferanschauung S. 311.

die Dogmatik sich befindet". Lemme[1]) äußert sich darüber in der Vorrede zu seiner Dogmatik noch weiter: „Die dogmatische Verwirrung, wie sie bisher in keiner Periode der Kirchengeschichte stattgefunden hat, erklärt sich daraus, daß das Verhältnis des Psychologischen und Rationalen zum Geschichtlichen in der christlichen Religion zu einer Spannung geführt hat. . . . Diejenigen befinden sich in einer starken Selbsttäuschung, die den Historizismus schon als überholt ansehen. Das könnte ja doch nur durch geschlossene Selbstgewißheit geschehen, an der es eben weithin fehlt. . . . Eine „Religion innerhalb der Grenzen der bloßen Vernunft" ist eine Absurdität in sich. . . . Tatsache ist, daß es ebensowenig, wie es eine allgemeine natürliche Sprache gibt, eine allgemeine natürliche Religion gibt. Der rationalistische Gegensatz von Geschichtswahrheit und Vernunftwahrheit gehört einem veralteten Intellektualismus an: religiöse Wahrheit ist stets geschichtliche Wahrheit."

Mit dieser Feststellung wird auch das Verhältnis zwischen Religion und Sittlichkeit geklärt. Wie sich die Religion auf dem Boden des geschichtlichen Lebens erhebt, so erhebt sich „die christliche Sittlichkeit auf dem Boden des natürlichen Lebens" (Lemme). Aber wie das natürliche Leben des einzelnen im geschichtlichen Leben der Gesamtheit wurzelt, so wurzelt auch die Sittlichkeit in der Religion. Die Sittlichkeit verliert dadurch ihre Autonomie nicht, sondern gewinnt sie erst recht, wie auch der Christ seine Freiheit erst im Glauben gewinnt. Das ist neuerdings von Robert Jelke[2]) nachgewiesen worden. Wenn Gott selbst der Schöpfer religiöser Subjekte und sittlicher Zwecke ist, so „kann die Aufnahme der Zwecke der Gottheit unmöglich einen Widerspruch gegen die Autonomie der sittlichen Zwecke bedeuten."[3]) Der sittliche Mensch käme „mit sich selbst, nicht nur mit bestimmten objektiven Realitäten, in Konflikt", wenn er „seine Sittlichkeit von der Religion absperren wollte".[4]) Da die letzten sittlichen Zwecke sich von der Religion nicht lösen lassen, fordert „jede Sittlichkeit mit innerer Notwendigkeit eine Verankerung in einer religiösen Weltanschauung".[5]) Der religiöse Satz νόμος σοι Χριστός ist „allen ethischen Ansprüchen genügend. . . . Auf diese Heilserfahrung

---

[1]) Ludwig Lemme, Christliche Glaubenslehre. I. Band. Berlin 1918. Der II. Band (1920), welcher die Versöhnungslehre enthält (vgl. bes. S. 45 ff.), konnte in der Auseinandersetzung nicht mehr berücksichtigt werden.

[2]) Das Grundproblem der theologischen Ethik. Gütersloh 1919.

[3]) l. c. S. 101. — [4]) l. c. S. 99. — [5]) l. c. S. 100.

müssen wir uns also auch jetzt wieder zurückziehen".[1] Halten wir
diese Sätze mit den oben zitierten Sätzen von Lemme zusammen, dann
ergibt sich die Notwendigkeit, die an sich und in sich autonome
Sittlichkeit auf die geschichtliche Religion zu gründen.

Dieser Zusammenhang wird endlich noch von Dunkmann in
besonderer Weise aufgedeckt. Dunkmann[2] verdanken wir die über=
raschende Feststellung, daß schon der Begriff der ‚Sünde' die Beziehung
zum Geschichtlichen in sich schließt: . . . „Im Begriff des Menschen
liegt noch nicht eingeschlossen, daß derselbe notwendig ‚sündhaft' ist. . . .
Wohl aber ist es der geschichtliche Begriff des Menschen, der das
Bewußtsein der Sünde in sich schließt. . . . Indem Christus in die
geschichtliche Menschheit eintrat und sich unter das ‚Gesetz' ihrer
religiösen Gottesgemeinschaft begab, ‚entäußerte er sich', sofern ‚er die
Gleichheit der Sünde' annahm (Röm. 8, 3).

. . . Somit verbindet Jesus Christus beides, die positive Ge=
meinschaft mit Gott in Form des unmittelbaren Bewußtseins des
Heiligen, und die negative Form des Gottesbewußtseins, wie wir sie
haben in Form der „Sünde" oder des Gesetzes. Nun ist die Mei=
nung nicht die, als ob Christus das subjektive Bewußtsein der Sünde
sich angeeignet hätte, wohl aber die, daß er einerseits aus „Mitleid"
mit uns sich in unsere sündige Gemeinschaft hineinversetzt, andrerseits,
daß er die Folgen trägt, die seine positive Form in der Gemeinschaft
mit uns zur Folge hat. Diese Folge ist aber das „Kreuz". Die un=
heilige Welt stößt den Heiligen zurück, und Jesus trägt und erduldet
dies, ohne doch die Gemeinschaft mit uns aufzugeben. Er „richtet"
die Welt nicht, er bleibt der Versöhner und Erlöser. Genauer, er
bleibt der Gemeinschaft mit uns treu, auch da, wo wir sie aufheben.

Das „Kreuz" Jesu bleibt also der Maßstab, an dem die Kenosis
oder der status exinanitionis bemessen werden muß (Kähler). Es
handelt sich nicht um metaphysische Dinge, deren er sich entäußert,
sondern um geschichtliche Realitäten, die er auf sich nimmt im
Gegensatz zu seiner ursprünglichen Gottesgemeinschaft, die keine Sünde
kennt" (S. 276).

Dieser geschichtliche sündige Zustand bleibt auch bei dem Christen
bestehen: „Es kommt eben zuletzt darauf hinaus, daß der geschicht=
liche Zustand des Christgläubigen, den der heilige Geist unange=
tastet bestehen läßt, so wie er ihn vorfindet, also als einen Zustand

[1] l. c. S. 106.
[2] Der christliche Gottesglaube. Gütersloh 1918.

der Weltverflochtenheit, notwendig das Moment der Gottesferne an sich trägt, d. h. der „Sünde" im rein religiösen Sinn. Ein Christ trägt zwar das Bewußtsein der Gemeinschaft mit Gott und damit der Vollkommenheit und Heiligkeit in sich, doch aber ist er zugleich immer noch der natürliche Mensch, und er orientiert sich in seinem christlichen Bewußtsein stets und notwendig von dem natürlichen Bewußtsein aus als der bleibenden Grundlage seines geschichtlichen Lebens. Immer wieder also findet er sich in der alten Lage mit dem Zwiespalt im Herzen, und immer wieder überwindet er solche anhaftende Sünde allein durch den Glauben" (S. 348 f.) Der rechtfertigende Glaube ermöglicht es, daß einer „zugleich ein Sünder sein und dennoch ein Christ sein" kann (S. 353). Die Rechtfertigung ermöglicht dies dadurch, daß sie „derjenige Teil der christlichen Erfahrung ist, der mit dem Glauben an die geschichtliche Offenbarung in Christo unmittelbar verknüpft ist" (S. 349). So verknüpft sich der geschichtliche Christus bei Dunkmann ganz im Sinne Kählers mit der Geschichte des Christen, die Heilsgeschichte mit der „Herzensgeschichte". Auch das von Dunkmann geforderte Ineinander der Geschichte und der Person Jesu kommt am besten in Kählers Tatsachentheologie zum Ausdruck. Nur wenn die Person Jesu in einer ausschlaggebenden Tatsache der Geschichte ihre ganze beseligende Fülle ausgegossen hat, ist sie für uns das wahre, neutestamentliche Evangelium. Damit wird die Person als solche nicht vergewaltigt. Denn die Geschichte lebt tatsächlich von den Taten ihrer Personen, und die Heilsgeschichte insbesondere lebt von der geschichtlichen Heilstat, die geschehen und vollendet ist am Kreuz.

So kommt bei Paulus, wie in der Theologie Kählers, alles auf die geschichtliche Tatsache des Kreuzes an, in welcher der übergeschichtliche Gott selbst offenbar wird. Paulus hat dafür in dem Wort von der Weltversöhnung 2. Kor. 5 den großartigsten Ausdruck gefunden, und die Weltversöhnung ist es auch, zu der Kählers Theologie uns führt.[1]) Damit ist der rationalistische Ethizismus vollständig überwunden. Aber zugleich ist auch ein einseitiger Historizismus abgewehrt. Wollte man etwa nur die ethische Leistung Jesu mit der weltgeschichtlichen Tatsache seines Todes verbinden und in dieser Verbindung den Sinn des Opfers erschöpft sehen, dann bliebe man in rein immanenten Beziehungen stehen und reichte an das

---

[1]) Vgl. Versöhnung S. 413 ff.

Herzstück des paulinischen Glaubens wie auch des biblischen Opfer=
begriffs, nämlich an die tatsächliche Beziehung zum überweltlichen
Gott, gar nicht heran. Der unveräußerliche Inhalt des Kreuzes ist
und bleibt der, daß wir hier an einer Stelle der Welt, in einer Tat=
sache der Geschichte, den lebendigen Gott selbst haben. Er macht sich
darin „habhaft" für uns und macht uns Sünder habhaft für ihn,
indem er unsere Sünde richtet, aber unsere Person rettet. Er erneuert
uns von Grund unsrer Seele, ganz ohne unser Zutun, aus lauter
Gnaden, durch neue Schöpfung. Der Weltschöpfer selbst wird in
Christo offenbar (Joh. 1, 3; Kol. 1, 16 f.; Hebr. 1, 2).

Die Weltversöhnung steht in der Mitte zwischen Weltschöpfung
und Weltverklärung. Sie offenbart es mit der Wucht der vollendeten
Tatsache, daß die Welt von Gott zu Gott geschaffen ist. Die ganze
Welt mit ihren tausend Plagen und großen Jammers Last — wohin
rollt sie? In Gottes Hand, aus der sie kam! Mag es noch so oft
so scheinen, als sei sie längst den Händen Gottes entglitten und ginge
ihren eignen gottlosen Gang — am Kreuz wird es immer wieder
gewiß, daß Gott sie fest in Gnadenhänden hält. Nun kann sie nicht
mehr von Gott los. Denn sie ist durch die Hände des Gekreuzigten
mit Gott verbunden. Die Sünde der Welt ist gerichtet. Aber die
Sünder der Welt sind gerettet. Jedes Gericht über die Sünde ist
fortan ein Gnadenbeweis für die Sünder.

Das wissen wir mit der unerschütterlichen Gewißheit der Tat=
sache, welcher von H e i m [1]) in folgenden Worten Ausdruck gegeben ist:
„Was uns Halt geben soll, darf nicht mitschwanken, wenn unsre
Seele auf und ab wogt. Es darf nicht mit zerrissen werden, wenn
unser Geist seine ruhige Klarheit verliert. Es darf also nicht Idee
sein, sondern muß den Charakter eines Tatbestandes haben, der sich
nicht verändert, wenn auch in unserm Geist alles drunter und drüber
geht. Ich muß der erlösenden Wirklichkeit gegenüber das wohlige
Gefühl haben, das ich jedem wirklichen Tatbestand gegenüber habe.
Ich brauche mich nicht anzustrengen, um ihn ins Dasein zu rufen.
Er war da, ehe ich war. Ich brauche mich auch nicht anzustrengen,
um ihn festzuhalten. Er trägt mich. Ich kann ohne jede Anstrengung
auf ihm ruhen, mich von ihm umfangen lassen, darin in Deckung
liegen. So lernt unser Geschlecht das große Perfektum der frohen
Botschaft: „Es ist vollbracht"; da wir noch Sünder waren, ist Christus

---

[1]) Aus der Heimat der Seele. Kassel 1915, S. 33 f.

für uns Gottlose gestorben"; „mit einem Opfer hat er in Ewigkeit vollendet, die geheiligt werden". Es erwacht wieder ein Verständnis dafür, daß der Kern des Evangeliums von der Vergeltung unserer Schuld nicht ein Gegenwartserlebnis ist, das dem Wechsel der Stimmung ausgesetzt ist, sondern eine vollendete Tatsache, also unerschütterliche, ewig stillstehende Vergangenheit."

Nach diesen Voruntersuchungen gehen wir zur positiven Entwicklung des Opferbegriffs.

---

## 2. Die Entwicklung des Opferbegriffs.

Jesus ist $\dot\alpha\mu\alpha\rho\tau\iota\alpha$, Sünde. Er wird nicht nur so behandelt, als sei er es, sondern Gott hat ihn wirklich dazu gemacht. Diesen Gotteswillen hat Jesus sich ganz angeeignet, indem er die Sünde „trägt" und „für die Sünde" stirbt. Dieser Tod ist ohne weiteres Strafe. Denn wenn es einerseits feststeht, daß Gott „Sünde" straft und andrerseits, daß Jesus „Sünde" ist, dann ist Jesus auch gestraft. Würde Gottes Strafgerechtigkeit hier an der entscheidenden Stelle eliminiert, dann bekämen wir das Recht, sie überhaupt wegzuleugnen. Es ist nach biblischen Begriffen nicht anders möglich, als daß Gott den Träger der Sünde mit dem Tode der Sünde bestraft. Sonst würde ja durch diesen Sündenträger die Sünde geradezu sanktioniert. Lehnt man trotzdem für Jesus den Begriff der Strafe ab, dann lehnt man damit ab, daß er der Träger der Sünde ist. Das widerspricht dem einhelligen Zeugnis der Schrift. Jesus ist Sünde und bleibt doch zugleich hochheilig, wie das alttestamentliche Opfer. Das alttestamentliche Opfer wird nirgends „Sünde" genannt, weil ihm die Möglichkeit fehlte, sich die Sünde anzueignen. Die Bezeichnung „Lamm Gottes, welches . . . Sünde trägt", paßt auf kein alttestamentliches Opferlamm. Es paßt nur auf die Person des Heilsmittlers, welche die Sünde tatsächlich tragen kann, ohne dadurch zum Sünder zu werden. Was am alttestamentlichen Opfer unvollkommen und schattenhaft, ja unmöglich war, nämlich das völlige persönliche Eintreten für die Sünder, das ist in der Person Jesu erfüllt. Nur eine sittliche Persönlichkeit kann freiwillig die Sünde der Sünder tragen, ohne selbst sündig zu werden. Wo das nicht zur Geltung kommt, und wo statt des Persönlichen die sachliche Genugtuung vertreten wird, da

entfernt man sich von den biblischen Zentralgedanken. Der neu=
testamentliche Opferbegriff darf also nicht sachlich gefaßt werden,
sondern er muß in der oben entwickelten Weise „erweitert", d. h. mit
dem sittlichen Lebensopfer verbunden werden.

Jedes Opfer ist Gabe an Gott. Aber da jede irdisch=menschliche
Gabe dem vollkommenen Gott gegenüber unvollkommen bleibt, gibt
es kein vollkommenes Opfer. Es sei denn, daß Gott selbst das
Opfer gibt, zubereitet und als vollgültig anerkennt. Dies tut er im
Opfer Jesu. Er hat es schattenhaft schon in der alttestamentlichen
Kultusstiftung getan. Das in den Tod gegebene Opfertier ist die
schattenhafte absolute Hingabe an den absoluten heiligen Gott. Aber
nachdem auf den Schatten die Sonne selbst gefolgt ist, erkennt man
die ganze Unvollkommenheit dieses Schattenopfers. Im Opfer Jesu
wird die unfreiwillige dingliche Hingabe zur freien persönlichen Hin=
gabe. Das Tier, das unbewußt in seinem Blut sein Bestes gibt,
wird abgelöst durch den seiner selbst bewußten Menschenwillen, der
die ganze Schwere und Fülle dieser absoluten Hingabe ermißt und
bejaht. Die ganz schattenhafte Kongruenz zwischen dem Opfer und
dem sündigen Menschen wird zur vollkommenen Kongruenz zwischen
Jesus und uns. Der Riß in der Schöpfungsordnung, den die Sünde
angerichtet hat, konnte durch das Opfertier nur immer wieder von
neuem notdürftig verstopft werden. Durch Jesu Opfer aber wird er
vollkommen geheilt, weil Jesus selber das Organ des göttlichen
Schöpferwillens ist. Das Opfertier vergießt sein Blut durch unfrei=
willigen Tod. Jesus vergießt sein Blut durch freie Hingabe an die
Gewalt. Sein Blut hat, als Sache angesehen, keinen Wert für sich.
Aber es bekommt unendlichen Wert als Ausfluß seines persönlichen
Willens. Jesus hat die Gewalttat gegen sich als Recht anerkannt,
und dadurch allerdings nicht seinen Gegnern, sondern Gott recht ge=
geben. Er hat gegen die mörderischen Absichten seiner Gegner von
Anfang an auf das schärfste protestiert und deren Unrecht oft genug
ans Licht gestellt. Er hat ihnen dafür das furchtbarste Gottesgericht
vorausgesagt. Aber er hat sich trotzdem nicht von ihnen getrennt.
Gott selbst hielt ihn bei den Feinden Gottes fest. Gott selbst hielt
ihn durch das Kreuz der Feinde in der Gottesgemeinschaft. Gott
selbst wollte sein Opfer für sich, damit es dadurch für uns wirksam
würde. Jesu Opfer an Gott wirkt nur deshalb, weil es von Gott
kommt. Darum öffnet sein Opfer nicht erst den Zugang zu Gott,
sondern es ist selbst der Zugang zu Gott. Es hat kein Hindernis in

Gott aus dem Wege geräumt. Hätte in Gott das Hindernis gelegen, dann wäre Gott an der Störung der Gemeinschaft schuld. Das Hindernis liegt allein beim Menschen, der die Gemeinschaft durch die Sünde gestört hat. Aber die Aufhebung dieses Hindernisses in der Menschheit geschieht durch Opfer, ist also Gabe an Gott. Das Opfer gilt nicht den Menschen, sondern Gott. Gott beseitigt das Hindernis, indem er es an sich heranzieht und an ihm seine Herrenmajestät kundtut. Die Sünde war Verletzung der göttlichen Majestät. Gott offenbart an ihr seine Majestät, indem er sie verdammt. Aber er richtet damit zugleich die Gemeinschaft auf. Er verdammt Jesum, den Träger der Sünde, nicht mit der Sünde; denn der Träger der Sünde ist zugleich der Träger des göttlichen Geistes. Gott hat am Kreuz nicht seinen eigenen Geist verdammt, sondern das Sündenfleisch der Menschheit. Der Geist gibt der Person Jesu die Kraft und Fähigkeit, Gottes Verdammungsurteil über die Sünde auszuhalten und dabei Gott festzuhalten. Damit ist die Gemeinschaft geschaffen. Sie ist nicht für Jesus und Gott, sondern für die Menschheit und Gott geschaffen. Denn Jesus und Gott waren von Anfang an in Gemeinschaft. Der Sohn und der Vater sind eins! Aber der Sohn hat sich in des Vaters Geisteskraft an die vom Vater getrennte Menschheit hingegeben und als solcher sein Opfer zu Gott gebracht. Der Inhalt seines Opfers ist die sündige Menschheit. Zweck und Ziel seines Opfers ist Gott. Im Opfer zeigt sich die Wechselseitigkeit der Gemeinschaft. Es stammt von Gott und ist doch zugleich Tat der Menschheit. Es zielt auf Gott ab und hat zugleich die neue Menschheit zum Zweck. Aber in dieser wechselseitigen Gemeinschaft bleibt Gott der Herr. Es gibt fortan keine selbständige Menschheit mehr, die neben Gott ein Eigenleben führt. Die Menschheit gehört fortan Gott zum Eigentum. Alles, was sich an Eigenem noch in ihr regt, ist zum Tode verdammt und steuert rettungslos dem Sterben zu. Was die Menschheit lebt, das lebt sie Gott, auf daß Gott sei alles in allem.

Im vollendeten Opfer Jesu ist die Entwicklung der Religion vollendet. Wenn das Ziel und Zentrum aller Religion Gott ist, dann ist bei erreichter Gottesgemeinschaft Ziel und Zentrum erreicht. Eine höhere oder vollkommenere Stufe kann nicht gedacht und nicht erreicht werden. Sittlichkeit, Kultur, Wissenschaft, Philosophie und Weltanschauung, alles das kann sich weiter entwickeln und darum auch wechseln und unsicher werden. Aber die zu ihrem Ziel gekommene

Religion lehnt den Gedanken eines über Gott hinaus liegenden Zieles, die Möglichkeit eines „anderen Evangeliums" ab, und sieht darin eine Herabsetzung Gottes und des eigenen inneren Besitzes. Nur wer noch nicht zum Ziel gekommen ist, kann von Weiterentwicklung reden. Aber er hat es um so nötiger, daß neben ihm andere stehen, die das Ziel kennen und haben. Er kann nicht verlangen, daß die andern um seinetwillen auf das Ziel verzichten. Allerdings ist die ganze Welt Gottes voll. Das wird durch die Kreuzestheologie nicht geleugnet. Es ist nicht der Sinn dieser Theologie, die ganze Fülle Gottes auf den einen Punkt des Kreuzes zu beschränken oder aus ihm die ganze Welt zu entwickeln. Die Welt wird vielmehr als das Gegebene vorausgesetzt. Sie ist eher da, als das Kreuz, sowohl objektiv, wie auch für das subjektive Bewußtsein. Gottes Spuren sind in ihr erkennbar auch für den, der nicht den Spuren des Kreuzes folgt. Aber wenn es sich darum handelt, nicht nur Gottes Spuren, sondern Gottes Herz zu finden, die Widersprüche gegen den Gottesgedanken endgültig zu überwinden und Wahrheit, Leben und Seligkeit von Gott zu schauen, dann muß man dorthin schauen, wo sich Gott im Kreuze gibt. Und wenn man diesen Mittelpunkt erreicht hat, dann fällt auf den ganzen Weltkreis rings umher ein neues Licht.

Diese universale Bedeutung der Tat Jesu wird durch den Opferbegriff sichergestellt. Indem Jesus als Opfer stirbt, stirbt er für Gott. Dadurch ist seine Tat in Gottes ewigem Willen verankert, und darum für alle Zeiten und alle Völker gültig.

Der neutestamentliche Gedanke, daß im Opfer die Sünde der Welt ihr Todesurteil empfängt, ist im alttestamentlichen Kultus noch nicht ausgedrückt, weil

1. das alttestamentliche Opfer nicht universal, sondern national war,

2. die sittlich-persönlichen Begriffe von Strafe und Gericht auf das Opfertier nicht anwendbar waren, und

3. der jüdische Kultus gegen die Bußgesinnung indifferent blieb.

Insofern war das ganze alttestamentliche Opfer nur schattenhaft (Hebr. 10, 1), und es blieb „unmöglich, durch Ochsen- und Bocksblut Sünden wegnehmen" (10, 4). Erst von der neutestamentlichen Erfüllung aus wird der eigentliche Sinn des Opfers offenbar. So haben wir das Recht, vom Neuen auf das Alte Testament zurückzuschließen, anstatt umgekehrt, das Neue durch das Alte zu erklären. So haben auch die alttestamentlichen Propheten mit ihrer leidenschaftlichen Polemik gegen den äußerlichen Opferkultus den innerlichen Opferbegriff des Neuen Testaments vorbereiten helfen und zugleich die Möglichkeit geschaffen, daß das prophetische stellvertretende Leiden (Jes. 53, 4; Jer. 11, 19; Dan. 9, 11—20) sich mit dem Opferbegriff verbinden konnte (Jes. 53, 10). Das Neue, was damit zum prophetischen Leiden hinzukommt, und was das unveräußerliche Herzstück aller Opfer bildet, ist dies, daß in der Opferhandlung etwas unmittelbar „für Gott" geschieht, und daß dadurch auch für den Menschen ein neuer Tatbestand in seinem Verhältnis zu Gott geschaffen wird. Der Prophet leidet für sein Volk, das Opfer leidet für Gott. Beides gehört zusammen. Aber bei jedem von beiden Arten des Leidens liegt der entscheidende Ton an verschiedener Stelle. Indem das prophetische Leiden zum Inhalt des Opferleidens (für Gott) wird, kommt es zur vollkommenen, allumfassenden Wirkung und zu seiner tiefsten Deutung. Zugleich wird dadurch die Versöhnungslehre von der Last des alttestamentlichen Kultus befreit und von den stets schwankenden Untersuchungen über das alttestamentliche Opfer unabhängig gemacht. Andrerseits aber bleibt die Versöhnungslehre mit dem erweiterten Opferbegriff des Neuen Testaments unlöslich verbunden, und alle Versuche, das tatsächliche Opfer als solches aufzulösen, sind zurückzuweisen. Es wird immer wieder versucht, die Vergebungsgnade von Jesu Tod zu lösen und aus ihr eine allgemeine Idee zu machen. Man leitet, wie es Rittelmeyer[1] u. a. tun, daraus „innergöttliche Lebensgesetze" ab, durch die einem jeden Menschenleben eine sühnende und erlösende Bedeutung beigemessen wird. Aber man wird in der Praxis mit all diesen Versuchen an der Unmöglichkeit scheitern, daß ein Mensch aus sich selbst heraus das Todesurteil über seine eigene Sünde erträgt und überwindet. Denn um das zu können, muß er der göttlichen Lebenswirklichkeit über den eigenen Tod und über die eigene Sünde hinaus gewiß sein, und diese Gewißheit schafft allein die Tatsache des Todes Jesu, die glaubend angenommen wird. Es ist eine Unbarmherzigkeit gegen die menschliche Seele, wenn man ihr diesen Segen der vollbrachten Tatsache vorenthält und ihr statt dessen zumutet, aus sich selbst heraus das „innergöttliche Lebensgesetz" zu entfalten, während sie unter dem Todesgesetz der Sünde gebunden ist.

---

[1] Vgl. dazu Stephan=Nitzsch, Dogmatik S. 552 u. 572, wo Rittelmeyers Ausführungen in der „Religion in Geschichte und Gegenwart" Handwörterbuch 1, 1909, S. 1779 ff. und in der Zeitschr. f. Theol. u. Kirche 1912, S. 31—40 in mehrfachen wörtlichen Zitaten wiedergegeben werden.

Tod und Sünde sind zu reale Tatsachen, als daß sie durch Ideen ohne Tatsachen überwunden werden könnten. Ideen sind Menschengedanken. Tatsachen sind Gottesgedanken. Das Kreuz als Idee ist Menschenweisheit. Das Kreuz als Tatsache ist Menschentorheit und göttliche Weisheit. Wer unter bußfertigem Verzicht auf eigenes Leben, Tun und Denken diese göttliche Tatsache einfach annimmt, dem wird durch sie ein neues Leben, Tun und Denken aus Gnaden geschenkt.

Diese Tatsache ist kein totes, unpersönliches Faktum, sondern die Quelle persönlichen Lebens. Wie das Faktum meiner Abstammung von einem bestimmten Vater mein irdisches Leben bestimmt, so bestimmt das Faktum meiner Abstammung aus Gott mein ewiges Leben. Der persönliche Lebenszusammenhang mit dem Gekreuzigten verbürgt dem Sünder sein Leben aus Gott, und läßt ihn die Probe dieses Lebens bestehen: daß er das Todesurteil über seine Sünde überlebt. Der persönliche Lebenszusammenhang des Gekreuzigten mit uns und mit Gott ist der Inhalt der Kreuzestatsache. Der Zusammenhang mit uns bringt ihm den Tod, der Zusammenhang mit Gott erhält sein Leben über den Tod hinaus. Wir geben ihm das Gericht, er gibt uns die Gnade.

Mit diesem Ineinander von Gericht und Gnade ist bei Jesajas von vornherein mehr als ein bloßes Vorbild gegeben. Der Prophet schaut eine vollendete Tatsache, die durch Gott selbst vollzogen ist. Gott bringt seine durch die Sünde verletzte Heiligkeit durch eine besondere Gottestat zur Geltung, und damit wird auch Gottes Heilsgnade definitiv offenbart. Gott hat uns gerichtet und begnadigt in der Strafe, die der Heilsmittler getragen hat. Inwiefern diese sittliche Leistung des einzelnen religiöse Bedeutung für alle hat, das stellt auch Jesajas durch den Opferbegriff fest (53, 10). Indem Jesus sich für uns als Opfer hingibt, bekommt das Opfer einen ganz neuen Inhalt. An die Stelle des unpersönlichen Opfertieres tritt unser persönlicher Stellvertreter. Aber andrerseits darf man das Persönliche nicht derart überspannen, daß es der ausschließliche Inhalt des Kreuzes wird und den eigentlichen Opfercharakter verliert. Das Wesentliche am Opfer ist dies, daß eine Tatsache vollzogen und dadurch ein neuer Tatbestand geschaffen wird. Das Persönlich-Sittliche für sich allein schafft keine allgemeingültigen Tatsachen, sondern nur Ideale, Vorbilder und Antriebe. Allgemeingültige Tatsachen werden einerseits durch kultisches Handeln und andrerseits durch die Geschichte geschaffen. Im kultischen Sühnakt wird der Mensch vor eine neue Tatsache gestellt. Er darf sich nach der Sühne entsühnt wissen, während er das vor dem Sühnakte nicht durfte. Die Sühne wird also nicht von seinem Bewußtsein abhängig gemacht, sondern sein Bewußtsein ist von der Tatsache abhängig. Der kultische Sühnakt hat aber nur begrenzte Bedeutung. Er fordert dauernde Wiederholung, weil jede tatsächliche Sünde ihn wieder nötig macht. Dieser Mangel wird im Kreuz überwunden. Denn im Kreuz tritt das im Tempel verborgene und eng begrenzte kultische Handeln in die Öffentlichkeit der Weltgeschichte. Was am Kreuz geschieht, schafft eine neue Tatsache und einen neuen Tatbestand für die ganze Welt. Die persönlich=sittliche Bewährung des einen Jesus ist nur Mittel zu dem Zweck, für alle eine neue Tatsache zu schaffen, die allen ein neues Bewußtsein gibt. Das geschieht dadurch, daß die persönlich= sittliche Tat Jesu zugleich Kultustat und Geschichtstatsache ist. An sich haben diese drei Arten des Geschehens nichts miteinander zu tun. Zur Kultustat gehört keine sittliche Qualität, und die geschichtliche Tatsache liegt auf einem anderen Gebiet, als das sittliche und das religiöse Handeln. Darum kann weder das geschichtliche Faktum, noch der Kultusakt einfach durch das persönlich=sittliche Handeln er= setzt werden. Es erschöpft den wirklichen Tatbestand nicht, wenn es in Stephan=Nitzsch's Dogmatik II, S. 600 heißt: „Das Opfer Christi war seine Selbstverleugnung, die Hingebung seiner eigenen Person, seine gesamte Berufstätigkeit, deren Krone der Tod bildet." Hier wird das kultische und das geschichtliche Handeln Jesu vollständig durch das sittliche Handeln eliminiert, im deutlichen Widerspruch mit Jesu eigener Absicht. Jesus hat seinen Tod in erster Linie auf Gott bezogen, um „Gotte zu geben, was Gottes ist". Er vergießt sein Blut um Gottes willen. Aber zugleich ist er sich bewußt, einen Akt von weltgeschichtlicher Bedeutung zu vollziehen. Er stellt seinen Tod den größten Geschichtsereignissen Israels gleich: der Rückführung aus Ägypten, dem Bund am Sinai und der Rückkehr aus der Babylonischen Gefangenschaft. Diese Ereignisse werden übertroffen und im Sinne des Deuterojesajas ins Weltgeschichtliche erweitert durch das Neue, das Jesus schafft. Das ist der Sinn des neuen Bundes= opfers auf Golgatha (s. u. Schriftbeweis).

Aus rein menschlichen Beziehungen läßt es sich gar nicht er= klären, wie es kommt, und was es bedeutet, daß in einer Tat zu= gleich das Sittliche, das Geschichtliche und das Kultische vereinigt ist.

Diese Vereinigung hat nur dann einen Sinn, wenn sie von Gott herrührt. Gott ist der Herr der Sittlichkeit, des Kultus und der Geschichte. Er kann die drei Gebiete in einen Punkt vereinigen. Er kann eine Tatsache schaffen, in der sie alle drei zur allumfassenden Geltung kommen. Der Beweis dafür, daß Gott dies wirklich getan hat, ist das Heilandsbewußtsein Jesu. Jesus wußte sich von Gott gesandt zu einer weltgeschichtlichen Tat, die zugleich Kultustat und höchste sittliche Tat war. Er hat diese Tat in Einheit mit dem göttlichen Willen vollbracht. Er vollbrachte sie in Gottes Vollmacht mit dem Blick auf die Welt (Geschichte), mit dem Blick auf den einzelnen Menschen (Sittlichkeit) und mit dem Blick auf Gott (Kultus). Nur in dieser dreifachen Beziehung, in der Jesus mit bewußter Absicht handelte, kann seine Tat verstanden werden. Bei Anselm, wie überhaupt im Katholizismus steht einseitig die Kultushandlung im Mittelpunkt. Die Reformation erst hat die persönlich-sittliche Seite der Versöhnung mit der kultischen in enge Beziehung gebracht, und Luthers Kreuzestheologie ist der erste Ansatz dazu, eine Tatsachentheologie zu schaffen, in welcher die Geschichte um so mehr hervortritt, je mehr die Mystik zurückgedrängt wird. In der Orthodoxie ist wieder das Kultische zu sehr herausgearbeitet, und als Antithese dazu hat sich seit der Aufklärungszeit das Sittliche als das Ausschlaggebende hervorgedrängt. Erst in der Neuzeit kommt die Theologie der Geschichte zu ihrer vollen Geltung, und es ist die Aufgabe der Gegenwart in der Versöhnungslehre, die Synthese zu finden zwischen Geschichte, Kultus und Sittlichkeit. Sie wird nur dann gefunden werden, wenn man durch Zurückgreifen auf Luther und Paulus das Kreuz wieder in den Mittelpunkt der Theologie stellt. Um diese dreifache Bedeutung des Kreuzes zu sichern, erweist sich uns nach wie vor der biblische Begriff des Opfers als der zweckdienlichste. Das Wort Opfer hat für uns ohne weiteres den Doppelsinn einer kultischen und einer sittlichen Handlung. Aber auch für den Charakter einer geschichtlichen Handlung kann es unter Umständen die treffendste Bezeichnung sein. Unsre Zeit, die in besonderer Weise Geschichte erlebt, muß es fortgesetzt mit ansehen, wie geschichtliche Persönlichkeiten das Opfer der Geschichte werden. Gerade weil wir so viele unfreiwillige Opfer sehen, wird uns die freiwillige Opfertat Jesu, die er an exponierter geschichtlicher Stelle für sein Volk und die ganze Menschheit mit vollem Bewußtsein geleistet hat, besonders groß. Aber beide Beziehungen, sowohl die sittliche wie die geschichtliche werden erst vollendet durch den Blick auf Gott. Durch das Kreuz ist alle gottlose Sittlichkeit und alle gottlose Geschichte ein für allemal ge= richtet, zum Tode verdammt. Die religiöse Beziehung bleibt allem andern übergeordnet.

So kann Jesus sich erniedrigen bis zum äußersten sittlichen Dienen; aber er bleibt als Träger der göttlichen Gnade doch der Herr des Glaubens. So können wir ihm nachfolgen bis zur höchsten sittlichen Höhe der freien, selbstverantwortlichen Mannestat; aber wir bleiben dabei doch in völliger religiöser Abhängigkeit von ihm, als seine Diener und Untertanen, die alles, was sie haben, von ihm haben, allein durch den Glauben. Das ist nicht so zu verstehen, als ob Religion und Sittlichkeit zwei getrennte Gebiete sind, von denen die Religion für Gott allein und die Sittlichkeit für den Men= schen allein vorbehalten ist. Sondern nach allem Vorhergehenden ist es klar, daß die Sittlichkeit völlig auf die Religion, der Mensch völlig auf Gott gegründet ist. Durch Jesu religiöse Opfertat wird aus dem in Sünde geknechteten Menschen die freie, selbstverantwortliche, sittliche Persönlichkeit, und diese besteht als solche nur so weit, als sie durch den Glauben an dies Opfer mit Gott religiös verbunden bleibt. Denn Jesu Opfertod ist zwar eine religiöse Tat, ist Gottesdienst. Aber er ist mit der persönlich=sittlichen Tat untrennbar verbunden, er ist auch Menschendienst. Wenn alles für Gott getan ist, dann ist zugleich damit alles für die Menschen getan. Denn Gottes Wille schließt das Heil der Menschheit ein. Der Gott, der alles für sich haben will, will ja gerade die Menschheit für sich haben. Indem die Menschheit „für Gott" als sein Eigentum geopfert wird, ist Gott „für uns". Indem die Menschheit Gott dienstbar gemacht wird, schafft Gott ihr das Heil. Indem die ganze menschliche Sittlichkeit zu Gott ans Kreuz gebracht wird, ist sie religiös verankert und fortan von Gott nicht mehr zu trennen.

Jesu religiöse Heilstat besteht also darin, daß er die mensch= liche Sittlichkeit Gott geopfert, an Gott hingegeben hat. Indem Gott dies Opfer annahm, hat er seinen sittlichen Gesetzes= willen bestätigt und zugleich durch den Heilswillen abgelöst. Denn am Kreuz wird die menschliche Sittlichkeit in den Tod gegeben, als Sünde verdammt; und an demselben Kreuz wird eine neue, gott= geschaffene Sittlichkeit der Menschheit geschenkt. Der Mensch, der Gott allein gegenübersteht, ist durch seine Sittlichkeit, weil sie Sünde ist, von Gott getrennt. Der Mensch, der um Jesu und seines Todes

willen vor Gott steht, ist mit seiner sündigen Sittlichkeit zu Gott gebracht, mit Gott versöhnt. Kein Mensch kann sich selbst mit Gott
versöhnen; niemand kann sich so für Gott opfern, daß dieses Opfer
nicht Vernichtung, sondern Heil bedeutet. Nur Gott selbst kann dies
neue religiöse Verhältnis schaffen, und er hat es getan in Jesu
Opfer. Gott hat seinen eigenen Sohn für uns geopfert, indem der
Sohn sich für Gott opferte. Damit ist das neue Verhältnis zwischen
Gott und Menschen geschaffen. So steht Jesu Opfer als religiöse
Tat einzigartig über allem menschlichen Tun. Es ist ein Handeln
zwischen Gott und dem „einigen Sohn", wie kein Mensch handeln
kann, wie es sich jeglicher Wiederholung und „Nachfolge" von seiten
der Menschen entzieht.

Zugleich aber steht es als sittliche Tat mitten im menschlichen
Tun. Es ist die Tat eines Menschen und rüttelt die Menschheit zu
derselben Tat in seiner Nachfolge auf. Die höchsten Bezeichnungen,
die Jesu Werk zukommen: Opfer, Kelch des Vaters, Todestaufe,
kommen auch dem Tun der Nachfolger zu. Aber sie sind sittliche
Taten, die aus dem religiösen Opfer Christi wachsen. Kein Christ
darf meinen, er könne durch seine Opfer sich selbst mit Gott versöhnen oder gar anderen zum Versöhner werden. Diese kultische
Bedeutung des Opfers kommt einzig und allein dem Opfer Jesu zu.
Aber sie wirkt so, daß die sittliche Bedeutung des Opfers allen
zukommt. Wenn nicht nur das Opfer des Leibes, sondern sogar
alles Wohltun des Christen als „Gottesdienst" bezeichnet wird, so
setzt diese Bezeichnung das einmalige gottesdienstliche Opfer Jesu
voraus. Ohne diese Voraussetzung ist das menschliche Handeln
Sündendienst. Aber in der fortwirkenden Kraft dieses einen gottes-
dienstlichen Opfers kann die ganze Sittlichkeit des Menschen zum
Gottesdienst werden, und alle sittlichen Kräfte Jesu strömen über in
die Seele dessen, der an Jesum kraft seines Opfers glaubt. — —

Aber neben dem Sittlichen, dem Kultischen und dem Geschichtlichen bietet das Opfer des Kreuzes noch eine vierte Beziehung dar,
nämlich die zur Natur. Der Tod ist ein Vorgang in der Natur; aber
der gewaltsame Tod ist ein widernatürlicher Vorgang. Wer das
Sterben Jesu als rein natürlich und selbstverständlich ansieht, setzt sich
in Widerspruch zur Tatsache. Tatsächlich hat Jesus selbst das Widernatürliche seines Sterbens intensiv empfunden. Das Zeugnis davon
gehört anerkanntermaßen zu dem Sichersten der Überlieferung. Die
gesunde Natürlichkeit seines Wesens sträubte sich gegen den gewalt-

samen Tod, und dieses Sträuben hatte sogar religiöse Wurzeln. Es war der von Gott geschaffene Leib, den er in den Tod gab. Es war ein Todesurteil über die gesamte Schöpfung Gottes, das mit seinem Sterben vollzogen wurde. Die ganze Unnatur und Widergöttlichkeit der Weltsünde kommt im Tode Jesu ans Licht. Aber auch die ganze göttliche Liebe wird dadurch offenbar, daß der, welcher von Natur rein und gottentstammt ist, sich in diese unnatürlichen und widergöttlichen Tiefen begibt. Mit dem Tode der ersten Schöpfung wird eine neue Schöpfung geschaffen. Diese neue Schöpfung ist allerdings schon vorhanden in dem lebendigen historischen Jesus. Aber ihr Wesen hat sich erst durch sein Todesopfer offenbart. Denn solange Jesus lebte, bestand für die Seinen die Hoffnung und die Erwartung, daß er dieses natürliche Leben verklären und zur Vollendung führen würde. Statt dessen hat er im Tode dieses natürliche Leben, soweit es für sich besteht, zerbrochen und verurteilt. Sein Sterben gibt seinem ganzen vorhergehenden Leben eine neue, aus dem Leben selbst nicht ableitbare Bedeutung. Fortan wächst nur noch aus dem Tode das Leben. Die Unnatur des Sterbens wird überwunden durch die höhere Natur der καινὴ κτίσις, und so lenkt der Vorgang wieder zum Natürlichen zurück. Der widernatürliche, gewaltsame Tod wird durch Gottes Schöpferkraft zum natürlichen Sterben des Weizenkorns, das viele Frucht bringt. Der Bruch, der durch die Natur hindurchgeht, wird von Gott zum Mittel der Heilung gemacht. Das Seufzen der Kreatur verwandelt sich durch Sterben in Jauchzen. Das allgemeine Sterben der Menschheit trägt beide Züge an sich: es ist einerseits ein natürlicher Vorgang und behält doch, wie die meisten Sterbebetten zeigen, etwas Widernatürliches, Gewaltsames an sich. Beide Züge sind in dem Opfer Jesu vereinigt. Das Sterben des Opfers ist immer ein gewaltsamer Tod. Aber indem Jesus diesen gewaltsamen Tod freiwillig aus Gottes Händen nimmt, bekommt er zugleich den Charakter der natürlichen Vollendung seiner Person, des einfachen „Gehens zum Vater". Beide Züge bleiben nebeneinander bestehen, wie die Abendmahlshöhe und die Gethsemanetiefe, die Gottergebenheit und die Gottverlassenheit nebeneinander bestehen bleiben. Aber indem beides umspannt wird durch den Willen Gottes, und beides zugleich an unser menschliches Wesen anknüpft, wandelt sich unser Unheil in Heil.

Unter dem Kreuz stehen wir im Mittelpunkt der Natur, in dem Punkte, wo Leben und Tod sich berühren und der Kausalzusammenhang zür Vollendung kommt. Die unerbittliche Kausalität des göttlichen Wirkens ist nirgends in der Welt so überzeugend zu erkennen, wie am Kreuz. Man könnte das Kreuz geradezu eine Offenbarung der göttlichen Kausalität nennen. Das Christentum gründet sich nicht, wie Ritschl meint, auf den Gegensatz von Natur und Geist, sondern vielmehr auf die Einheit von Natur und Geist in Gott. Jesus hat in der Naturwelt ganz ebenso wie in der Geisteswelt Gott gesehen. Aber er hat Gott weder mit der Natur, noch mit dem Geist an sich identifiziert. Die rein menschliche Forderung, daß der Geist die Natur beherrschen soll, liegt ihm fern. Diese Forderung führt genau so zu heidnischer Askese und Naturverneinung, wie die entgegengesetzte Forderung, daß die Natur den Geist beherrschen soll, zu heidnischer Ausschweifung, zum Materialismus führt. Jesu Forderung dagegen ist die, daß beide, Natur und Geist, von Gott beherrscht sein sollen. Diese Forderung hat er am Kreuz erfüllt, indem er seine Natur durch den Geist Gott geopfert, Gott restlos hingegeben hat. Das war der höchste Akt seines Lebens, daß er starb. Sein ganzes Leben bekommt Weihe und Ziel durch diesen Kreuzeswillen. Seine Macht über die Natur, die er im Leben übte, war nur dadurch eins mit Gott, daß er sie zu opfern bereit war (Versuchungsgeschichte!). So können auch wir die Natur nur dann recht brauchen, würdigen und verstehen, wenn wir ihre Vergänglichkeit anerkennen und auf sie zu verzichten bereit sind. Naturherrschaft unter Ignorierung des Todes muß notwendig scheitern. Aber ein in Gott gegründetes Gemüt vermag sich über Tod und Vergänglichkeit so zu erheben, daß es wirklich den Tod nicht mehr „sieht" und sich ganz unbefangen an den Naturgaben freut, weil es in ihnen Gottes Gaben hat. Das ist durchaus kein Standpunkt, der vom Tode absieht, sondern der den Tod und die Welt überwunden hat. Das Kreuz gibt uns die Antwort auf die Frage: Wie kann die tierische Seite unseres Daseins zum Organ Gottes werden? Das Kreuz antwortet: durch Opferung. Alles Leiblich=Materielle hat ein Ende. Aber Gott hat es durch Christum dem Menschen in die Hand gegeben, aus dem erzwungenen Aufhören ein freiwilliges Aufhören zu machen. Das soll nicht heißen, er habe sich hinterher in das Unvermeidliche zu fügen, sondern er hat vorher, ehe das Aufhören Zwang wird, die Freiheit, es aus sich heraus zu üben. Das geschieht z. B. alle Tage mit dem Essen. Wir hören damit nicht erst dann auf, wenn der Überdruß da ist, sondern wir regeln das Essen durch die sittliche Persönlichkeit. Je mehr aber die materiellen Dinge durch Gefahr bedroht sind, desto mehr erkennt man sie als Gottes Gaben an. Ähnlich ist es mit dem Leibesleben überhaupt. In der Bedrohung wird es erst recht als Gabe empfunden, und wer es nicht in krampfhafter Angst festhält, sondern es täglich aus Gottes Hand nimmt und in Gottes Hand zurücklegt, der kommt durch diese Opferbereitschaft erst zum wahren Auskosten des Lebens. Ihm wird das materielle Dasein zur täglichen Offenbarung Gottes.

So wurde das tägliche Brechen des Brotes dem Jesus, der das Fasten und Hungern aus eigener Erfahrung kannte, zum täglichen Dankopfer. Das tägliche Leben selbst wird ihm zum Dankopfer gegen den, der ihm den Leib bereitet hat (Hebr. 10, 5), und die Bereitwilligkeit, den Leib dem, der ihn gab, wieder zurückzugeben, wird seine dauernde Gesinnung. Wie ihm die tägliche Begrenzung seines Wirkens durch die Nacht (Joh. 9, 4) ein täglicher Hinweis auf die Begrenzung durch den Tod ist, so kann er auch an das tägliche Brot ganz zwanglos die Beziehung auf seinen Opfertod anknüpfen (Joh. 6, 51). Das Brot mit der Schuld in einem Atem zu nennen (Matth. 5, 11 ff.), ist ihm nichts Fremdes, sondern entspricht seinem innersten Empfinden. Er selbst schuldet Gott Dank, aber er trägt diese tägliche Dankesschuld auch dauernd ab, so daß er nichts schuldig bleibt. Er hat nichts aus sich, und darum will er auch nichts sein aus sich. Er hat alles und ist alles nur aus Gott (Joh. 5, 19). Sein ganzes Sein und Haben hört auf, so wie Gott es will (Hebr. 10, 7—10). Derselbe Wille, der ihm das Leben gibt, gibt ihm auch den Tod (Joh. 10, 18; 19, 11). Wie er nimmt, was Gott gibt, so gibt er auch, was Gott nimmt. Das Leibesleben ist ihm das vollendete Organ der Gottesgemeinschaft, indem er es nimmt und hingibt.

So steht Jesu Opfer mitten in den vier Beziehungen, in denen das ganze Dasein aufgeht: Natur und Geschichte, Religion und Sittlichkeit. Das Kreuz als Opfer ist der Mittelpunkt alles Geschehens! Wer unter dem Kreuze steht, steht im Zentrum der Welt und am Herzen des überweltlichen Gottes! (S. o. S. 90 f.)

## 3. Der Hohepriester.

Nun fragt es sich noch, wie das Opfer Christi sich zu der oben entwickelten Strafstellvertretung verhält. Das wird klar durch Jesu Priestertum. Dadurch wird die Verbindung mit dem Stellvertretungs-

gedanken hergeſtellt und zugleich das Opfer vollendet. Der perſön=
liche Stellvertreter und das an ſich unperſönliche Opfer vereinigen ſich
zu der Geſtalt des Hohenprieſters, der ſeine eigne Perſon als Opfer
darbringt. Indem Jeſus als Opfer ſtirbt, offenbart er, daß all ſein
Handeln im Verhältnis zu Gott reine Empfänglichkeit iſt. Der Sohn
tut, was er den Vater tun ſieht; er kann nichts aus ſich. Er bietet
ſich dem Vater reſtlos dar. Wie das Opferlamm paſſiv hingegeben
wird, gibt er ſich ſelber hin. Damit trifft der Opferbegriff mit dem
ſtellvertretenden Strafleiden zuſammen. Denn zur Strafe gehört die
Paſſivität des Geſtraften, die Hinnahme der Strafe unter Verzicht
auf eigene Gegenwirkung. So gewiß Jeſus an ſeinem Leiden aktiv
beteiligt war, ſo gewiß hatte dieſe Aktivität doch das Ziel, ſich paſſiv
an Gott hinzugeben. Durch dieſes paſſive Kreuzesleiden wird offen=
bar, daß ſeine ganze Aktivität aus Gott fließt und zu Gott hin=
ſtrömt. Sein verſtrömtes Blut iſt das treffendſte Zeichen der abſo=
luten Hingabe an Gott. Es iſt damit zugleich das Zeichen für den
geſamten Lebensinhalt Jeſu. Die perſönliche ſittliche Aktivität wird
durch die religiöſe Hingabe an Gott nicht aufgehoben. Die Geſtalt
des Prieſters behält ihre Selbſtändigkeit neben dem Opfer. Sie
bleibt die Vermittlung zwiſchen der perſönlichen Stellvertretung und
dem Opfer. Auch in der aktiven Beziehung beſteht eine Einheit
zwiſchen der Strafſtellvertretung und dem Opfer. Das Dulden der
Strafe und die abſolute Hingabe an Gott werden dadurch zur höchſten
aktiven Leiſtung, daß ſie fortgeſetzt zur Abwehr der Verſuchung
führen. Der Hoheprieſter iſt verſucht allenthalben, gleich wie wir.
Die Verſuchung geht vom Beginn des Auftretens bis ans Kreuz.
Sie iſt in dieſem Zuſammenhang als Teil des Leidens Jeſu zu
werten. Aber ſie iſt zugleich ein Teil ſeiner Herrlichkeit, da ſie ein
Teil ſeines königlichen Sieges iſt (ſiehe unten Teil III). Jeſus iſt
König und Hoherprieſter. Aber jetzt handelt es ſich für uns um das
Prieſtertum allein. Die Art, wie Jeſus das Heil von ſeiner Perſon
abhängig macht, entſpricht dem ſtellvertretenden Handeln des Prieſters.
„Niemand kommt zum Vater, denn durch mich.“ Dies Jeſuswort iſt
ein Prieſterwort. Wie es zu verſtehen iſt, wird durch nichts ſo
deutlich erklärt, wie durch Jeſu Sterben. Indem Jeſus ſeine ganze
Lebensaufgabe in prieſterliches Handeln zuſammenfaßt, macht er ſich
den Seinen am beſten verſtändlich. Dies eigene Handeln Jeſu bei
ſeinem Todesopfer wird nicht nur vom Hebräerbrief, ſondern ſchon

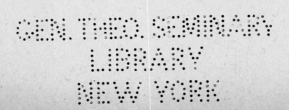

von Jesus selbst, sowohl bei Johannes, als auch bei den Synoptikern deutlich hervorgehoben.[1])

Diesen biblischen Tatbestand in der Dogmatik kraftvoll zur Geltung gebracht zu haben, ist das Verdienst Albrecht Ritschls. Er hat den Begriff der „inklusiven Stellvertretung“, den wir so vielfach benutzt haben, geprägt, und auf das gesamte priesterliche Wirken Christi übertragen: „Christus ist als Priester Vertreter der Gemeinde, die er in der vollendeten Durchführung seines Personlebens zu Gott führt (Joh. 17, 19—26). Diese Anwendung der Stellvertretung ist inklusiv gemeint, nicht, wie es gewöhnlich geschieht, exklusiv. Der Sinn dieses Gedankens ist nicht, was Christus als Priester tut, braucht die Gemeinde nicht auch zu tun; sondern vielmehr, was Christus als Priester an der Stelle und als Repräsentant der Gemeinde ihr voraus tut, darin hat demgemäß die Gemeinde ihre Stellung selbst zu nehmen.“ [2])

„Weil der Priester Gott naht, indem er ihm die Gabe nahebringt, so stellt er diejenigen vor Gott dar, für welche er handelt; es ist aber nicht gemeint, daß, weil der Priester und das Opfer Gott nahe kommen, die anderen Gott fern bleiben mögen.“ [3])

Ritschl selbst ist in seinem Kampf gegen die exklusive Stellvertretung der alten Lehre anerkanntermaßen zu weit gegangen und hat so wertvolle Gedanken des Neuen Testaments preisgegeben, daß die Tiefe des Leidens und Sterbens Jesu durch ihn verflacht wird.[4]) Aber es bleibt sein Verdienst, daß er einen epochemachenden Versuch gewagt hat, in diese Tiefe, die für die alte Dogmatik ein unergründliches metaphysisches Geheimnis war, wirklich einzudringen. Sein Begriff der inklusiven Stellvertretung, so eng und flach er bei ihm selber erscheint, erweist sich doch als außerordentlich wertvoll, wenn man ihn mit dem Vollgehalt der biblischen Aussagen füllt. Das haben wir oben in dem Abschnitt über die Strafe gezeigt. Wir kamen dabei zu einer inklusiven Strafstellvertretung, die von Ritschl selbst abgelehnt wird (vgl. Rechtf. u. Vers. Bd. III, 3. A., S. 451 ff.). Aber wir kommen hier zu einer Fassung der Stellvertretung, die auf

[1]) S. u. Schriftbeweis.
[2]) Rechtfertigung und Versöhnung. 3. Aufl. Bonn 1888. Bd. III, S. 515.
[3]) l. c. S. 446.
[4]) Zu vergleichen ist dazu in meiner Schrift: „Hofmanns und Ritschls Lehren über die Heilsbedeutung des Todes Jesu“. Hauptteil V, Abschnitt 2, S. 132 ff.: Der Rückschritt in der Position Ritschls.

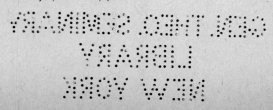

Grund der biblischen Aussagen sich mit Ritschl berührt. Der bib=
lische Jesus erkennt keinen Kultus an, der vom sittlichen Gehorsam
losgelöst wäre. So kennt er auch kein Handeln für Gott, das nicht
zugleich Bedeutung für die Menschen hätte. Mit seiner stellvertretenden
Gesetzeserfüllung „ist nicht gemeint, daß Jesus Gottes Gesetz anerkennt,
damit wir es bestreiten können." Diese Worte Lütgerts[1]) besagen,
daß Jesu Handeln für uns nicht exklusive, sondern inklusive Be=
deutung hat. Das wird von Lütgert auch auf Jesu Leiden über=
tragen. „Neben den stellvertretenden Gehorsam stellen die Alten das
stellvertretende Leiden Christi."[2]) Aber diese Stellvertretung ist nach
Lütgert wiederum nicht exklusiv, sondern inklusiv; sie schließt uns
nicht vom Leiden aus, sondern darin ein: „Aus der Gemeinschaft mit
Christus folgt auch die Gemeinschaft mit seinem Kreuz, d. h. der
Anteil an seinem Kampf mit der Welt. Dieser Kampf überträgt
sich mit unvermeidlicher, ungesuchter Sicherheit auf uns. Denn Ge=
meinschaft mit Christus ist Anteil an seinem Wirken. . . . Wer
wirken will, muß leiden wollen; und wer Christi Werk treiben will,
muß Christi Leid tragen. Darum hat auch dieses unser Leid
stellvertretende Bedeutung, auch hierin dem Leiden Christi
ähnlich, wie Paulus das oft genug ausdrückt."[3])

Die Auseinandersetzung mit einem weiteren Satze Lütgerts dient
zur weiteren Klarstellung unserer Position. Lütgert sagt in dem
Vortrag „Christi Kreuz und Christi Geist"[4]): „Für das Leid, das
uns durch Christi Kreuz abgenommen, wird uns ein anderes auf=
erlegt". Wenn hier das Wort „abgenommen" so verstanden werden
sollte, als habe Jesus irgend etwas erlitten, was wir nun nicht mehr
zu leiden haben, dann lehnen wir es ab. Denn wir haben fest=
gestellt, daß Jesus den Seinen genau dasselbe Leiden, das er selber
leidet, in Aussicht stellt. Infolgedessen beziehen wir die inklusive
Stellvertretung konsequent auf das ganze Leiden Christi und der
Christen. Was der Christ zu leiden hat, ist genau das, was Christus
gelitten hat. Wie Christus sein Leiden mit göttlichen Seligkeits=
kräften durchleuchtet hat, so durchleuchtet er kraft seines Opfers auch
unser Leiden mit göttlichen Seligkeitskräften. Ohne ihn ist das Leiden
Unseligkeit, Zusammenbruch, ein Stück Hölle. Mit ihm finden wir

---

[1]) Gottes Sohn und Gottes Geist. Leipzig 1905. S. 43.
[2]) l. c. S. 45.
[3]) Natur und Geist Gottes. Vorträge zur Ethik. Leipzig 1910. S. 57.
[4]) A. a. O. S. 58.

im Leiden Seligkeit, Stärkung, ein Stück vom Himmelreich. Darin
treffen wir wieder mit Lütgert zusammen: „Dieses Leid ist keine
Schwächung, sondern eine Stärkung unsrer Kraft zum Wirken; denn
es heiligt."[1] In dem Sinne, daß alles aussichtslose, unselige Leiden
für uns Christen aufgehört hat, in dem Sinne können wir uns auch
Lütgerts Wort aneignen, durch Christi Kreuz sei uns das Leiden „ab=
genommen". Aber dann müssen wir von unserm Standpunkt aus
hinzufügen, daß Christi Leiden eben auch nichts Unseliges, Hoffnungs=
loses in sich trug. Denn das war ja das Entscheidende, daß Jesus
in den Leidenstiefen, die den natürlichen Menschen zur Verzweiflung
und zur Unseligkeit bringen, nicht verzweifelt und unselig, sondern
selig war, um uns gleichfalls dazu zu befähigen. Die hier hervor=
tretende Parallele zwischen Ritschl und Lütgert ist ein Beweis für
das Urteil Stephans[2]): „Je reiner religiös und persönlich die kon=
servativen Theologen sprechen, desto weniger unterscheiden sie sich von
den Schülern Ritschls". Der Grund für diese Erscheinung ist einfach
der, daß der wahre biblische Sinn des Werkes Christi herausgestellt
wird. Lütgerts oben angeführte Sätze sind nichts anderes als die
Wiedergabe paulinischer Gedanken, und die Schüler Ritschls sind, wie
besonders das Beispiel Härings zeigt, immer mehr auf die biblischen
Begriffe zurückgekommen. Außerdem ist die Frontstellung gegen die
nur rechtlich=sachliche Stellvertretungslehre zugunsten einer lebendigen,
persönlichen „Vertretung" beiden theologischen Richtungen gemeinsam.

Der eigentliche Gegensatz liegt vielmehr in der Frage nach Gott.
Ist der Hohepriester letzten Endes für Gott oder für die Menschen
da? Hier antworten wir mit Anselm und dem „Anselmismus": er
ist „für Gott" da. Anselm hat, wie Schlatter eindrucksvoll nachweist,
das wahrhaft christliche Interesse an Gottes heiliger Gerechtigkeit
gewahrt. Sein Christozentrismus ist ganz und gar theozentrisch.
Darum geht es zu weit, die anselmische Theorie eine „heidnische
Versöhnungslehre"[4]) zu nennen. Wie sie bisher als christliche Lehre
in Geltung war, wird sie es auch weiterhin bleiben. Aber allerdings
muß nun andrerseits klar herausgestellt werden, daß es die katho=
lische Form des Christentums ist, die in ihr zum Ausdruck kommt.
Der Katholizismus will vom Menschen aus auf Gott wirken, will

---

[1]) Natur und Geist Gottes. S. 58.
[2]) Stephan=Nitzsch, Dogmatik II. S. 586.
[3]) Jesu Gottheit und das Kreuz. 2. Aufl. Gütersloh 1913, S. 76 ff.
[4]) Mandel, Christliche Versöhnungslehre. S. 228.

Menschenwerk als Verdienst vor Gott hinstellen, und durch menschliche Satisfaktionen Gott, ja sogar Christum, versöhnen.[1]) „Anselms Theorie ist eine Würdigung des Werkes Christi mit dem Begriffs= material der Bußlehre."[2]) Ihre Begriffe gehen im Katholizismus bis auf Gregor den Großen zurück.[3]) Das wirklich Neue, was sie gebracht hat, ist in echt katholischem Sinn die rationale Begründung der necessitas.[4]) Zugleich aber ist sie nur zu verstehen als die Folge der katholischen Heiligenlehre. Der Heilige erwirbt ein über= pflichtmäßiges meritum, das anderen zugute kommen kann. Der Heilige steht im Heiligtum, während die anderen im Vorhof bleiben. Der Heilige nimmt den andern alles ab und drückt sie dadurch zu Christen zweiter Klasse herunter. Die wahren Christen sind nur der Kleriker und der Asket. Sie allein stehen in der Nachfolge Christi und nehmen an seinem satisfaktorischen Wirken teil. Sie sind's, die dem Herrn das Kreuz nachtragen. Alle andern sind vom Kreuz ent= bunden! Nur durch die einzelnen Bußleistungen, die die Kirche und die Heiligen vermitteln, ist das profanum vulgus noch ans Kreuz gefesselt. Das Leben als solches ist für den Laien vom Kreuze frei. Das sind die katholischen Voraussetzungen und Konsequenzen der anselmischen Versöhnungslehre.

Sie stehen und fallen mit dem reformatorischen Bekenntnis zum allgemeinen Priestertum der Gläubigen. Luther hat das ganze Leben jedes einzelnen Christen unter das Kreuz gestellt. Er hat das Kreuz aus einem äußerlichen Kultuszeichen zum inneren Lebensprinzip im Sinne des Paulus gemacht. Luther hat wieder alle in das von Christus aufgeschlossene Heiligtum gerufen und damit die selbst= verantwortliche christliche Persönlichkeit geschaffen. Aber indem er der Persönlichkeit die Freiheit gab, band er sie zugleich durch den Glauben an das Kreuz. Der Christ ist nichts durch sich selbst, sondern alles durch den Glauben an Christum. Christus ging in das Heiligtum als Objekt des Glaubens; er war Priester durch sich selbst. Wir gehen in seiner Nachfolge gleichfalls ins Heiligtum, aber als die Sub=

---

[1]) Theodor Brieger zitiert in seinem Buch „Die Reformation, ein Stück aus Deutschlands Weltgeschichte", Berlin 1914, S. 60 den Ausspruch des Papstes Alexander VI., der 1500 sein Jubeljahr feiert als „das Jahr der Versöhnung des Menschengeschlechts mit dem allerliebreichsten Erlöser".

[2]) Loofs, Leitfaden zum Studium der Dogmengeschichte. 4. Auflage. Halle 1906. S. 511.

[3]) l. c. S. 447 f. — [4]) l. c. S. 512.

jekte des Glaubens; wir sind Priester nur durch ihn. Hier kommt das zur Geltung, was Schlatter über den „qualitativen" Unterschied zwischen Christus und uns sagt.[1]) Hier wird Jesu Gottheit nicht, wie bei Anselm, ein unpersönlicher, rechnerischer Wert, sondern ganz persönliche Gnadengabe für uns. Objekt des Glaubens kann nur Gott sein. Die modernen Erweichungen des Glaubensbegriffs sind unevangelisch und unchristlich. Ist Christus wirklich Objekt des Glaubens, dann ist seine Gottheit damit erwiesen. Weckt sein Kreuz unsern Glauben, dann wird es für uns zu Gottes Thron. Ist er als Priester mit Gott eins, dann gibt es kein Priestertum außer ihm.

Damit stehen wir auf einer Höhe des Glaubens, auf der der Begriff der bloßen satisfactio überwunden ist. Satisfactio muß dem geleistet werden, den man los sein will. Christus will uns nicht von Gott los machen, sondern ganz an Gott binden. Satisfactio ist Forderung; Christi Werk ist Gabe. Satisfactio begründet ein Recht Gott gegenüber; Christus bringt die reine Gnade. Satisfactio ist letzten Endes ein sittlicher Begriff; das Opfer aber ist ein rein religiöser Begriff. So steht man, wenn man bei Genugtuung und Strafe stehen bleibt, erst im Vorhof. Nur das Opfer führt ins Heiligtum. Gott als Hüter der höchsten Norm ist zu unterscheiden von dem Gott, der das absolute Objekt des Glaubens ist. Die Strafstellvertretung stammt aus menschlichen, sittlichen Verhältnissen und aus den persönlichen Lebenserfahrungen der Propheten. Das Opfer aber stammt aus dem unmittelbaren, religiösen Verhältnis zu Gott, in welchem die Strafe überwunden ist. Gegen die reine Straftheorie kann sich gerade das tiefste religiöse Empfinden auflehnen. Nur der Abschluß des Gedankens in der Opfertheorie befriedigt das religiöse Bedürfnis. Denn im Opfer haben wir es mit Gott selbst zu tun. Das Opfer ist die reale Verbindung mit Gott, die der Mensch betätigt, die aber nach biblischer Anschauung zugleich Gottes Gabe an die Menschheit ist. Andrerseits wiederum kann die Isolierung des Opfergedankens zur Verletzung des sittlichen Empfindens führen, wenn die Opferhandlung gegen die persönliche Gesinnung des Handelnden indifferent bleibt. Das Neue Testament dagegen sichert die absolute Kongruenz zwischen der Opferhandlung und der persönlichen Gesinnung dadurch, daß es den Hohenpriester sich selber opfern läßt. Dieses Ineinander des Sittlichen und des Religiösen entspricht dem Ineinander von Buße

---

[1]) Jesu Gottheit und das Kreuz. S. 67.

und Glauben. Die Verkörperung dieses Ineinanders in einer von Gott gesandten Offenbarungspersönlichkeit hat zuerst Jesajas (53, 5 u. 10) geschaut. Bei ihm ist diese Persönlichkeit nicht der messianische König, sondern der leidende Prophet, der einmal der gestrafte Stellvertreter und dann das Schuldopfer für Gott ist. Im Neuen Testament ist dieser geopferte Prophet zugleich Hoherpriester und König. Aber durch diese Würde wird der Strafbegriff und der Gerichtsgedanke nicht aufgelöst. Der gestrafte Stellvertreter wird das an Gott hingegebene Opfer. Er bleibt auch in dieser Verbindung mit dem Opfer der Gestrafte, so gewiß der stirbt, so gewiß sein Opfer die Hingabe seines Fleisches ist. Beides: Erleidung der Strafe im Fleisch und Überwindung der Strafe im Geist sind bei ihm eins durch die Beziehung auf Gott.

Es klingt uns hart und widersinnig, daß unser Hoherpriester vor Gott ein Gestrafter sein soll. Aber dieselbe Härte und Widersinnigkeit lag für die Zeitgenossen Jesu in den Tatsachen, daß der Messias stirbt und daß der, der die Gottesgemeinschaft vermittelt, von Gott verlassen wird. Trotzdem haben sie diese Anstöße überwunden. So verliert auch der ewige Hohepriester des Hebräerbriefs nichts von seiner Hoheit, wenn „Tränen und starkes Geschrei" (5, 7) in sein Opfer einbegriffen werden. Ja, diese dunkeln Schatten werden dem Urchristentum sogar zu Zeugnissen seiner göttlichen Sendung. Die Höhe des hohenpriesterlichen Gebets (Joh. 17) und die Tiefe des Gethsemanegebets gehören zusammen und finden beide im Sinne des Hebräerbriefs ihre Erhörung in Jesu Sterben. Für den Beter kann es keine größere Seligkeit geben als die, daß Gott sein Beten erhört, auch durch tiefstes Leiden hindurch. Jesu Gottverlassenheit war die Erhörung seines hohenpriesterlichen Gebets, die Erhörung seines ganzen Heilandswillens. Sie war das Zeichen, daß Gott sein Opfer für die Sünde der Welt annahm. Sie war die Bestätigung dafür, daß Jesus in seinem lebenslangen Kampf gegen die Sünde recht hatte. In ihr bezeugt Gott selbst, daß er die Sünde immer, ohne Ausnahme und ohne Abschwächung verdammt; selbst dort, wo sein eigener geliebter Sohn sie trägt, kennt Gott keine Schonung (Röm. 8, 32), sondern trennt sich unerbittlich von ihr und gibt sie in den Tod. Wo Gott und die Sünde zusammentreffen, da gibt es ein Sterben. Gott kann nicht sterben; auch wenn sein einziger Sohn stirbt, kann Gott nicht mit ihm sterben. Aber indem die Sünde stirbt, wird sie zum Beweis, daß Gott lebt. Indem Gott die Sünde verläßt, beweist er, daß er nahe ist. So gehört die Gottverlassenheit mit der Verdammnis der Sünde und der Seligkeit des Sünders zusammen. Das Erlebnis Jesu wird verewigt durch seinen Tod; die Tatsache des Todes bestätigt, daß das vorausgehende Erlebnis keine vorübergehende Täuschung war, sondern bleibende Bedeutung behält. Gott legt ihm unsrer Sünde wegen die Strafe auf. Gott läßt ihn aber um unsres Heils willen die Strafe überwinden. Gott läßt ihn als Opfer sterben, aber Gott läßt ihn zugleich als ewigen Hohenpriester leben. So gewiß er stirbt, so gewiß ist sein Tod der Eingang ins ewige himmlische Heiligtum, wo er uns ständig vor Gott vertritt. Nur darf das nicht so aufgefaßt werden, als ob zu der auf Erden vollbrachten Heilstat noch eine fortgesetzte Heilstat im Himmel kommt. Die intercessio im Himmel ist vielmehr der ewige Hintergrund der einmaligen geschichtlichen, in sich vollendeten Opfertat. In der geschichtlichen Kreuzestatsache ist die ewige Bedeutung und Fortwirkung schon mit gegeben. Denn der gestrafte Stellvertreter, der den Inhalt des Kreuzesopfers darstellt, ist zugleich der messianische König, der durch den ewigen Geist Sieger über die Welt ist. Er wird nicht erst, sondern er ist der königliche Hohepriester in Ewigkeit.

# III. Das Kreuz als Siegestat.

## 1. Der Sieg über Sünde und Tod.

Die satisfactio vicaria des Hohenpriesters hat ihr notwendiges Korrelat in der victoria vicaria des messianischen Königs. Durch seinen Kreuzessieg richtet der Messias-Christus die Königsherrschaft Gottes, die βασιλεία τοῦ θεοῦ, für die ganze Welt auf. Menschlich angesehen, hat er die Knechtsgestalt (Phil. 2, 7). Aber göttlich angesehen, hat er die Königsgestalt (Joh. 18, 36 f.). Als gestrafter Stellvertreter ist Jesus Mensch und uns völlig gleich. Aber daß diese Stellvertretung für Gott und durch Gott für uns wirksam wird, das macht sein gottentstammtes, königliches Messiasamt. Weil der vorbildliche gestrafte Mensch Jesus Christus zugleich als göttlicher König das Objekt unseres Glaubens ist, darum wird seine Tat zum allgültigen Opfer für alle, zur Offenbarung des überweltlichen Gottes selbst. „. . . Wer in diesem Zusammenhange die Erfüllung und den Abschluß schaut und diese große Situation, diese gewaltige Gestalt, diese unwankend in Gott sich gründende Persönlichkeit, diese Unbeirrbarkeit und aus geheimnisvoller Tiefe kommende Sicherheit und Gewißheit ihrer Überzeugung und ihres Handelns, diesen geistigen, seligen Gehalt, diesen Kampf, diese Treue und Hingabe, dieses Leiden und schließlich diesen Siegertod, der muß urteilen: das ist gottmäßig, das ist das Heilige. Gibt es einen Gott und wollte er sich offenbaren, gerade so mußte er es tun. . ." Mit diesen Worten schildert Otto[1] den irrationalen Inhalt der Kreuzestat. Otto findet hier als Erklärung des unerklärbaren Sterbens Jesu den „Siegertod". Wir stellen daneben den herben „Straftod". Wird das erstere zugelassen, so muß man auch das zweite zulassen. Beide Erklärungen suchen dem Irrationalen einen menschlich faßbaren Sinn abzugewinnen. Beide zusammen aber sind nicht menschlicher Vorwitz, sondern Aus-

---

[1] „Das Heilige". Breslau 1917. S. 177.

druck dessen, was Gott selbst über den Sinn des Kreuzes offenbart hat. Isoliert man den Straftod und macht die Strafe selbst zur Hauptsache, statt daß ihre Überwindung in den Mittelpunkt gerückt wird, dann entfernt man sich ebenso vom Neuen Testament, als wenn man nur das sieghafte Überwinden preist. Beim Siegen ist die Hauptsache, wer und was besiegt wird. Verschweigt man bei Jesu Sieg die dunkeln irrationalen Tiefen, die sein Sieg durchleuchtete, dann nimmt man ihm seinen herrlichsten Siegesglanz. Wir haben die irrationalen Tiefen von Sünde und Strafe, Leid und Tod in dem Sinne ins Zentrum gerückt, daß ihre wirkliche Überwindung deutlich wird. Strafleiden und Siegesleiden vereinigen sich, indem Jesus die Strafe besiegt. In seinem Kreuzessiege kommt sein königliches Amt zum strahlenden Ausdruck für alle, die wie er „nicht von dieser Welt" sind. Die Strafe, die Jesus leidet, ist von dieser Welt, wie auch sein Kreuz von dieser Welt ist. Aber zugleich ragt jene Welt hinein, weil Gott es ist, der ihm in der Welt Strafe und Kreuz be-reitet. Um unsertwillen ist Jesus der Innerweltliche, um Gottes willen ist er der Überweltliche. Faßt man den überweltlichen Gesichts-punkt in seiner ganzen unfaßbaren Bedeutung, dann kann man überhaupt nicht bei den innerweltlichen Größen: Strafe, Kreuz, Leiden, Tod stehen bleiben. Sobald es feststeht, daß diese Erfahrungen des Heilsmittlers von dem überweltlichen Gott gegeben sind, dann ist zu-gleich mit ihnen schon ihre absolute Überwindung gegeben. Darum ist der eigentliche Kampf für Jesus schon ausgefochten, als er in Gethsemane die Gewißheit gewinnt, daß Gott den Kelch nicht an ihm vorübergehen lassen will. Das Ziel Jesu ist Gott, und nichts als Gott! Im Angesicht des Leidens hat er sich nicht durch den „Glauben an die Menschheit" aufrechterhalten. Er erwartet von den Menschen nichts anderes, als das Kreuz der Verwerfung. Aber er erwartet alles von Gott. Indem er das Kreuz der Verwerfung aus Gottes Händen nimmt, wird es ihm zum Kreuz der Herrlichkeit. Weil sein Wesen ganz in Gott gegründet ist, kann das Zusammen-brechen alles menschlichen Wesens ihn nicht irre machen. Gott der Vater ist und bleibt für ihn das Maß aller Dinge. Hat der Vater den Kelch gegeben, dann gibt er auch seine Vaterliebe und seine Vatermacht. Unter diesem göttlich-überweltlichen Gesichtspunkt steht Jesus von vornherein als der Sieger da, wie ihn Johannes geschaut hat. Er geht selbst durch Zittern und Zagen als Sieger, indem er auch sein Zittern und Zagen zum Vater bringt. Zittern und Zagen

bleiben konkrete Wirklichkeiten, wie die Strafe. Aber mit ihnen
wird auch die Strafe rein zeitlich, fleischlich, vergänglich, ein Nichts
gegenüber der unendlichen Herrlichkeit, die der Geist des ewigen,
seligen Gottes gibt.

Da dieses Sieghaft=Göttliche in allen Aussagen der Schrift über
Jesu Leiden mitgedacht ist, aber an den verschiedenen Stellen teils
mehr, teils weniger hervortritt, so bekommen manche Aussagen etwas
Schwebendes, das zwischen den beiden oben bezeichneten Polen:
„Siegertod" und „Straftod" hin und her geht. Aus diesem „schwe=
benden" Charakter erklärt sich der ganze erbitterte Streit um die
Versöhnungslehre. Die alte Lehre betonte einseitig den Straftod.
Die moderne Theologie betont einseitig den Siegertod. Jede Partei
hat biblische Zeugnisse für sich und zugleich gegen sich. Wäre der
Straftod allein das Zentrum des christlichen Glaubens, wie die alte
Lehre behauptet, dann wäre es unbegreiflich, daß das Neue Testament
nicht deutlicher von ihm spricht und sogar das Jesajaswort: „die
Strafe liegt auf ihm" niemals zitiert! Wäre dagegen der Siegertod
allein das Entscheidende, dann würde die Schrift nicht so geflissentlich
die gegenteiligen Züge, die nach Niederlage aussehen, hervorkehren,
und dann würden nicht gerade von ihnen die tiefsten religiösen Wir=
kungen ausgegangen sein. Jede der beiden Einseitigkeiten ruft im
Laufe der Theologiegeschichte die gegenteilige Einseitigkeit notwendig
hervor. Aber durch jede von beiden wird das tatsächliche historische
Jesusbild verzerrt. Indem man die Gegenseite bekämpft, läßt
man sich von ihr die Kampffront vorschreiben und verfehlt selbst das
Ziel. Das war das Schicksal Albrecht Ritschls. Aber nachdem Ritschl
den ihm von der Geschichte aufgenötigten Kampf aufgenommen hat,
gibt dieselbe Geschichte den Schlüssel zur Schlichtung des Kampfes von
selbst an die Hand. Das Entscheidende am Tode Christi ist die tat=
sächliche Vereinigung beider Seiten: der menschlichen Strafe und des
göttlichen Sieges, der Knechtsgestalt und der Königsgestalt. So allein
wird es offenbar, daß der Sieg Jesu wirklich der Sieg Gottes ist.
Denn wenn die Knechtsgestalt des Gestraften eliminiert wird,
erweckt es den Anschein, als sei der Sieg Jesu eine rein menschlich=
ethische Tat; der Sieg Gottes kommt dann zu kurz. Wird aber
die Königsgestalt im Leidenden verkannt, dann erweckt es den
Anschein, als sei er nicht der Sieger, sondern der Besiegte. Knechts=
gestalt und Königsgestalt in untrennbarer Einheit verbürgen Gottes
Sieg.

Wie Jesu Sieg über die Sünde durch die Strafe hindurchgeht, so geht sein Sieg über den Tod durch das Grab hindurch. An sich wäre es auch ein Sieg über den Tod gewesen, wenn er nicht gestorben wäre, sondern mit seinen göttlichen Lebenskräften dem Tode getrotzt hätte. Aber dann hätte er sich als Sieger von der todverfallenen Menschheit getrennt und als Sündloser die Sündenstrafe von sich abgewehrt. Statt dessen ging er stellvertretend in unsere Todesstrafe ein und überwand sie gerade dort, wo sie uns trifft. Indem er dem Tode recht gab um der Sünde willen, entrechtete er ihn zugleich um unsertwillen. Alles Recht, das der Tod hat, wird am Kreuz auf die Sünde geworfen, damit sie stirbt und die Sünder leben. Für den Sünder, der glaubend unter dem Kreuze steht, bleibt der Tod das grauenvolle Gericht über seine Sünde, aber zugleich wird er auch die endgültige Trennung von dieser todverfallenen Sünde und dadurch der Eingang in das Leben. Der Tod, in welchem alles Vergängliche endet, ist in Christo zugleich das Ende der Vergänglichkeit. Er wird nicht abgeschafft, sondern verschlungen durch ein Leben, das stärker ist als er (1. Kor. 15). Damit wird er selbst in die Sphäre des Vorübergehenden, Vergänglichen hinabgedrückt und zum Werkzeug des Bleibenden, Unvergänglichen gemacht. Jeden Gläubigen, den der Tod trifft, trifft das ewige Leben, und das auf den Tod gerichtete Denken, Fühlen und Wollen richtet sich in Christo auf den Gott, der Sieger ist über den Tod.

Die Offenbarung dieses Sieges ist Jesu Auferstehung. Aber diese ist nicht als ein vom Tode getrenntes Ereignis zu isolieren, sondern die in ihr wirksame göttliche Lebenskraft wirkt in Jesu ganzem Leben. Gibt Gottes Leben sich in den Tod, dann kann es nicht im Tode bleiben. Schreitet Jesus auf das Kreuz zu, dann schreitet er durch das Kreuz zu Gott. Nimmt er von Gott das Leben unter dem Kreuz, dann gibt ihm Gott das Leben über dem Kreuz. Der Gekreuzigte ist der, der notwendig auferstehen wird. So ist die Auferstehung unlöslich verbunden mit der Versöhnungslehre. Wenn es sich nur um eine Aussöhnung mit dem Tode oder der vom Tode beherrschten Welt handelte, dann brauchten wir weder eine Versöhnungslehre, noch einen Versöhner. Dann hätten wir es nur mit einem psychologischen Problem zu tun. Aber weil die wahre Religion über Tod und Welt hinaus den lebendigen Gott, der der Herr über Tod und Welt ist, haben will, darum ist eine in der lebendigen Person Christi begründete Versöhnungslehre unentbehrlich. Die Schwere des Problems, daß der Christus Gottes dem Tode verfällt, läßt sich durch Ignorierung oder idealistische Beschönigung nicht aus der Welt schaffen. Die Abgründe von Leid, Sünde und Tod, die der einzelne erlebt, halten dies Problem so lange wach, bis es seine Lösung in einer wirklichen Versöhnung mit Gott gefunden hat. Die biblische Versöhnungslehre deckt als Grund der Todverfallenheit die Sünde auf, und dadurch, daß selbst der Christus von diesem Geschick nicht verschont bleibt, wird die Versöhnungsbedürftigkeit der sündigen Welt in unüberbietbarer Weise offenbart. Zugleich aber wird am Kreuz das große Geheimnis kund: daß dieselbe Tatsache, durch die die Versöhnungsbedürftigkeit der Erfahrungswelt offenbar wird, die Versöhnung mit dem überweltlichen Gott schafft. So ist das, was unter innerweltlichem Gesichtspunkt Gericht ist, unter dem überweltlichen Gesichtspunkte lauter Gnade! Stammt der Gekreuzigte nur von dieser Welt, dann ist der Gerichtsgedanke unerträglich, weil er diese Welt in Trümmer schlägt. Diesem Gericht entgeht die Welt nicht, auch wenn sie es leugnet. Ist aber der Gekreuzigte „nicht von dieser Welt" und steht hinter ihm der überweltliche Gott, dann baut er aus den Trümmern dieser Welt das Reich der Gnade, und dann steht er allezeit vor uns als der Lebendige, vor dem man sich heute noch s ch ä m e n kann!

---

## 2. Der Sieg über den Teufel und die Hölle.

Die der Sünde und dem Tod verfallene Welt steht nach der Schrift in der Hand des Teufels. Ein Sieg über diese Fluchmächte der Welt muß also auch ein Sieg über den Teufel sein. Dieser klaren, unmißverständlichen Feststellung bedarf es, um den Vollgehalt der biblischen Versöhnungslehre zu erheben. In Jesu eigenem Bewußtsein stand bei dem Blick auf Sünde und Tod die fest umrissene, persönliche Gestalt des Fürsten dieser Welt, der ihm zum Versucher wurde (Matth. 4, 3—11; Luk. 4, 1—13; Joh. 14, 30; vgl. Matth. 16, 23). Nur wenn wir diese Tatsache anerkennen, vermögen wir das Werk Jesu richtig zu würdigen.[1]) Jesu Sieg wird dadurch ver=

---

[1]) Vgl. das Wort, das Büchsel in seinen „Erinnerungen aus dem Leben eines Landgeistlichen", Berlin 1861 I, S. 111 aufbewahrt hat, „daß, wo der Teufel fehlt, auch der Herr Jesus in der ganzen Klarheit nicht erkannt ist." Wo man den Feind verkennt und unterschätzt, kann man nicht siegen.

größert, daß er nicht gegen „Sachen" gekämpft hat, sondern gegen einen persönlichen geistigen Willen. Man ist heute so sehr bemüht, die „dingliche" Versöhnungslehre zu überwinden. Da soll man auch den Mut haben, den persönlichen Feind Jesu beim rechten Namen zu nennen, anstatt ihn auf das Dingliche zu reduzieren. Wenn man diese unmoderne Metaphysik ablehnt, dann wird Jesu „Sieg über die Sünde" erst recht zu einem unerträglichen metaphysischen Rätsel. Dann vermag man es auch nicht zu erklären, wie Jesu Sieg für uns dauernd weiter wirkt, obwohl das Böse noch eine so erschreckende Macht in der Welt hat. Statt dessen sagen wir mit Jesus, Paulus und Luther, daß der Fürst dieser Welt noch vorhanden ist, daß er aber unter dem Gericht Gottes steht. Seine persönliche Geistesmacht ist besiegt durch den heiligen Gottesgeist des Gekreuzigten, und seine satanischen Versuchungen sind für alle, die unter dem Kreuze stehen, Mittel zum Siege. Sie verlieren dadurch ihre Realität ebensowenig, wie Sünde, Strafe, Leid und Tod ihre Realität verlieren. Aber sie treiben uns ständig dazu, auch Jesum, Gott und den Geist als wirkliche Realitäten zu erfassen. Der lebendige Herr hält den Ver=sucher dauernd in Schranken für alle, die sich die Versöhnung ge=fallen lassen. Aber er gibt kraft göttlichen Rechtes heute noch dem Versucher die Macht über alle, die sich der vollbrachten Versöhnung widersetzen. Alle grobsinnlichen Vorstellungen sind dabei auszuschließen. Es handelt sich um rein geistig=persönliche Vorgänge, die jeder an sich erproben kann, wenn ihm in der Sünde der Versucher naht.

Wir dürfen uns nicht scheuen, hier die letzte Konsequenz zu ziehen: Wir müssen dem Satan geben, was sein ist. Wir wollen lieber mit Jesus rückständig erscheinen, als uns gegen ihn eines Fortschritts in der Erkenntnis rühmen, dessen prak=tischer Wert höchst bedenklich ist. Eine Weltanschauung, in der der Fürst der Welt fehlt, ist mangelhaft. Je weniger die Realität des Bösen verstanden wird, desto weniger wird die Erlösung vom Bösen verstanden. Wenn unsre Zeit „den Bösen" durch „das Böse" zu er=setzen bestrebt ist, dann wird sie der Realität des Bösen einfach nicht gerecht. Mit dem unpersönlichen Bösen läßt sich spielen, mit dem persönlichen nicht. Das Unpersönliche kann beiseite geschoben oder idealistisch in ein Nichts aufgelöst werden, das Persön=liche dagegen besitzt irrationale Tatsächlichkeit. Mit dem Un=persönlichen wird man schnell fertig, sobald man sich auf die eigene Persönlichkeit und ihre Überlegenheit über alles

Unperſönliche beſonnen hat; das perſönliche Böſe dagegen tritt unſrer Perſönlichkeit beſtimmend gegenüber und kann ſie in eine Knechtſchaft zwingen, an der unſre Perſönlichkeit einfach zugrunde gehen kann.

Jeſus empfand den perſönlichen Satan als ſeinen perſönlichen Feind, deſſen Einwirkungen er ebenſo real fühlte, wie die Einwirkungen Gottes. Können wir uns dazu entſchließen, **Jeſus auch dieſes Kreuz nachzutragen,** dann werden wir einen großen perſönlichen Gewinn davon haben. Denn der Kampf gegen die Sünde wird uns dadurch bedeutend **erleichtert.** Wenn wir uns im Augenblick des Sündigens bewußt werden: „Jetzt liefere ich mich meinem ſchlimmſten Feinde aus, jetzt tue ich ihm den größten Gefallen und bereite ihm einen ganz realen Triumph“, dann verlieren wir ſofort die „Luſt“ an der Sünde. Es kommt alſo viel darauf an, daß dies Bewußtſein recht ſtark und lebendig in uns wird.

Andrerſeits aber muß man ſich vor unchriſtlicher Übertreibung dieſes Dogmas hüten. Die Perſönlichkeit des Böſen darf in keiner Weiſe der Perſönlichkeit Gottes gleichgeſtellt werden. Solcher Dualismus liegt der Bibel gänzlich fern. Der Böſe iſt Gott gegenüber durchaus untergeordnet, ſo ſehr, das er im Alten Teſtament ſogar die Stelle des göttlichen Zornes vertreten kann (vgl. 1. Chron. 21, 1 mit 2. Sam. 24, 1).

Im Neuen Teſtament tritt der Böſe nicht Gott, ſondern Jeſu gegenüber. Die neue Offenbarung in Chriſto bringt auch eine neue Offenbarung des Böſen. Der Böſe regt ſich mit Macht, um, da er gegen Gott nicht ſtreiten kann, gegen Gottes Sohn zu ſtreiten. Aber gerade dadurch iſt ſeine Niederlage entſchieden und zur unanfechtbaren Tatſache geworden. Er iſt am Kreuz ein für allemal gerichtet.

Zuſammenfaſſend iſt feſtzuſtellen: Der Satan darf weder zu perſönlich, noch zu unperſönlich gedacht werden. Allein von der Verſöhnungslehre aus fällt in dieſes dunkle Problem das rechte Licht, und es ergibt ſich die Löſung: der Satan iſt die beſiegte Perſon. Das Sieghafte, das im Perſönlichen liegt, fehlt ihm; er gibt ſich nur den Schein, als beſäße er es. In Wahrheit iſt ſeine perſönliche Macht gebrochen durch den Gekreuzigten. Nur da, wo man den Sieger Chriſtus nicht kennt oder nicht kennen will, hat der Satan perſönliche Macht, bis er einſt völlig „gebunden“ wird. Er reißt alles, was ſich ihm ergibt, mit ſich ins Verderben, in die völlige

8*

Ohnmacht gegenüber dem richtenden Gotteswillen. So dient er wider seinen Willen zur Offenbarung des göttlichen Sieges in Christo, und der Glaube singt über ihn das Siegeslied: „Der alt böse Feind, mit Ernst er's jetzt meint. . . Tut er uns doch nichts. Das macht, er ist gericht't. Ein Wörtlein kann ihn fällen."

Mit dem Sieg Jesu über den Satan ist auch sein **Sieg über die Hölle** ohne weiteres entschieden. Aber diese Tatsache bedarf noch einer besonderen Erörterung, weil sie in der alten Lehre eine große Rolle spielt. Die Orthodoxie behauptet, unser Heil sei davon abhängig, daß Jesus die Höllenstrafen, also das genaue Äquivalent für die Sünde der Menschen, erlitten habe.[1] Aber diese Theorie scheitert an ihrer eigenen Konsequenz. Denn das Äquivalent für die unendliche Sünde können nicht endlich begrenzte Strafen, seien sie noch so höllisch oder „intensiv", sein. Andrerseits bleibt Jesus auch unter der höchsten Strafe im Gebet. Ein Gebet kann keine höllische Verdammnis sein. Das wäre ein unerträglicher Widerspruch gegen die Schrift. Der Hölle verfällt nur, wer als Sünder der Sünde verfällt. Dem Versucher verfällt nur, wer der Versuchung verfällt. Beides trifft auf Jesus nicht zu. Dorner hat vollkommen recht, wenn er sagt: „Christus hat nicht die wirklichen Höllenstrafen ertragen dürfen, denn zu den Höllenstrafen gehört deren Ewigkeit, und wegen ihrer Unabänderlichkeit die Unseligkeit der Verzweiflung".[2] Statt daß Jesus die Höllenstrafen erlitten hat, hat er sie abgewehrt. Von den Flammen der Hölle umlodert, ist er doch nicht der Hölle verfallen. Es ist äußerst bedeutsam, daß die Höllenstrafentheorie, sobald sie homiletisch verwertet wird, ganz von selbst in die von uns vertretene Abwehr=Theorie übergeht, wie das Beispiel Friedrich Wilhelm Krummachers zeigt. In der Vor= rede zu seinen klassischen Predigten über den „Leidenden Christus"[3] bekennt er sich zum vollen dogmatischen Inhalt der kirchlichen Lehre von der Stellvertretung und Genugtuung Christi. Aber bei der

---

[1] Hollaz, examen theol. acroam. P. III, S. 199: Sensit Christus iram dei. . . . Sustinuit infernales dolores, vgl. Quenstedt: sensit infernales poenas, licet non in Inferno.

[2] Zu der ganzen Frage der Höllenstrafen ist das umfangreiche Material zu vergleichen, welches Graß „Zur Lehre von der Gottheit Jesu Christi", Gütersloh 1900, außer dem oben zitierten Dorner=Wort noch zusammengetragen hat, S. 168 ff. und Anmerkungen.

[3] 3. Aufl. Bielefeld u. Leipzig 1878.

homiletischen Ausmalung des über Jesus ergangenen Gerichts be=
gnügt er sich mit einem „als ob" der Verdammnis (S. 18). Es
„brandeten Anfechtungen der Hölle um ihn empor" (S. 554).
In Gethsemane „verklärt sich, was die Welt als Strafe trifft, in
heilsame und treue Züchtigung" (S. 193). „Die dorngekrönte Marter=
gestalt . . . richtet lautlos ohne Unterschied uns alle" (S. 439).
„Seht, Freunde, so trank aus allen Kelchen, die noch in Zion um=
gehen, der Bürge stellvertretend den Fluch hinweg, und
was den Seinen darin zurückblieb, ist, wie bitter es dem Fleisch auch
dünke, nur Heilstrank" (S. 232). Wir fügen hinzu: Jesus trank
die Bitterkeit für uns hinweg, indem er sie für sich selbst hinweg=
trank. Jesus wehrte die Hölle von uns ab, indem er sie von sich
selber abwehrte. Der Fluch, der ihn traf, hat nicht das innerste
Heiligtum seiner Seele verflucht, sondern dort blieb er der Sieger
über den Fluch, so sehr auch die Fluchmächte ihm Leib und Seele
bedrängten.

Wenn Krummacher sagt: „Zwar ringen und kämpfen auch wir
noch fort, aber mit Siegesgewißheit geschieht es und mit tiefem
Herzensfrieden" (S. 169), soll das etwa bedeuten, daß Jesus ohne
Siegesgewißheit und ohne tiefen Herzensfrieden gekämpft hat?!
Grenzt es nicht fast an Lästerung, wenn Krummacher sogar den Satz
wagt, daß Jesus, „soweit es möglich war, den Streichen des noch
nicht entwaffneten Schreckenskönigs erlag?" (S. 572.) Wo
bleibt da der königliche Sieg dessen, der da rief: Es ist vollbracht!?

Wir lehnen solche Sätze auf Grund nüchterner, biblischer Er=
kenntnis ab. Jesus hat nicht die Verdammnis der Sünder, sondern
die Verdammnis der Sünde an sich erfahren. So blieb seine geistige
Persönlichkeit mitten im Gericht doch selig. Das ist auch Krum=
machers Meinung, wie seine Auslegung der Gottverlassenheit bezeugt.
In ihr geht er sogar so weit von der alten Lehre ab, daß er — ent=
gegen unsrer Auffassung — die Realität der Gottverlassenheit fast
aufhebt: So war „jener Klageruf . . . der reine Ausdruck voll=
kommenster persönlicher Wirklichkeit und Wahrheit." — ‚Aber war
denn Christus wirklich an seinem Kreuz von Gott verlassen?' —
„Nicht einen Augenblick, geliebte Brüder! Wie hätte der von Gott
verlassen werden können, der mit ihm wesentlich eins, und wenn je,
dann gerade in dem Moment seiner unbedingt gehorsamen Selbst=
hinopferung am Kreuz der Gegenstand des höchsten väter=
lichen Wohlgefallens war?" (S. 554.) Der Kreuzesruf ist also

„nicht Anklage Gottes, daß dieser ihn verlassen habe, sondern viel=
mehr kräftige Gegenwehr wider teuflische Anreizungen
zu solcher Anklage" (S. 554). „In dem Moment, in welchem
der gräßliche Gedanke ihn zu überfallen drohte, es könne diese Hölle,
die ihn umloderte, sich um ihn her zusammenschließen, und da, soweit
es möglich war, das namenlose Unglück eines ewigen Verstoßenseins
von Gott in sein Bewußtsein trat, flüchtete er sich vor diesem grauen=
vollen Gedankenphantom, vor diesen Feuerpfeilen des Bösewichts,
den Schild des Glaubens ihnen entgegenhaltend, wie ein gejagtes,
zitterndes Reh in die Arme Gottes" (S. 556). „Seht, Klage (nicht
Anklage), Ruf um Hilfe, siegende Kindeszuversicht: dies sind die
drei Elemente, die in dem Eli, Eli, lama asabthani sich verschmelzen...
Soviel aber ergibt sich . . ., daß ohne die Lehre von der Stell=
vertretung der Klageruf Christi am Kreuz ein schlechthin unauf=
lösbares Rätsel bleibt. In Verbindung mit dieser Lehre aber wird
der Ruf zu einem Feierglockenklange, mit dem unsere ewige Er=
lösung eingeläutet wird" (S. 556). . . . Nicht an sich, sondern nur
an die Sünder, für die er eingetreten war, dachte Christus bei seinem
„Eli, Eli", und sein Absehen ging zuerst dahin, ihnen mit diesem
„Eli" das Herz des lebendigen Gottes wieder zu erobern. Denn
wenn Gott **ihn** verließ, so hatte er **jene** verlassen, die
er vertrat. Verwarf Gott sein, des Bürgen, Werk als
ein unzulängliches, so war die Erlösung der ganzen
Welt gescheitert, . . . und es erhält demnach seine Frage auch
diesen Sinn: „Nein, du verlässest mich nicht; du genehmigst mein
Werk; und so halte ich dich fest als meinen Gott, und darum
auch als den Gott derjenigen, deren Sache ich führe" (S. 557). So
weicht der bekenntnistreue Prediger Krummacher in seiner homiletischen
Verarbeitung des Dogmas weit von dem Inhalt des alten Dogmas
ab. Er vermag es nicht, die reale Gottverlassenheit und das reale
Gericht bei Jesus festzuhalten. Demgegenüber sagen wir: Jesus hat
das volle Gericht über die Sünde erfahren, die wirkliche Gott=
verlassenheit der Sünde erlitten. Aber er hat damit die Begnadigung
des Sünders vollzogen und den Sünder aus der Gottesferne in die
Gottesnähe gebracht. Wo nur immer ein Christ sich von Gott ver=
lassen fühlt, soll er diese Verlassenheit in bezug auf seine Sünde be=
jahen. Aber zugleich darf er sie in bezug auf seine Person über=
winden im Glauben an Jesu persönlichen Sieg. Die furchtbarste
Versuchung sich unselig zu fühlen und an Gott und Menschen und

an seiner ganzen Sendung zu verzweifeln, hat Jesus für uns durch=
gekämpft und siegreich abgewehrt. Er hat die Gottverlassenheit der
Sünde wirklich erlitten, aber die Gottverlassenheit des Sünders
überwunden. Ohne Jesu Sieg wird die zeitliche Strafe uns zur
ewigen Strafe und Verdammnis. Aber durch seinen Sieg hat Jesus
die ewige Strafe abgewehrt. Indem er die zeitliche Strafe der
Sünde: Leiden, Gottverlassenheit und Tod, ertrug, ohne an Gott zu
verzweifeln, hat er für sich und alle, die an ihn glauben, die ewige
Strafe aufgehoben. Seine Gottverlassenheit war nicht die Hölle. Die
Gottlosigkeit erst ist die Hölle; die Gottverlassenheit ist nur die
Versuchung zur Hölle. Der sündige Mensch unterliegt dieser Ver=
suchung rettungslos und gerät in die Gottlosigkeit hinein, falls ihn
nicht besondere Gnadenveranstaltungen Gottes, wie sie in Israel ge=
stiftet waren, halten. Die ewige Verlorenheit des Menschen ist also
seine eigene Schuld, nicht ein über seinen Kopf hinweg gefälltes
Urteil göttlicher Grausamkeit. Das persönliche Verhalten des Sub=
jekts ist in ihr mit eingeschlossen. Indem Jesus diesen persönlichen
Zusammenhang mit der ewigen Verlorenheit löste, hat er uns von
ihr erlöst. Hätte er die ewige Verlorenheit wirklich erfahren, dann
wäre er auch ewig verloren gewesen und wir mit ihm. Weil er sie
nur als Versuchung erfahren und abgewehrt hat, kann er uns Christen
helfen, wenn wir in dieselbe Versuchung ewiger Verlorenheit geraten.
Aber sobald wir seine Hand loslassen und als Sünder auf uns selber
blicken statt auf ihn, sind wir verloren. Und wer diese Verlorenheit
durch Ablehnung der Kreuzesgnade zum endgültigen Zustand seines
Wesens macht, ist ewig verloren. Der Widerwille gegen Gott und
seine Gnade ist das Hauptmerkmal der Hölle. Eine freiwillig aus
lauter Liebe übernommene Strafe ist nicht die Hölle, sondern ein
Stück himmlischer Gnade und Seligkeit.

## 3. Die Sühne als Siegeszeichen.

Dieses Resultat über die Strafe kommt nun im Sühnebegriff
zur entscheidenden Anwendung. Der Jurist Fr. Stahl sagt in der
Definition seiner epochemachenden Sühnetheorie: „Der Begriff der
Sühne ist es, durch Übernahme eines endlichen Leidens eine un=
endliche Strafe abzuwenden".[1]) Diese Definition ist von Hofmann u. a.

[1]) Näheres darüber siehe bei Graß, l. c. S. 167 ff.

dazu benutzt worden, das Strafleiden Jesu überhaupt abzulehnen.[1]
Aber es ist weder ihm, noch seinen Nachfolgern gelungen zu beweisen,
inwiefern denn ein endliches Leiden die Genugtuung für eine un=
endliche Strafe sei. Wir dagegen setzen an beiden Stellen den
vollen Strafbegriff ein und glauben es bewiesen zu haben, daß in
Jesu persönlichem Verhalten tatsächlich durch Übernahme der endlichen
Strafe die ewige Strafe abgewehrt ist. Darum sind wir besser und
klarer zum Ziel gekommen, indem wir den unklaren und vielfach
mißdeuteten Sühnebegriff vermieden haben.

Nachdem aber diese Klarstellung erfolgt ist, hindert uns nichts,
den biblischen Begriff der Sühne, den auch Kähler beibehalten hat,
zu akzeptieren. Es wird dadurch zum Ausdruck gebracht, daß es sich
nicht nur um ethische Beziehungen, sondern um die wirkliche Be=
ziehung zu Gott handelt. Darum kommt alles auf den ewigen, gött=
lichen Ursprung der Sühne an. Wird dieser geleugnet, dann kann
die Strafe niemals Sühne sein; dann wird unser Stellvertreter nur
ein gestrafter Mensch, der uns nichts helfen kann und dessen Vorbild
uns nicht nach sich zieht, sondern abstößt. Denn die Strafe, die er
trug, vermögen wir aus eigner Kraft nicht zu tragen, und das
Ideal eines von Gott gestraften Menschen besitzt keinerlei
Anziehungskraft. Die Aussicht auf ein solches Heil wäre für
die Begriffe des sündigen Menschen eine Unheilsaussicht, sie wäre die
Hölle für ihn.

Ganz anders aber wird die Sachlage, wenn wir bei der Sühne
uns über das Menschlich=Zeitliche zum Göttlich=Ewigen erheben. Wo
Gott ist, da ist Sieg und Leben. So muß auch Strafe und Tod zu
Sieg und Leben werden. Der düstere Satz, daß der Tod eine Strafe
ist, wird verwandelt in den andern Satz, daß Strafe und Tod
selber dem Tode verfallen, daß sie zeitlich, vergänglich sind,
wie alle Trübsal, und daß sie gerade dadurch den Glauben stärken

---

[1] Vgl. meine Schrift über Hofmann u. Ritschl S. 122: Hofmanns Sühne ist „ein
Leiden unter der Sünde, dem an seinem Strafcharakter nur die doppelte Beziehung
fehlt, daß es nicht auf Gott zurückgeführt wird und daß es nicht Jesu Person,
sondern seiner Natur gilt. Beides jedoch sind unhaltbare Voraussetzungen" ...
Sonst „verliert Jesu Tod entweder seinen Leidenscharakter oder das Moment
der persönlichen Freiheit". Sühne und Strafe gehören also zusammen. Aber aller=
dings ist Hofmann darin zuzustimmen, daß die Sühne mehr ist als Strafe. Indem
Hofmann sie als „Gutmachung der Sünde" definiert, gibt er ihr den sieghaften
Charakter, in welchem Sünde und Strafe überwunden sind.

an eine große ewige Herrlichkeit, wo weder Tod noch Strafe ein Recht mehr haben.

Ohne die Kreuzesoffenbarung behalten Tod und Strafe das letzte Recht, auch dort, wo man sich in idealistischen Illusionen über sie hinwegzusetzen sucht. Denn Tod und Strafe sind als Realitäten allen Idealen überlegen. Nur wenn sie am Kreuz durch die stärkere ewige Realität Gottes überwunden sind, sind sie wirklich überwunden. Wird Gott ohne das Kreuz der Versöhnung als Realität erfaßt, dann werden Strafe und Tod der reale Ausdruck des göttlichen Willens, und die Menschheit geht in Gottes Zorn unter. Aber der Gott, der Recht und Macht hat, die sündige Menschheit durch ewigen Tod und ewige Strafe zu verdammen, hat am Kreuz aus Gnaden Strafe und Tod in die vergängliche Zeitlichkeit hinabgedrückt, indem er in Christo ewiges Leben und ewige Herrlichkeit schuf. So ist für den, der an Christum glaubt, die Strafe etwas Zeitlich=Vorübergehendes, die Sühne aber etwas ewig Bleibendes. Insofern bedarf die ortho= doxe Lehre, die am Kreuz die Offenbarung ewiger Strafe sieht,[1]) der Korrektur. Für den Gläubigen ist das Kreuz das Unterpfand dafür, daß Gott aus Gnaden gerade nicht ewig, sondern nur zeitlich straft. Dagegen behält die orthodoxe Lehre recht in bezug auf alle, die die vollbrachte Kreuzessühne ihrer Sünde in Unglauben ver= werfen. Diese bleiben unerlöst, d. h. mit ihrer Sünde unlöslich ver= bunden. Wenn die Sünde dem ewigen Tod und der ewigen Strafe verfällt, verfallen sie mit ihr demselben Gericht des Herrn, das am Kreuz begonnen hat und am jüngsten Tage vollendet wird. Diesem Gericht ist aber die Person des Gekreuzigten nicht verfallen, sondern er hat es von sich und von uns siegreich abgewehrt. Er trug die Sünde und war doch innerlich von ihr los; er hat sich nicht mit ihr identifiziert. Wohl aber hat er sich in Gottes Namen mit der Person der Sünder identifiziert, und in demselben Sinne identifiziert Gott die Sünder mit ihm. Unsere Strafe ist seine Strafe und wird durch Gott zeitlich, vergänglich; sein Heil ist unser Heil und wird durch Gott ewig, unvergänglich. Gott hat Jesum nicht in ewige Gottverlassenheit gestoßen, sondern ihn nur zeitliche Gottverlassenheit schmecken lassen, die von der Hoffnung und der Gewißheit ewiger Gottesnähe begleitet

---

[1]) Diese unbiblische Lehre ist schon von Buddeus (Instit. theol. dogm. p. 784) wesentlich modifiziert: Christi Leiden waren „non dolores quos damnati experiuntur, sed potius dolores adeo graves, ut cum in= fernalibus comparari possint.

war. Die Gottverlassenheit ist nicht das Problem des Sünders, son=
dern vielmehr des Frommen. Der Sünder will gerade von Gott fern
sein, und ihm fehlt zugleich die Fähigkeit, es zu ermessen, was es
heißt, von Gott verlassen zu sein. Dem Frommen aber, der Gottes
Nähe sucht und kennt, wird die Gottverlassenheit zum schwersten
Problem. Der einzige Schlüssel zu diesem Problem ist das Kreuz.
Am Kreuz leidet der Offenbarer Gottes die Gottverlassenheit als
sühnende Strafe für die Sünde der Welt. Aber diese Strafe vermag
seinen ewigen Zusammenhang mit Gott nicht zu zerreißen, sondern
muß ihn sogar bestätigen. Unter dem Gesichtspunkt seiner ewigen
Gottessohnschaft werden alle seine Leiden rein zeitlich, vergänglich.
Denn Gottes Sohn, Gottes messianischer König, der aus dem Geist
stammende und mit dem Geist gesalbte Gottes= und Davidssohn,
duldet die Strafe als Sieger. Wäre er der Strafe unterlegen, hätte
er in Leid, Tod und Gottverlassenheit verzweifelt, dann wäre er mit
der ganzen Welt in ewige Strafe, ewigen Tod, ewige Gottverlassenheit
versunken. Weil er aber Sieger über Leid, Tod und Gottverlassenheit
ward, hat er die ewige Strafe abgewehrt und in zeitliche Strafe
verwandelt. In ihm entscheidet sich das Schicksal der Welt. Indem
die Strafe durch seine Seele hindurchgeht, verwandelt sie sich in Sühne,
in Heil. Was unter rein zeitlichem Gesichtspunkt Strafe ist und
bleibt, ist zugleich unter ewigem Gesichtspunkt lauter Sieg, weil
Gottes königlicher Sohn es in Gottes Namen trägt. Indem die
menschliche Strafe durch sein göttliches Bewußtsein hindurchging,
ohne dieses zu zerbrechen, ist für alle, die an ihn glauben, die
ewige Strafe verwandelt in zeitliche Strafe. Seine Liebe
hat sich zeitlich den Sündern übergeben, um den ewigen Sieg der
Gottesliebe über alles Zeitliche zu offenbaren. Er bringt den Sün=
dern zeitliche Strafe, aber ewige Vergebung. Keiner soll und kann
sich durch zeitliche Strafe die ewige Vergebung verdienen. Aber wer
an die unverdient geschenkte, ewige Vergebung im Gekreuzigten
glaubt, der hat die Kraft, die zeitliche Strafe zu tragen und zu über=
winden. So ist das subjektive Bewußtsein ganz und gar gebunden
an die objektiv vollbrachte, ewig gültige Sühne Jesu Christi.

Allerdings zieht Gott seine Schuldforderung an uns noch auf
jedem Sterbebette ein. Aber wo einer im Glauben an das Kreuz
stirbt, ist es der Gekreuzigte, der die Schuld bezahlt, und aus dem
Schuldner wird ein Beschenkter. Dabei bleibt ihm der Tod
nicht erspart. Sondern er wird ihm so verklärt, daß er ihm die Tür

zum Leben wird. In ähnlicher Weise verläuft das ganze Christen=
leben. Gott erspart dem Christen nichts, weder Leid noch Strafe,
noch Enttäuschung. Aber alles dies erscheint in einem ganz neuen
Licht. Es wird unter ewigen Gesichtspunkt gestellt und mit den Heils=
kräften des gekreuzigten Heilandes durchtränkt. Es wird etwas
Vorübergehendes, dem Tod Verfallenes, das an unser wahres Leben
nicht herankann. Ja, es muß sogar diesem wahren Leben zur
Stärkung und Bestätigung dienen, indem es uns ständig zu Gott hin=
treibt. Ohne den Glauben an das Kreuz geht es über Menschen=
kraft, sich durch Strafe, Leid und Tod hindurch zu Gott treiben zu
lassen. Für den unversöhnten Sünder ist die zeitliche Strafe Aus=
druck und Anfang ewiger Strafe. Denn sie trennt ihn von dem
ewigen Gott und treibt ihn immer weiter in die Gottesferne hinein.
Für den versöhnten Sünder ist die zeitliche Strafe Ausdruck und Anfang
ewiger Erlösung. Denn sie trennt ihn von seiner Sünde und treibt
ihn immer weiter in die Gottesnähe. Für den Unversöhnten ist die
Strafe ein Hindernis der Gottesgemeinschaft. Für den Versöhnten ist
die Strafe ein Mittel der Gottesgemeinschaft. Dieser Umschwung
ist durch die objektive göttliche Sühnetat des Kreuzes ein für allemal
vollzogen.

Somit ist zu definieren: die Sühne, die durch die objektive Heils=
tat Christi geschaffen ist, besteht darin, daß die ewige Strafe in zeit=
liche Strafe, das Hindernis der Gottesgemeinschaft in ein Mittel der
Gottesgemeinschaft umgeschaffen ist.

Diese positive Bedeutung bekommt die Sühne durch ihre Ver=
bindung mit dem **Opfer.** Dadurch tritt an die Stelle der ewigen
Strafe eine andere ewige Beziehung des Sünders zu Gott: die abso=
lute Hingabe. An die Stelle der Negation tritt die Position. Denn
die Sühne ist nicht nur Strafe, sondern Sühnopfer. Sie hat nicht
nur ihren Ursprung, sondern auch ihr Ziel in Gott. Sie beseitigt
nicht nur ein Hindernis der Gottesgemeinschaft, sondern sie stellt ein
Mittel der Gottesgemeinschaft dar. Die Fähigkeit und Willigkeit zur
Erduldung der Strafe Gottes führt zur völligen religiösen Hingabe
an Gott. Strafe ist ein negativer Begriff. Sühne und Opfer sind
positive Begriffe, in denen die Strafe nicht als Selbstzweck, sondern
als Mittel zum Zweck der Hingabe an Gott vorkommt. Sühne ist
mehr als Strafe und mehr als Opfer. Das Opfer hat nur religiöse
Bedeutung; die Sühne hat religiöse und rechtliche Bedeutung. In
ihr vereinigen sich Strafe und Opfer zum Sieg der göttlichen Königs=

macht. Der König schafft Recht und sorgt für Sühne des Unrechts. Seine Macht verhilft dem Recht zum Sieg. Es ist unmöglich, daß ein sündiger Mensch selbst seine Sünde vor Gott sühnen kann. Aber die vollbrachte Sühne sich im Glauben aneignen und aus der voll= zogenen Tatsache die Kraft und Freudigkeit zur Nachfolge schöpfen, das ist Evangelium für das sündige Bewußtsein. Sühne ist kultisches Handeln und als solches allein dem königlichen Hohenpriester vor= behalten, der seinem Opfer königliche Rechtsgeltung verleiht. Das Tragen der Strafe dagegen ist ethisches Handeln und darum für alle verbindlich. In Jesu Handeln am Kreuz ist beides eins: einzigartiges sühnendes Handeln vor Gott und allgemein vorbildliches ethisches Handeln vor den Menschen. Als religiöse Sühnetat ist die Kreuzestat unwiederholbar. Als sittliches Vorbild wiederholt sie sich in jedem rechten Christenleben. Denn der übergeschichtliche, lebendige Sühner, der die Seinen ständig vor Gott vertritt, und die geschichtlich voll= brachte Sühne, die der einzelne sich im Glauben aneignet, wirken fort und fort als treibende Kraft und verbürgen uns über alle sub= jektiven Schwankungen hinaus den Sieg.

## 4. Die Sühne und die drei Ämter.

Indem die alte Lehre Jesum den ewigen Tod und die ewige Strafe, wenn auch nicht extensive, so doch intensive erleiden läßt, stellt sie ihn tatsächlich als den Besiegten dar und nimmt ihm sein königliches Amt, um es ihm in echt scholastischem Verfahren hinterher als dem Auferstandenen wiederzugeben. Gegen diese scholastische Zer= reißung des historischen Jesusbildes ist im Namen der Schrift zu protestieren. Alle **drei Ämter** sind vereinigt auf den Gekreuzigten zu beziehen. Wir haben gesehen, daß das stellvertretende Strafleiden Jesu aus dem Prophetenamt erwachsen ist. Aber der duldende Prophet, der durch die Sünde seines halsstarrigen Volkes zugrunde gerichtet wird, ist nur dann ein angemessenes Bild für den historischen Jesus, wenn es nur die Kehrseite seines sieghaften Königtums ist. Willigt er in die Knechtsgestalt, dann wird sie ihm zur verborgenen Königsgestalt, die einst aus ihrer Verborgenheit hervortreten wird. Knechtsgestalt und Königsgestalt dürfen nicht unter nur menschlichem Gesichtspunkt angesehen werden. Der da ein Knecht ward, bleibt der göttliche Prophet, und der da König ist, ist als Messias von Gott gekommen. Sein Wort und seine Tat sind Gottes. Sie sind Priester= dienst, von Gott für Gott bestellt. Prophetenwort und Königstat, prophetisches Leiden und königlicher Sieg vereinen und vollenden sich im Priesteramt. Damit reichen sie über alles Irdische hinaus ins Ewige hinein. Der Sinn des irdischen Lebens Jesu ist das ewige Leben, der Sinn seiner Menschheit ist seine Gottheit, der Sinn seines Opfertodes ist Straftod und Siegertod zugleich. Die drei Ämter des sterbenden Heilandes gehören notwendig zusammen. Bricht man eins davon ab, so zerbricht man das ganze Heilswerk. Der heilige Gott siegt nur s o über die Welt, daß die Sünde gestraft und die Mensch= heit zur göttlichen Gnadengemeinschaft gebracht wird. Der Gekreuzigte vollbringt dieses göttliche Werk durch sein dreifaches Amt, indem er als Prophet, Hoherpriester und König stirbt. Er leidet die Strafe der Sünde, ohne als Sünder verdammt zu werden; er leidet die Opferung des Leibes, ohne im Geist von Gott getrennt zu werden; und er offenbart in beiden Fällen den königlichen Sieg des leben= digen Gottes. Sein Sühnetod ist also zu gleicher Zeit Straftod, Opfertod und Siegertod.

Dieser dreifachen Bedeutung des Todes Christi entspricht eine dreifache Notwendigkeit:

1. So notwendig, wie Sünde und Strafe miteinander verknüpft sind, ist das Heil mit dem Straftode Christi verknüpft.

2. So notwendig, wie ein vollkommenes Gemeinschaftsverhältnis zu Gott mit vollkommener Hingabe an Gott verbunden ist, so notwendig ist das Heil an Jesu Opfertod gebunden.

3. So notwendig, wie der überweltliche Gott mit dem absoluten Siege über die Welt eins ist, ist das Heil mit dem Sieger= tod Christi eins.

Alle drei Notwendigkeiten ruhen auf irrationalem Grunde. Die Aufeinanderfolge von Sünde und Strafe, die Verwirklichung der Gottesgemeinschaft und der überweltliche Gott selbst sind irrationale Größen. Sie sind so wenig denknotwendig, daß das menschliche Denken sich ihnen immer wieder zu entziehen sucht. Diese irrationalen Größen können nur als Tatsachen festgestellt werden. Wenn sie aber als solche zur Grundlage des Denkens gemacht werden, führen sie mit Notwendigkeit zum Tode Christi. Ohne den Tod Christi bleiben diese drei Tatsachen ständig dem Zweifel und den Angriffen der Sünde ausgesetzt. Nur die Tatsache des Todes Christi setzt das Denken instand, jene drei Tatsachen sicherzustellen. Der Tod Christi ist also mit dem Kausalzusammenhang von Sünde und Strafe, mit der vollkommenen Gottesgemeinschaft und mit dem absoluten Siege Gottes über die Welt notwendig verbunden. Über dem Kreuz steht das göttliche δεῖ!

Der Ausdruck für diese göttliche Notwendigkeit ist die Sühne. In ihr sind die religiösen Notwendigkeiten mit den ethischen Notwendigkeiten eins. Für jede der drei Beziehungen des Todes Jesu: den Straftod, den Opfertod und den Siegertod läßt sich nach der Schrift ein rein ethischer Inhalt aufweisen, indem man das Kreuz als Gehorsamstat (Phil. 2, 8; Hebr. 5, 8), als Liebestat (Johannes) und als Vollendungstat (Hebräerbrief) nimmt. Dies muß gegenüber aller unethischen religiösen Metaphysik betont werden. Man bleibt sogar dann noch in der Richtung der biblischen Gedanken, wenn man, wie es schon Samuel Collenbusch[1]) getan hat, nach Röm. 5 den Satz bildet: „Der Gehorsam ist die Versöhnung für den Ungehorsam". Sobald aber dieser Satz den Bereich erbaulicher Umschreibung biblischer Gedanken überschreitet und zur wissenschaftlichen Erklärung der Versöhnung erhoben wird, tritt er mit der Schrift in Widerspruch. Denn die Schrift bleibt niemals bei diesen ethischen Beziehungen stehen, sondern schreitet immer zur religiösen Gottesbeziehung fort. Auch Paulus will Röm. 5 nur die Antithese Adam und Christus beschreiben, nicht etwa die Versöhnung erklären, geschweige denn die Sühne, von der er Röm. 3 so deutlich gesprochen hat, wieder eliminieren. Vielmehr erwächst aus der Behauptung, daß der Gehorsam die Sühne für den Ungehorsam sei, erst das eigentliche Problem: Wie kann der Gehorsam den Ungehorsam sühnen? Die klare Antwort lautet: Der Gehorsam nimmt die Folgen des Ungehorsams auf sich. Der Gehorsame leidet nach Gottes Willen freiwillig die Strafe der Ungehorsamen mit und zieht sie in diesem Mitleiden durch Gottes Kraft in seinen Gehorsam hinein. So werden die von Gott geordneten üblen Folgen tatsächlich überwunden. In paralleler Weise läßt sich sagen: Die Liebe ist die Sühne für den Haß, weil sie sich Gott zum Opfer gibt. Sonst würde sie rettungslos von dem Haß verschlungen. Endlich ist die Vollkommenheit und Selbstvollendung des einen Mittlers eine Sühne für die Mangelhaftig-

---

[1]) Fr. Augé, Dr. med. Samuel Collenbusch und sein Freundeskreis. Neukirchen. Bd. II, S. 33—35.

keit der andern nur dadurch, daß Gottes allwirksame Siegesmacht darin zur Geltung kommt.

Aber durch diese Dreiheit des Sühnamtes wird die Einheit der Persönlichkeit Jesu nicht zerrissen. In jeder der drei Beziehungen kommt die ganze Person und das ganze Werk nach einer bestimmten Seite hin zum Ausdruck. Diese Einheit der Person ist durch den Geist gegeben. Das fleischgewordene prophetische Wort redet durch die Tat des Geistes und leidet den Prophetentod in stellvertretender Strafe nach Jes. 53. Der ewige Hohepriester opfert sich selbst durch den ewigen Geist. Der mit dem Geist gesalbte messianische König stirbt den Siegestod und bringt dadurch den Geist, „der da lebendig macht" (Joh. 6, 63; 7, 39; 16, 7).

# Dritter Hauptteil:
## Der Geist des Gekreuzigten als Prinzip der Dogmatik.

## Einleitendes.

Die Geistfrage ist von Schaeder als die theologische Kernfrage bezeichnet worden.[1]) An ihr entscheidet sich für ihn die theozentrische Theologie. „Sobald der Christus, der Geist hat und ist, der Gott ist, im Zentrum der Theologie steht, hat sie wirklich Gott zum Zentrum."[2]) Dieser Satz kann von den Voraussetzungen Kählers aus wörtlich unterschrieben werden. Der Christus, der das Zentrum der Kählerschen Gnadentheologie bildet, ist der Christus, der den Geist hat. Er hat „Offenbarung Gottes nicht nur gebracht", sondern „ist die Offenbarung in Person" (Wissensch. §§ 364, 363). So kommt es zu des Geistes „ausschließlicher Einwohnung in Jesu" (§ 409), und so kann Jesus „als Mittler der Offenbarung die Stellung des heiligen Gottes zu dieser Welt vollständig darstellen" (§ 443). Damit stimmt auch Schlatters Wort überein: „Wir können nicht von einem Werk des Christus reden, das nicht das Werk des Geistes wäre, oder von einem Werk des Geistes, das nicht ein Werk des Christus wäre".[3]) In demselben Sinne sagt Lütgert nach Johannes: „Der Geist bindet an Jesum . . ., an das Fleisch Jesu. . . . Jesus im Fleisch ist der Maßstab für den Geist der Kirche".[4]) Gott „gibt uns nichts Göttliches, ohne uns etwas Menschliches zu nehmen. . . . Dieser mit dem göttlichen Geben verbundene Schmerz ist das Kreuz. . . . Das Kreuz Christi zu wollen ist freilich nichts Natürliches. . . . Dieser

[1]) Theoz. Theol. I, S. 9; II, S. 105 ff.
[2]) l. c. S. 28.
[3]) Das christliche Dogma. Calw 1911. S. 377.
[4]) Gottes Sohn und Gottes Geist. S. 73. 75.

Wille, der das Kreuz will, ist Geist".[1] Sogar das Gericht, das im Kreuze liegt, vermag der Geist zu ertragen. „Das Merkmal des Geistes ist dies, daß er das Schuldgefühl kräftigt, klärt, schärft und dann überwindet, und daß er uns dabei Gott groß macht."[2]

Besonders nachdrücklich hat Al. v. Öttingen auf die Zusammengehörigkeit von Kreuz und Geist hingewiesen. Seinen „Beitrag zur Lehre vom Heiligen Geist" betitelt er: das göttliche „Noch nicht!",[3] und prägt in der Einleitung den Begriff einer „staurozentrischen Dogmatik" (S. 3). In vier Thesen entwickelt er dann das göttliche „Noch nicht" als eine „Theologie des Kreuzes" (S. 5 ff.). Ferner gibt er einen Abschnitt über „das göttliche ‚Noch nicht' im Zusammenhange mit Luthers ‚Theologie des Kreuzes'" (S. 19 ff.). Endlich spricht er sogar von einer „Leidensgeschichte Gottes des Heiligen Geistes" und eignet sich das überraschende Goethewort an: „Am Kreuze wird sich das verwirrte Christentum immer wieder zurechtfinden" (S. 28). Für Öttingen ist das göttliche „Noch nicht" im Anschluß an Joh. 7, 39 der dem Kreuze analoge Ausdruck für die göttliche „Selbstbeschränkung". Dabei beruft sich Öttingen auf das Wort Kählers, daß Gott in der geschichtlichen Menschheit „seine Selbstbehauptung in der höchsten Selbstbedingung vermittelt". Die geschichtliche Selbstbedingung Gottes erreicht nach Kähler ihre Vollendung in der Kreuzestatsache, und die Geisttheologie ist das Korrelat der Kählerschen Tatsachentheologie.

Das Einheitsband zwischen Geist und Tatsache ist die Person Jesu. Dieser Zusammenhang ist von Schaeder[4] mit Recht hervorgehoben worden. „Nun haben wir Jesus . . . nur durch den Geist Gottes. Wir hätten nichts von ihm, er wäre für uns mit allen Heilstatsachen seiner Geschichte eine Figur der Vergangenheit, wenn nicht Gottes Geist ihn mitsamt . . . den Erträgen der Heilstatsachen glaubenweckend in unsere persönliche . . . Gegenwart rückte." „Wir sind im Glauben an Gott gebunden, an ihn durch den Geist, und an gar nichts sonst. . . . Er ist der Geist dessen, der auch auf unser persönlich=freies Seelenleben die Hand der absoluten Verpflichtung für ihn legt, und der uns heilig straft, wenn wir uns ihm entwinden. Er ist der Geist dessen, der sich in

---

[1] Natur und Geist Gottes. S. 59.
[2] Gottes Sohn und Gottes Geist. S. 83.
[3] Erlangen u. Leipzig 1895.
[4] Theoz. Theol. II, S. 104 bei Anm. 2, in der Sch. sich auf Kähler beruft.

Steffen, Das Dogma vom Kreuz.

9

unausdenkbarer Liebe, in freier Gnade schlechthin an uns, die wir persönlich gegen ihn sind, hingibt." Diese Worte Schaeders fassen wir im Anschluß an Lütgert und Kähler einfach dahin zusammen, daß wir sagen: der Heilige Geist ist der Geist des Gekreuzigten. Aber Schaeder selbst vollzieht diese Zusammenfassung nicht. Er polemisiert sogar gegen das „Heilstatsachenchristentum von heute".[1] Er sieht darin mehr eine sachliche Beengung, als eine persönliche Befreiung. Jesus dagegen verbindet die volle persönliche Freiheit des Geistes mit der Bindung an das Kreuz.

So wird das Heil zur unanfechtbaren Tatsache. Als objektive geschichtliche Tatsache bleibt das Kreuz gegen alle subjektiven Leugnungsversuche gesichert. Weil Gottes heiliger Geist in der Heilsgeschichte wirkt und den weltgeschichtlichen Stoff mit göttlichem Inhalt füllt, darum kann die Geschichte das Mittel sein, durch welches der Gottesgeist uns ständig die Wahrheit verbürgt und gegenwärtig hält. Der Geist ist nicht etwas, das außerhalb der Tatsache liegt und erst an sie herangebracht werden muß. Sondern der Geist ist in der Tatsache enthalten, weil Gott in der geschichtlichen Tatsache wirkt. Geschichte ist, was geschehen ist. Es hat nicht noch etwas Geistiges daneben zu geschehen. Auch das geistige Faktum ist vollständig vollbracht, als der Gekreuzigte sein Werk vollbracht hat. So ist das Kreuz nicht abhängig vom Glauben, sondern es begründet den Glauben. Die schlichte, gegen alle Einwände gesicherte geschichtliche Tatsache,[2] daß Jesus wirklich am Kreuze gestorben ist, sie allein ist das Heil, und wie sie in ihrer einfachen Tatsächlichkeit unangreifbar ist, so ist das Heil unangreifbar. Es ist da, auch wo es nicht geglaubt wird. Es ist in der vollendeten Kreuzestatsache da. In dieser Kreuzestatsache wirkt noch heute der Geist. Wenn heute der Geist in unserm Fleisch lebendig ist, so hat das seinen Grund darin, daß er in Jesus Fleisch geworden ist. Gottes Geist knüpft an unser Fleisch an; sonst würde er gar keinen Eingang in uns finden. Gottes Geist richtet unser Fleisch, aber er rettet unsere Person durch den Gekreuzigten. Der christliche Fundamentalsatz: „Gott ist Geist" hat sein

---

[1] l. c. S. 103 f.

[2] Wie sich das Zeugnis von den heilsgeschichtlichen Tatsachen zur Profangeschichte und zur historischen Kritik verhält, darüber ist zu vergleichen: Kähler, Der sogenannte historische Jesus und der geschichtliche biblische Christus. 2. Aufl. Leipzig, und: Weber, Historisch-kritische Schriftforschung und Bibelglaube. 2. Aufl. Gütersloh 1914.

Korrelat an dem andern Fundament: „Gott ist geoffenbart im Fleisch". Der alttestamentliche Gott war entweder körperlich nahe oder geistig fern. Der Gott des Neuen Testaments ist geistig nahe durch den fleischgewordenen Sohn, und die Form, in der Gott Christi Fleisch aller Welt vor Augen gestellt hat, ist das Kreuz. Das Kreuz ist keine „tote" oder „leere" Tatsache, keine bloße Figur der Vergangenheit, sondern in ihm wirkt der lebendige gegenwärtige Herr, der lebendig machende Geist. Von ihm ist es überhaupt nicht zu trennen.

Die Zusammengehörigkeit von Geist und Kreuz in der Person Jesu ist schon durch seine Taufe vorgebildet. Indem er die Sündertaufe nimmt, empfängt er den Geist. Das ist seine „Salbung" zum Messiasamt, zur Heilandstat. Fortan ist er der Träger der Sünde und zugleich der Träger des Geistes. Aber dies Tragen muß ein Ziel haben. Das Ziel ist das Kreuz, die messianische Tat. Um die Welt zu retten, trägt er die Sünde und den Geist ans Kreuz. Im Kreuz faßt sich die ganze geisterfüllte Person Jesu zusammen. Erst vom Geist des Gekreuzigten aus ergibt sich die wahre Christologie.

---

## 1. Die Christologie des Kreuzes.

Daß Jesus wirklich stirbt und den Tod in seiner vollen, widernatürlichen Schwere als der Sünde Sold durchkostet, ist der Beweis für seine wahre Menschheit. Daß Jesus diesen Tod in der göttlichen Siegeskraft des Geistes überwindet, das ist der Beweis für seine wahre Gottheit im messianischen Sinn.

Die moderne Theologie vermag ihren wichtigsten Grundsatz, den von der wahren Menschheit Jesu, gar nicht durchzuführen, weil sie aus dogmatischen Gründen auf halbem Wege stehen bleibt. Für sie ist Jesus eine blasse und schattenhafte Idealgestalt ohne Fleisch und Blut. Nach ihrer Auffassung haben die Gegensätze, die einem Menschen das Herz zerreißen, keinerlei Beziehung zu ihm. Das biblische Bild von höchster innerer Spannung, einer Spannung, die bis an die Grenze des Zerreißens geht, wird idealistisch verwischt. Die ganz natürliche Folge davon ist, daß sich die realistischen Instinkte gegen dieses Jesusbild auflehnen, und daß die radikale Theologie als Antithese einen Christus zeichnet, der tatsächlich durch die Gegen-

sätze, die sein Leben umbrausen, zerrissen wird und als ein Ge=
scheiterter endet.

In ähnlicher Weise, wie Jesu wahre Menschlichkeit, scheitert auch
sein göttlicher Offenbarungswert. Die Bewährung seiner Berufs=
treue wird mit der Treue Gottes einfach gleichgesetzt und damit der
fundamentale Gegensatz der biblischen Religion, der Gegensatz von
Gott und Mensch, eliminiert. Dieser Gegensatz wird in der Gott=
verlassenheit des Gekreuzigten in erschütternder Weise offenbar. Hier
bewährt sich Jesu menschliche Treue in ihrer höchsten Probe, aber
die Treue Gottes bewährt sich gerade nicht, wenn man nur den
innerweltlichen Maßstab anlegt. Gott wird hier dem treuen Menschen
untreu! Und diese Tatsache der Evangelien ist nicht etwa eine
Ausnahmeerscheinung, sondern ein typischer Fall. Es ist das Grund=
problem der alttestamentlichen Frömmigkeit und jeder in die Tiefe
gehenden Religion, ein Problem, das durch den Krieg in seiner
ganzen quälenden Wirklichkeit zutage getreten ist: wie kommt es,
daß Gott mit seinem Trost verzieht, „als fragt er nichts nach dir"?
Kann einer, der diese Erfahrung macht, noch fromm bleiben? Ja,
mehr noch: kann einer, dem diese Erfahrung die Seele beschattet,
der Offenbarer Gottes sein? Das ist nur dann möglich, wenn Gott
mit den innerweltlichen Erfahrungen dieses Menschen nicht identisch
ist, sondern überweltlich darüber steht, oder christologisch gewandt: es
ist nur möglich, wenn dieser innerweltliche Mensch zugleich ein über=
weltliches Wesen hat, das ihn mit Gott eins bleiben läßt, auch wenn
das innerweltliche Gemeinschaftsband zerreißt. So wird tatsächlich
der innerweltliche Christus der Offenbarer des überweltlichen Gottes,
die geschichtliche Tatsache die Offenbarung des „Übergeschichtlichen".
Indem Jesus als wahrer Mensch den Gegensatz zwischen Gott und
Mensch erlebt, ohne an ihm zu zerbrechen, offenbart sich seine wahre
Göttlichkeit. Indem ihm selbst alles Innerweltlich=Menschliche zer=
bricht, ohne daß dadurch das Wesen seiner Persönlichkeit angetastet
wird, offenbart er, daß dieses Wesen seiner Persönlichkeit überweltlich=
göttlich ist.

Auch die **Vorbildlichkeit Jesu** ist von seiner Göttlichkeit nicht
zu trennen. Sucht man ein rein menschliches Vorbild, das für alle
gilt, so kommt man zu keinem Ziel. Denn dann durchkreuzen sich
die verschiedensten Ideale. Aus der menschlichen Natur läßt sich so=
wohl der tätige Mensch, als auch der leidende Mensch als höchstes
ableiten. Die verschiedenen Funktionen des Geistes führen in aus=

schließender Weise entweder zum Willensmenschen oder zum ästhe=
tischen Menschen oder zum intellektuellen Menschen. Aus der Differenz
der Geschlechter ergibt sich ein männliches und ein weibliches
Menschheitsideal. Das Problem der Ehe erzeugt einerseits die An=
schauung, daß der Mensch nur durch die Ehe seine Bestimmung er=
füllt, andrerseits die Forderung, durch die Ehelosigkeit zur Vollendung
zu gelangen. Die Hingabe des Menschen an die Familie, an Leibes=
und Geistesverwandtschaft, an Freundschaft und Nachbarschaft, an
staatliche, religiöse und andere Gemeinschaften bringt lauter neue
Ideale und Forderungen hervor, die in einem fortdauerndem Wider=
streit miteinander stehen. Die „Harmonie" des Geistes mit seiner Um=
gebung und mit seinen eigenen geistigen Funktionen (Denken, Fühlen,
Wollen) bleibt ein leerer Begriff, solange nicht eine über allem
stehende Norm gegeben ist, mit der man in allen Lebenslagen
harmonieren kann.

Diese Norm kann nur Gott sein. Die Bestimmung des Menschen
kann nur die sein, die Gott ihm gegeben hat. Sonst hört alles
Normative auf, das Menschliche endet beim Tierischen in Sumpf und
Schmutz, oder es sinkt in Unnatur noch unter das Tier. Jeder
Mensch spürt irgendwann einmal im Grunde seiner Seele die tierische
Regung, und das normale menschliche Empfinden verurteilt sie als
Widerspruch gegen die menschliche Bestimmung. Das natürliche
Menschenleben enthält also einen doppelten Widerstreit. Nicht nur,
daß seine Ideale untereinander uneins sind, sondern diese wider=
streitenden Ideale haben dazu noch den Widerstreit des Tierischen zu
überstehen. In diesem doppelten Kampf um die Norm vermag das
Menschliche nur dann zu siegen, wenn es zum Göttlichen empor=
gehoben wird. Das höchste menschliche Vorbild nützt uns nichts.
Denn wir vermögen es gar nicht als solches zu erkennen und fest=
zuhalten, wenn es nicht durch Gottes Autorität gesichert ist. Darum
kann man gerade vom rein menschlichen Standpunkt aus an Jesu
Vorbildlichkeit Kritik üben und ihm vorwerfen, daß er für Ehe und
Familie, für Politik und Kunst, für rein natürliche Schönheit und
Größe keinen Sinn hat. Aber dieser Vorwurf verwandelt sich sofort
in einen Vorzug, wenn aus dem menschlichen der göttliche Gesichts=
punkt wird. Dann zeigt sich, daß bei Jesus das Göttliche viel zu
groß und bedeutend ist, um neben sich dem Menschlichen noch in
irgend einer Beziehung selbständige Geltung zu lassen. Er hat es
nicht nötig, irgendwelche Kasuistik zu treiben, weil alle einzelnen

Fälle für ihn unter die eine Beziehung zu Gott fallen. Das Reich der Natur und der Kunst, das Reich der Familie und des Staates bedeutet nur deshalb für Jesus nichts, weil ihm das Reich Gottes alles bedeutet. Er würde die Menschen von der einzigartigen und über die Maßen wichtigen Herrlichkeit dieses Reiches ablenken, wenn er jene Reiche verherrlichen wollte. Aber zugleich gibt er allen menschlichen Beziehungen ihre wahre Würde und Bedeutung, indem er sie dem Reiche Gottes einordnet, und verheißt jedem, der sich in diesen Beziehungen Gott unterordnet, die Fülle des göttlichen Segens nach dem Wort Matth. 6, 33. Er hat nie die Kunst gepriesen, aber in seinen Gleichnissen höchste Kunst entfaltet. Er hat die Politik ab= gelehnt und doch gelegentlich Proben klarer politischer Einsicht ge= geben.[1]) Er hat nie ein Weib begehrt, und hat doch dem Weibe durch seinen persönlichen Verkehr die höchste Ehre und Würde ge= geben, die es jemals zu erreichen vermag. Er hat weder den Sternenhimmel, noch den Zauber der orientalischen Landschaft ge= rühmt, aber er hat in der ganzen Natur Gottes Spuren geschaut und Blumen und Vögel, den See und die Berge um Gottes willen geliebt. So hat er auch das Menschliche niemals als solches in die Höhe ge= hoben, sondern er hat es einzig und allein durch die Beziehung zu Gott geadelt. Die größten Heldentaten, die in der Weltgeschichte ge= schehen und von denen auch das Alte Testament noch voll ist, be= achtet er nicht; aber die kleinste Tat, die um Gottes willen geschieht (Matth. 10, 42; Mark. 9, 41), gilt ihm besonderer Verheißung wert. Der Sinn des Menschlichen ist für ihn das Göttliche. Darum kommt für die Geltung seines menschlichen Vorbildes alles darauf an, daß es göttliche Autorität besitzt, daß es die tatsächliche Beziehung zu Gott herstellt. In einer gottentfremdeten Welt Hingabe an Gott zu fordern und zu verwirklichen, das hat nur dann einen Sinn, wenn es von Gott kommt. Sonst ist ja gar nicht festzustellen, daß die Hingabe bis zu Gott gelangt. Gott kann nur von dem erreicht werden, der aus Gott ist. Wenn das Menschliche aus sich selbst zu Gott kommen will, endet es bei dem oben entwickelten Widerstreit, der dadurch zum Widerstreit mit Gott wird. Nur der, welcher die Versöhnung dieses Widerstreits durch Gott selber bringt, kann all= gültiges Vorbild sein. Was einen Paulus zu seliger, weltüberwindender

---

[1]) Matth. 22, 21; Luk. 14, 28—32. Hätten wir in unserer Politik diese beiden einfachen Grundsätze besser beachtet, es stünde besser um unser Volk und Vaterland.

Nachfolge treibt, ist nicht dies, daß er zu all den hohen menschlichen Vorbildern des Alten Testaments noch ein neues, besseres hinzugewonnen hat, sondern daß Gott selbst sein Vorbild geworden ist, daß der „Herr" sich ihm zum Dienst hingegeben hat. So wird die Nachfolge Jesu unmittelbar zur Nachfolge Gottes (μιμηταὶ θεοῦ Eph. 5, 1).

Weil Jesu Vorbildlichkeit uns unmittelbar vor Gott stellt, darum ist sie auch mit unmittelbarer Gewißheit verbunden. Zu meinen, daß Jesu rein menschliche Vorbildlichkeit uns gewisser sei, als seine Gottheit, ist ein idealistischer Irrtum. Denn sobald es sich darum handelt, das Ideal in die Wirklichkeit umzusetzen, kommt die Versuchung, es zu erweichen und von seiner Höhe herabzuziehen. Ist Jesus bloßer Mensch, dann zieht er die Menschheit nicht hinauf, sondern die Menschen ziehen ihn herab. Jeder macht ihn sich so zurecht, wie nach seiner Meinung das Ideal der Menschheit beschaffen sein muß. Was aber an allgemein menschlichen, für jeden vorbildlichen Zügen an Jesus ohne weiteres einleuchtet, das wird dem, der in einer konkreten Situation sich danach richten soll, zweifelhaft und ungewiß durch die Sünde. Denn der sündige Wille, der das Seine sucht, weiß seine Autorität mit vielen Gründen und Ausflüchten zu sichern, und das sündige Begehren stellt durch seine Vorspiegelungen den wahren Spiegel der Seele in den Schatten. Nicht nur der einzelne, sondern ganze Massen können so in wilden Taumel geraten, daß sie im Namen der Menschlichkeit alles Menschliche zertrümmern. Wurden gestern die allgemein-menschlichen Ideale überspannt, so werden sie heute zerrissen, und das Ende ist das Chaos, die Gewißheit des Unheils. Heilsgewißheit dagegen gibt es nur dort, wo Heil und Ideal der Menschheit mit göttlicher Autorität gegeben sind, wo die Verwirklichung göttlicher Ziele mit den menschlichen Zielen eins ist. Die Behauptung, daß in einem bloßen Menschen Gott vorbildlich redet und handelt, bleibt ein leeres Gerede und prallt an dem sündigen Willen wirkungslos ab, solange nicht der göttliche Ursprung und die göttliche Autorität dieses idealen Menschen gesichert ist. Die verlorene Menschheit kann nicht durch die Menschheit, sondern nur durch die Gottheit heil werden. Die Gewißheit über ihr Menschheitsideal kann nur aus gottgegebener Heilsgewißheit fließen. Die Gewißheit über Jesu wahre Menschlichkeit ist nicht zu trennen von der Gewißheit über seine wahre Göttlichkeit. Weil Jesu Menschenleib Gottes Heilsopfer ist, ist es gewiß, daß er aus Gottes Geist erzeugt ist.

Die Deutung seines göttlichen Wesens wird aber nicht, wie in der griechischen Theologie, in physischen Kategorien vollzogen, sondern aus der rein religiösen Tatsache erschlossen, daß der überweltliche Gott in der Welt offenbar wird. Diese überweltlich= göttliche Verbundenheit Jesu mit Gott ist nicht erst durch sein mensch= liches innerweltliches Verhalten erzeugt. Es ist nicht so, daß er, da ihm die Welt zerbrach, sich in die Überwelt geflüchtet hätte. Sondern von vornherein steht er in souveräner göttlicher Vollmacht der Welt gegenüber und führt es in göttlicher Herrscherkraft selber herbei, daß die sterbende Welt zum Offenbarungsmittel des lebendigen Gottes wird. Dem modernen Menschen geht das Gefühl für den absoluten Unterschied zwischen Gott und Mensch immer mehr verloren. Aber trotzdem verweigert der moderne Sprachgebrauch Jesu Christo hart= näckig das Prädikat „Gott". In dieser Lage können und dürfen wir von Jesu eigenem Verhalten den Juden gegenüber lernen. Jesus knüpft ohne weiteres an den mißverständlichen Sprachgebrauch ($\vartheta\varepsilon o i$) an, aber schreitet sofort vom bloßen Streit um Worte zur Sache selbst weiter. Er nimmt das Prädikat $\vartheta\varepsilon\acute{o}\varsigma$ im Sinne des $\upsilon i\grave{o}\varsigma$ $\tauο\tilde{\upsilon}$ $\vartheta\varepsilon o\tilde{\upsilon}$ in Anspruch (Joh. 10, 36), und setzt es dadurch in Beziehung zu seiner Äußerung in Vers 30: $\grave{\varepsilon}\gamma\grave{\omega}$ $\kappa\alpha\grave{i}$ $\acute{o}$ $\pi\alpha\tau\grave{\eta}\varrho$ $\acute{\varepsilon}\nu$ $\grave{\varepsilon}\sigma\mu\varepsilon\nu$. Für diese Einheit Jesu mit Gott hat die alte Kirche den Ausdruck $\acute{o}\mu oo\acute{\upsilon}\sigma\iotaο\varsigma$ geprägt und sie damit als „Wesenseinheit" gefaßt. Das entsprach dem damaligen griechischen Gedankenkreise. Dem Gedankenkreis der Gegenwart aber entspricht es, diese Einheit als Willenseinheit zu fassen, wie es Jesus Joh. 5, 17 f. selbst tut. Eine Wesenseinheit mit Gott, die nicht Willenseinheit wäre, ist für die Gegenwart un= verständlich. Jesu Gottheit ist in ihrem Fürsichsein nicht erkennbar. Denn das ist gerade das Entscheidende an ihm, daß Gott aus seinem verborgenen Fürsichsein herausgetreten ist, um alles für uns zu sein. Darum wird Jesu Gottheit am höchsten dort offenbar, wo er das Höchste für uns getan hat: am Kreuz. Erst von dort aus können Rückschlüsse auf sein voriges verborgenes Dasein gemacht werden. Das griechische Dogma hat Jesu gottheitliches Fürsichsein zum Gegen= stand der Diskussion gemacht und damit das rein religiöse Interesse zurückgedrängt. Durch das Kreuz aber wird das Religiöse in den Mittelpunkt gestellt, und so muß das Kreuz auch der Mittelpunkt für die Erkenntnis der Gottheit Christi sein.

Welche Einheit mit Gott ergibt sich nun aus dem Kreuz? Es scheint am einfachsten, die Frage so zu lösen, daß man Wille und

Wesen zusammenfaßt und sagt: Jesus steht in einer Einheit mit Gott, die zugleich Wesens- und Willenseinheit ist. Aber wird dadurch nicht gerade das biblische Bild von Jesus getrübt? Kann einer, dessen Willenseinheit mit Gott sich mit der Wesenseinheit deckt, noch versuchlich für die Sünde und empfindlich für das Leiden sein? Wir sehen in Versuchung und Leiden den Willen Jesu wenigstens vorübergehend zum Willen Gottes in Spannung treten. Ist dann auch seine Wesenseinheit mit Gott zu Gott in Spannung getreten? Enthüllen diese Spannungen Jesu in Versuchung, Leid und Tod nicht gerade sein wahres Wesen? Hier wird deutlich, daß erst das Kreuz Klarheit über die Christologie schafft.

Vor dem Erscheinen Jesu Christi war es unmöglich, daß einer, den Gott so behandelte wie ihn, und der sich so behandeln ließ, wie er, Gottes Sohn sein konnte. Aber Jesus Christus hat nicht nur ein neues Ideal der Gottessohnschaft aufgestellt, sondern er hat das Neue in realer Gestalt verwirklicht. Er, der tatsächlich Gottes Sohn war, konnte die ungeheure Spannung ertragen, sich so behandeln zu lassen, als sei er das Gegenteil eines Gottessohnes. Sein Sohnesbewußtsein war so stark, daß es diese Belastungsprobe bestand. Das war nur möglich, weil Gott selbst in Jesu Bewußtsein wirksam war und all sein Handeln aus der Einheit mit Gott herausfloß. So handelt kein Mensch aus sich heraus. Auch nachdem Jesus auf diesem Wege als erster vorangegangen ist, kann man ihn nicht einfach nachahmen und sich durch das von ihm aufgestellte Ideal locken lassen. Denn dieses Ideal enthält eben gar nichts Verlockendes, es erweckt Widerspruch und Ärgernis, es setzt eine vollständige Sinnesänderung, ein Umdenken, Umfühlen und Umwollen voraus, wie es kein Mensch durch den bloßen Anblick Jesu gewinnt. Nur wenn Jesu Tat selbst dies neue Verhältnis zu Gott schafft, wenn er in seiner Person die Menschen zu Gottes Kindern gemacht und in Gottes autoritativem Auftrag adoptiert hat, nur dann ist die Nachfolge in der Gotteskindschaft möglich. Er schwingt sich nicht erst durch die eigne sittliche Tat zu Gott empor. Wenn es so wäre, dann müßten sein Gotteserlebnis und seine Gottessohnschaft sich decken. Am Kreuz aber tritt gerade sein Gotteserlebnis in Widerspruch mit seiner Sohnschaft, da Gott ihn verläßt. Wenn er also Gottes Sohn ist und bleibt, dann ist er es nicht wegen, sondern trotz seines Gotteserlebnisses! Seine Sohnschaft ist jenseits seiner subjektiven Erlebnisse in einer objektiven Wesenseinheit mit Gott begründet. Obwohl er der Sohn

war, hat er leiden müssen (Hebr. 5, 8). Obwohl er in göttlicher
Gestalt war, hat er Knechtsgestalt angenommen (Phil. 2, 6 ff.). Jesus
bleibt also auch unter dem Kreuz, auch in der Gottverlassenheit, der
Sohn. Er ist von Gott zwar verlassen, aber nicht verstoßen. Die
Gottverlassenheit ist der Gottessohnschaft nicht über=, sondern unter=
geordnet. Wenn er als Sohn Gottes in die Hölle geht, dann nimmt
er alle Seligkeit des Himmels mit, und die Hölle selber wird zum
Himmel, die Unheilsstrafe zur Heilsstrafe. Sonst würde er niemals
freiwillig in diese Tiefen gehen. Er würde nie darin einwilligen,
daß Gott ihn als Sohn verstößt und seine Sohnschaft aufhebt. Viel=
mehr ist es gerade das Entscheidende, worauf unsere Versöhnung ruht,
daß er in allen Tiefen seine Gottessohnschaft bewährte und selbst in
der Gottverlassenheit an „seinem" Gott festhielt, zu dessen Offenbarung
er in die Welt gekommen ist.

Die Feinde Jesu haben es mit sicherem Instinkt herausgefühlt,
daß die gottheitliche ἐξουσία Jesu das eigentliche Problem seiner
persönlichen Erscheinung ist. Er fühlt sich als **Sünderheiland** — und
nur Gott kann die Sünder zu sich rufen. Nur der, gegen den sich die
Sünde richtet, kann die Sünde vergeben. Die Vergebung ist ein
göttlicher Schöpferakt, der den Menschen von Grund aus umschafft.
Sonst ist sie eine Phrase oder eine Gotteslästerung. Wenn uns heut=
zutage das Gefühl für diesen Tatbestand fehlt und wir die Ver=
gebung als eine alltägliche und selbstverständliche Sache anzusehen
gewohnt sind, so beweist dies, daß wir mit unserem religiösen Emp=
finden nicht über, sondern u n t e r den Pharisäern stehen. Wer sich
damit begnügt, daß ihm ein Mensch die Vergebung seiner Sünden
„spendet", der weiß weder, was Sünde, noch, was Vergebung ist.

Durch keine idealistischen Ausgleichsversuche kann die Tatsache
aus der Welt geschafft werden, daß die Sünde den Menschen von
Gott weg treibt. Und durch keine ungläubigen Leugnungsversuche
kann die andre Tatsache aus der Welt geschafft werden, daß dieselbe
Sünde den Menschen zum Heiland hintreibt. Die Feinde Jesu
müssen selber Zeugen für diese Tatsache sein (Luk. 15, 1—2; Matth.
9, 9—11). Sie folgerten aus ihr, daß Jesus nicht göttlich, sondern
gottwidrig sei. Indem sie seine Sündenvergebung verwarfen, ver=
warfen sie seine Gottheit. Das war konsequent. Dagegen ist es in=
konsequent und unhaltbar, wenn man heutzutage Jesu Sünden=
vergebung gelten läßt und dabei seine Gottheit verwirft. Diesem
Raub an Gottes Ehre hat Jesus durch sein Kreuz ein Ende gemacht.

Als der Gekreuzigte ist er Gott in Person, weil er der ist, gegen den sich die Sünde der Menschheit richtet, und der sie durch göttlichen Schöpferakt überwindet. Wenn er den Anspruch und das Bewußtsein, Gottes Sündenvergebung zu bringen, auch da aufrecht erhält, wo die Sünde ihm Leid und Tod bringt, dann behält er recht. Stirbt er für die Sünde der Welt als der Vergebende, dann ist seine Vergebung wahr. Nicht, daß das Kreuz die Erprobung seiner persönlichen Treue an sich ist, ist das Entscheidende, sondern, daß es die Erprobung seiner Heilandstreue, die Erprobung seiner göttlichen Vergebungsmacht ist. Sterbend hält er den Sündern die Treue, indem er die Strafe und die Versuchung ihrer Sünde trägt, und sterbend hält er Gott die Treue, indem er Gottes Gnade denen spendet, die ihn kreuzigen. Damit ist „Gott geoffenbart im Fleisch". Weil Jesus mit dem Gott der Gnade über der Welt eins war, deshalb vermochte er diese Einheit in der Welt unter den schwersten Belastungsproben aufrechtzuerhalten. Daß ihn die Welt nicht zerbrach, hatte seinen tiefsten Grund darin, daß er selbst der Erhalter der Welt ist![1]

Als Versöhner ist er mit **Gottes Schöpfungswillen** eins. Deshalb hat ihm die Schrift die Bezeichnung „Logos" gegeben. Aber dieser geistige Begriff der Schrift darf nicht im materialistischen Sinn der griechischen Philosophie gedeutet werden; so weit verbreitet auch diese materialistische Mißdeutung der Gottheit Jesu gerade in traditionell frommen Kreisen ist. Wenn man in der Seelsorge die Leidenden auf Jesu Leiden, auf seine Geduld und seine Überwindungskraft hinweist, wird dieser Hinweis oft durch den Einwand abgewehrt: „Ja, bei Jesus war das etwas anderes, der war ja auch Gottes Sohn!" Das ist ein gottloser Glaube an Jesu Gottessohnschaft. Hier verbaut die alte Lehre dem vulgären Bewußtsein den Weg zu den Segenskräften des Kreuzes. Statt dessen muß gesagt werden, daß Jesu Leiden dem unsrigen völlig gleich ist, damit wir Jesu gleich werden. Jesu Gottessohnschaft ist nicht dazu da, daß sie uns von seiner Nachfolge ausschließt, sondern sie will uns vielmehr mitten in unserm menschlichen Kreuz göttliche Schöpferkräfte und Gnadenwirkungen vermitteln. Der Sieg, den Jesus errungen hat, ist Gottes Sieg, und wo wir in Jesu Kraft die Welt überwinden, da kommt der überweltliche Gott

---

[1] Luther: „Er ist ein Kindlein worden klein, der alle Welt erhält allein. — Fragst du, wer der ist? Er heißt Jesus Christ, der Herr Zebaoth, und ist kein andrer Gott."

zur Wirkung. So dient das, was bei Jesus „anders" ist, dazu, daß
es auch bei uns „anders" wird. Jesu Gottheit wird aus der Sphäre
des theoretischen Denkens mitten in unser Erdenleben gerückt. Eine
spekulative Logoschristologie, die sich jenseits der Welt in meta=
physischen Geheimnissen verliert, ist durchaus unbiblisch. Denn während
der neutestamentliche Gottesgedanke schlechthin überweltlich ist und
nichts von der Welt in sich schließt, liegt im neutestamentlichen Logos
die ganze Welt beschlossen. Ein Wort Gottes gibt es nur in
Beziehung auf eine Welt. Wenn es von Anfang, ehe die Welt
ward, bei Gott ist (Joh. 1, 1 ff.), dann verkörpert es den ewigen
Ratschluß der Schöpfung und Erwählung (Eph. 1, 4; 2. Theff. 2, 13).
Wenn der Sohn von Ewigkeit her die Herrlichkeit beim Vater hat
(Joh. 17, 5), so vertritt er die „vielen Brüder", die zur Herrlichkeit
berufen sind (Röm. 8, 29; Kol. 1, 15. 18; Joh. 17, 22). Seine Gott=
heit beruht also auf seiner Beziehung zu Welt und
Menschheit. Er verkörpert das ewige Verhältnis des einen ewigen
Gottes zu uns. Wollte man davon absehen, so würde man ihn zu
einem δεύτερος θεός neben Gott, zu einem heidnischen Abgott,
machen. Statt dessen ist er der Abglanz des einen Gottes, auf
dessen Angesicht sich Gottes Klarheit widerspiegelt (Hebr. 1, 3; 2. Kor.
4, 6). Die Anbetung Jesu ist also weder Götzendienst, noch Menschen=
vergötterung, sondern Anbetung des einen wahren Gottes. Indem
Jesus seinem Wesen nach als der Gekreuzigte erkannt
und angebetet wird, werden jene heidnischen Verirrungen grundsätzlich
überwunden, und die Christologie des Kreuzes geht unmittelbar in
die Theologie des Kreuzes über.

## 2. Die Theologie des Kreuzes.

**a) Schöpfung, Sünde und Versöhnung.** Zu glauben, daß die
unversöhnte Welt von Gott geschaffen sei, ist widersinnig. Niemals
behauptet die Schrift diesen Widersinn. Von Anfang an steht neben
dem göttlichen Schöpfungswillen der Versöhnungswille. Nur so ist es
möglich, daß Gottes Allmachtswille sich behauptet. Wenn man, wie
es oft geschieht, die Allmacht allein aus der Schöpfung ableitet, muß
man hinterher so von der Sünde reden, daß Gottes Schöpfungswille
durchkreuzt wird. Dadurch wird auch Gottes Allmacht durchkreuzt;

und es ergibt sich einerseits die Resignation des Koheleth: es ist alles ganz eitel, andrerseits das erfolglose Ringen Gottes mit der hals= starrigen Menschheit, wie es das ganze Alte Testament durchzieht. Dieses alttestamentliche Schema muß durch die höhere neutestament= liche Erkenntnis überwunden werden. Als Gott die Welt schuf, war das Mittel der Schöpfung zugleich Mittel des Heils: das Wort, der Logos, der, in dem er wollte ἀνακεφαλαιώσασθαι τὰ πάντα (Eph. 1, 10).

Die erste Schöpfung schuf um der Freiheit willen im Menschen die Möglichkeit der Sünde und damit auch die Möglichkeit einer neuen Schöfung aus Gnaden. Indem Jesus stirbt, offenbart er, daß die erste Schöpfung, falls sie rein diesseitig gedacht wird, sinnlos war und darum der Vernichtung anheimfällt. Zugleich aber wird da= durch offenbar, daß sie eben nicht rein diesseitig zu denken ist. Viel= mehr könnte man sie rein jenseitig nennen. Denn sie war der voll= kommene Ausdruck des göttlichen Willens. Erst durch den Sündenfall ist sie aus dem göttlichen Jenseits ins irdische Diesseits gefallen. Der Gekreuzigte bringt die diesseitige Erdenwelt wieder zu ihrer jenseitigen göttlichen Bestimmtheit zurück. Er gibt den Erdenleib an Gott, um einen himmlischen Leib zu empfangen. Er stirbt in der Gewißheit der Auferstehung und gibt damit der ganzen Welt die Hoffnung, daß sie auferstehen wird. In dem lebendigen Ge= kreuzigten ist die Welt durch Gott überwunden.

Die sieghafte, weltüberwindende Macht Gottes ist sein Geist. Gott ist der „Herr“, weil er Geist ist. Er hat die absolute Macht über alles, weil alles aus seinem Geiste hervorgegangen ist. Allmacht, Allgegenwart, Allwissenheit, Allweisheit, Unveränderlichkeit, Über= weltlichkeit und Ewigkeit Gottes, alle diese **Eigenschaften,** von denen schon das Alte Testament zeugt, fassen sich zusammen in dem Fundamentalsatz christlicher Gotteserkenntnis: Gott ist Geist.

Aber das Entscheidende ist nun, daß dieser allgewaltige Geist zugleich hingebende Liebe ist. Er vergewaltigt niemanden. Er ver= zichtet auf jeglichen Zwang. Er will als freier Geist auch uns zu freien Geistern machen. Aber sein Verzicht auf die Macht ist keine Ohn= macht, sein Vergeben der Sünde ist kein Hingehenlassen, seine Liebe ist keine Schwäche. Sondern in dem allen setzt er seine wahre gött= liche Geistesmacht durch. Seine Liebe ist heilige Liebe, seine Ge= rechtigkeit ist strafende Liebe, seine Gnade ist unverdiente Liebe, seine Barmherzigkeit ist helfende Liebe im tiefsten geistigen Sinne.

Diese Eigenschaften eignen Gott in ewiger, unveränderlicher Einheit. Es gibt keine Gegensätze, keinen „Ausgleich“ zwischen ihnen. Es gibt keine Veränderlichkeit, keine Umstimmung Gottes. Er ist und bleibt derselbe in alle Ewigkeit. Trotzdem ist durch die Versöhnung eine völlige Änderung seines Verhaltens (nicht nur seines Verhältnisses zu uns), eingetreten. Der unveränder= liche Gott verhält sich zur Sünde anders, als zur Gerechtigkeit. Ohne das Kreuz identifiziert er den Sünder mit seiner Sünde und vernichtet ihn so. Ohne das Kreuz führt nicht nur die Sünde im allgemeinen, sondern unter Umständen jede Sünde zu Folgen, die uns vernichten, und das von Rechts wegen, von Gottes wegen. Aber am Kreuz hat Gott den Sünder von seiner Sünde getrennt und identifiziert ihn nicht mehr mit ihr, sondern mit dem gerechten Christus, und das wiederum von Rechts wegen, von Gottes wegen. Dabei bleibt Gottes Verhalten zur Sünde unveränderlich dasselbe. Denn auch der in Christo Gerechtfertigte erlebt und trägt die Bestrafung, Abstoßung und Verdammung seiner Sünde durch Gott. Aber Gottes Verhalten zur Person des Sünders ist objektiv anders geworden. Es wird nicht mehr durch die Sünde des Menschen, sondern durch die Gerechtigkeit Christi bestimmt, und es ist daher lauter Gnade, Liebe und Er= barmen, auch wenn es straft und züchtigt. Also geht die Versöhnung nicht in die subjektive Veränderung des menschlichen Verhaltens auf, sondern sie ist durch das Kreuz objektiv in Gott selbst gegründet. Das, was wir Menschen subjektiv verwirklichen sollen, ist in Christo objektiv bei Gott vorhanden und wirkt fortgesetzt von Gott aus auf uns ein. Aber diese Wirkung Gottes bedeutet weder für ihn, noch für uns, einen Zwang. Sie ist und bleibt freie Gnade, die uns selbst zur Freiheit beruft. Daß Gott seinen freien Willen statt zur Vernichtung zur Rettung der Welt wirksam werden läßt, ist nicht Willkür. Es ist freie, in nichts begründete Gabe der Liebe, es ist Gnade schlechthin. Die Gnade schließt das Moment der „ratio= nalen Notwendigkeit“ (Anselm) aus. Sie ist immer ein Wunder, wie alle Liebe etwas Wunderbares, gegen Berechnung und Begreifen Gehendes hat.

Zu diesem Gnadenwillen gegen die Welt hat Gott sich ent= schlossen, noch ehe er die Welt schuf. Die Welt hat ihn nicht erst dazu genötigt. Gott war sich über die Folgen, die seine Welt= schöpfung haben konnte, im voraus klar. Aber die Welt war sich über Gottes Willen nicht klar und hat ihn immer wieder durch=

kreuzt. Gottes Gnadenwille über der Welt zielte auf eine Be=
tätigung in der Welt ab. Ohne diese Offenbarung wäre er wirkungs=
los gewesen. Durch die Offenbarung wurde er zuerst vorbereitend
an Israel und dann am Kreuz in seiner ganzen Fülle wirksam.

Weil Gott uns erlösen will ohne den geringsten Zwang, weil er
freie Geistesmenschen haben will, die in eigener persönlicher Glaubens=
entscheidung sich ihm hingeben, darum heißt es von dem, der alle
Gewalt im Himmel und auf Erden hat: er äußert sich all seiner
Gewalt. Die übermächtige Wundergewalt — er legt sie ab. Die
Gewalt seines Wortes, vor der die Menge sich staunend beugt, er
hält sie zurück. Die ganze hinreißende Macht seiner Persönlichkeit
— er gibt sie ans Kreuz. Was von ihm übrig bleibt, ist ein lei=
dender, ein verstummender, ein erkaltender Leib! Alles Sichtbar=
Irdische an ihm zerfällt. Nur das Unsichtbare, das Glauben fordert,
bleibt. In dieser Gestalt ist er der vollendete Offenbarer Gottes.
Gott kann nur im Unsichtbaren, im Bereich des Glaubens, im Geiste
erkannt werden. Wenn er sich im Sichtbaren, im Fleisch offenbart,
dann kann diese Offenbarung nur vollendet werden durch das Opfer
des Sichtbaren, Fleischlichen am Kreuz. Wenn die heilige Liebe die
Sünder sucht, dann kann es nur so geschehen, daß die Sünde stirbt.
Wenn die Sünder zu Gott kommen und ihn als ihren Schöpfer preisen
sollen, muß zuvor Gott zu den Sündern kommen. Die Gewißheit
des Schöpfungsglaubens ist vom Heilsglauben nicht zu trennen. Wir
werden der köstlichen Gaben der Schöpfung erst froh, wenn wir der
Gnadengabe der Erlösung gewiß sind, und die Fülle der Welt tut
sich uns dann erst ganz auf (vgl. oben S. 42, 87, 91).

Es hat Gott gefallen, aus der Allgemeinheit des Weltgeschehens
eine einzige Tat herauszuheben, um sich in ihr zu offenbaren, und
nun, nachdem diese Offenbarung geschehen ist und ein ganz neues
Licht auf die Menschheit geworfen hat, ist allerdings hinterher wahr=
nehmbar, daß diese eine Tat einem großen allgemeinen Gottesgesetz
entstammt. Sie ist nicht willkürlich, sondern notwendig und bleibt
doch freie Gnade. Sie ist der vollkommene Ausdruck des ewigen,
unveränderlichen Gotteswillens. Gott will von Ewigkeit her die
freie Hingabe der Menschen an ihn. Zu dem Zwecke hat er sie ge=
schaffen. Dieser Schöpfungswille bejaht die Möglichkeit der Sünde,
um durch ihre Überwindung die Wirklichkeit freier Hingabe zu
schaffen. Der Mensch aber hat durch seine Schuld aus der Möglich=
keit der Sünde die wirkliche Sünde gemacht und dadurch die Möglich=

keit der Hingabe gestört. Sünde ist also Verweigerung der Hingabe an Gott. Fortan steht die Sünde trennend zwischen Mensch und Gott. Gott kann die Sünde nicht hinnehmen und stößt sie von sich.

So steht der heilige Gott, der sich am Kreuze offenbart, im Gegensatz zur Welt und zeigt sich dadurch als der Überweltliche. Alles, was mit der Welt in Einklang steht, bleibt Welt. Der Widerspruch der Welt gibt die Gewißheit, daß es sich wirklich um Gott handelt. Allerdings, wenn die Gotteserkenntnis nur auf dem Gebiet des Denkens liegt, wird sie durch den Widerspruch der denkenden Welt jederzeit ungewiß oder unwirklich gemacht. Aber im Kreuz gibt Gott sich nicht als Denkinhalt, sondern als Inhalt einer geschichtlichen Tatsache, und je mehr der Widerspruch der Welt sich gegen diese Tatsache richtet, desto mehr dient er zu ihrer Bestätigung. Gottes Feinde sind der Beweis für das Dasein Gottes. Das Kreuz als Zeichen der Gottesfeindschaft ist der unwiderlegliche Gottesbeweis. Dieser Beweis gilt zunächst für die Gläubigen und ist ihnen von jeher die beste Stärkung ihrer Siegesgewißheit gewesen. Aber indem sie ihn kraftvoll zur Geltung bringen, kann er durch den in den Gläubigen wirksamen Geist auch für die Feinde überführende Macht bekommen. Denn das Entscheidende an der Versöhnung ist dies, daß Gott innerhalb der Welt tatsächlich und objektiv recht bekommen hat, daß Gottes Recht in der Welt mit der Gewißheit einer Tatsache verankert worden ist. Wenn in der Welt Gottes Recht aufgerichtet ist, dann ist alles gut. Denn Gott will von Ewigkeit her nur das Gute und Rechte. Das Hindernis lag nicht auf seiten Gottes, sondern auf seiten der Menschen. Aber seine Wegräumung geschieht in erster Linie um Gottes willen. Gott selbst schafft das Hindernis, das ihm im Wege steht, fort. Er hätte die Macht gehabt, es durch Vernichtung der Welt fortzuschaffen. Er hätte auch das Recht dazu gehabt. Aber sein freier Liebeswille setzt an die Stelle des Machtrechts das Gnadenrecht. Jeder Willensentschluß ist Verwerfung der einen und Bejahung der anderen Möglichkeit. Gott handelt nicht durch naturhafte Zwangsbetätigung oder kosmologische Emanationsvorgänge, sondern er steht als freier Wille über dem Kosmos und der Natur.

Deshalb ist er nur dort zu finden und zu fassen, wo er sich selber gibt. Am „Schemel seiner Füße" und am „Saum seines Kleides" hat man noch nicht ihn selbst; und wenn er selbst uns verloren geht, entgleitet uns auch seines Kleides Saum. Vielen ist Gott verloren gegangen, weil sie letzten Endes nur seine Gaben, nicht ihn selbst gehabt hatten. Nur wo Gott selbst als die höchste Gabe gesucht und gefunden wird, gelangt man zum Objekt der „Theologie". Gottes Strahlen gehen durch die ganze Welt. Aber die Sonne, von der sie ausgehen, steht an einer bestimmten Stelle. Gott hat von Anfang an die Strahlen seines Wesens in die Welt gesandt, besonders ins Volk Israel. Aber einmal hat er die Sonne, von der sie ausgehen, ganz enthüllt und sich gezeigt, wie er selber ist. Das geschah am Kreuz. Am Kreuz macht Gott sein Königsrecht über die ganze von ihm geschaffene Welt geltend. Dort zeigt er, daß es seine Welt ist, an der er handelt, die Welt, die er zu dem Zweck geschaffen hat, daß sie sein Eigentum sei und in der Hingabe an ihn ihr Leben habe. Der Gekreuzigte als die Krone der Schöpfung macht es offenbar, daß Gott allein die Krone der Weltherrschaft trägt. Er gibt Gott den Menschen und die Menschen an Gott. Indem Gott sich den Menschen gibt, gibt er sich nicht auf. Indem der Mensch sich an Gott gibt, gibt er sich doch auf. Er gibt sein Eigenleben auf, um ganz Gottes Leben zu gewinnen. So ist in allem Gott der Übergeordnete, der Mensch der Untergeordnete. Die Versöhnung zwischen Gott und Mensch kann nur so vor sich gehen, daß Gott Herr bleibt. Gott bleibt Herr, auch wenn er sich hingibt. Denn seine Hingabe hat die Wirkung, daß der Mensch an ihn hingegeben wird. Jede Erklärung der Versöhnungslehre, die bei der Hingabe Gottes stehen bleibt, ist nicht nur unchristlich, sondern auch unreligiös. Denn das Wesentliche der Religion ist Hingabe an Gott. Andrerseits wieder die bloße Hingabe an Gott, ohne die Gabe Gottes an uns zu betonen, läßt die Versöhnung in menschlichen Relativitäten aufgehen, ohne zu Gott selbst zu gelangen.

Statt dessen ist zu definieren: „Das Kreuz ist die absolute, persönliche Hingabe an den heiligen Gott, von Gott selbst der Menschheit geschenkt." Die Ursache des Kreuzes ist Gott, der Inhalt des Kreuzes ist Gottes Tat, und das Ziel des Kreuzes ist wiederum Gott. Aber das Mittel zur Erreichung dieses Zieles und zur Durchführung dieser Gottestat ist der Mensch Jesus Christus. Gott und Mensch sind im Kreuze untrennbar eins. Ebenso sind Liebe und Gehorsam darin eins. Die absolute, persönliche Hingabe ist sowohl Liebe, wie Gehorsam. Ihr Objekt kann nur Gott sein. Den Menschen gegenüber erscheint sie nicht in der Form des Gehorsams, sondern allein in der Form der Liebe, und diese Menschenliebe ist wiederum Gehorsam gegen Gott. So kann kein Zweifel darüber sein, daß Gottes Wille am Kreuz allem Menschlichen übergeordnet ist. Indem Gott den Sündern ihren Willen läßt, offenbart er zugleich seinen absoluten Sieg über sie und gibt ihren Sündenwillen in den Tod.

In der Hingabe an Gott wird also Gott selbst offenbar. Keiner kann von sich aus sich an Gott hingeben. Nur Gott schafft die Hingabe an Gott. So ist die Opfergabe an Gott zugleich Gabe Gottes an uns. Nicht allein ihre Institution, wie in Israel, sondern auch ihr Inhalt ist von Gott. An dem Inhalt des Opfers kann man Gott erkennen. Gott offenbart sich im Opfer von Golgatha als der absolute Herr über Leben und Tod. Aber er offenbart seine Herrschaft nicht zum Tode, sondern zum Leben. Er tötet die Sünde, damit der Sünder lebt. Er ist der königliche Herr, welcher Gnade übt. Er ist der, der durch das Kreuz die ganze Welt in seinen Gnadenhänden hält.

**b) Die Vateroffenbarung Gottes.** Aber er läßt sich in dieser königlichen Gnade so vollständig zu uns herab, daß er unser Vater wird. — Die Anselmsche Versöhnungslehre ist prinzipiell die Aufhebung des göttlichen Vaterbegriffs. Gott handelt danach weder an Jesus, noch an den Menschen wie ein Vater. Er handelt in beiden Fällen wie ein Richter, einmal wie einer, der alles zu strafen, und das andre Mal wie einer, der nichts zu strafen hat, weil dem Recht Genüge geschehen ist. Ein Vater aber gibt seine Strafgewalt niemals aus den Händen, und die Versöhnung besteht gerade darin, daß Gott nicht als Richter, sondern als Vater straft. Dem entspricht die Tat Jesu, daß er unter schwerster Strafe die Vaterhand nicht losließ, daß er dem Vater das Recht, zu strafen, zuerkannte und sich selbst an unsrer Statt unter diese Strafe beugte. Das setzt voraus, daß für Jesus Gottes Vaterschaft absolut fest gegründet war, so fest, daß sie durch keine Strafe zerrissen werden konnte. Nicht als ob er aus der Strafe erst den Vater recht erkannt habe, sondern: weil er den Vater kannte, darum erkannte er ihn auch in der Strafe wieder. Aus dieser γνῶσις des Vaters heraus bringt Jesus die väterliche Vergebung. Durch sie wird die Sünde nicht sanktioniert, sondern gerichtet. Jesus hat kraft seiner Einheit mit Gott Gottes Trennung von der Sünde bestätigt und sogar zu neuer Offenbarung gebracht. Wie schwer die Sünde ist und was sie eigentlich ist, kommt erst durch das Kreuz ans Licht. Wenn wir die Sünde selber tragen, sehen wir sie gewöhnlich nicht. Wenn Christus sie trägt und mit ihr beladen uns gegenübersteht, dann erkennen wir sie mit Schrecken als den Widerspruch und Widerwillen gegen Gott, welcher Gottes Widerspruch und Widerwillen herausfordert. An der Strafe wird die Sünde erkannt. Der idealistische Wahn, der über die Strafe erhaben zu sein und selber zu wissen meint, was gut und böse ist, entbehrt der christlichen Selbsterkenntnis. Auch der Christ erkennt manche Tat erst hinterher als sündig, wenn Gott ihm die Folgen zeigt und ihn die Strafe fühlen läßt. Der gottfeindliche Charakter der Sünde bleibt für den Christen erst recht bestehen. Aber er verbindet sich in Christo mit der Vaterliebe für den Sünder. Wenn man Gottes Liebesoffenbarung als Beweis gegen die Versöhnungslehre anführt, dann operiert man mit einem unklaren und oberflächlichen Begriff der Liebe. Das Christentum in lauter Liebe aufzulösen geht nur dann, wenn man den Vollgehalt des neutestamentlichen Liebesbegriffs anwendet. Dieser umschließt die „Heiligung des Namens Gottes", den Untergang der natürlichen Liebe", die Einheit von „Liebe und Buße".[1]) Daß im Sterben sich die **Liebe** offenbart, ist noch keine Erklärung dafür, daß die Liebe sich im **Sterben** offenbart. Die idealistische Forderung, daß die Liebe sterben soll, ist nichts Erlösendes, sondern etwas, wovon wir erlöst werden müssen. Denn es ist das große L e i d der Liebe, daß sie sterben muß. Liebe will Leben und Freude. Liebe will das Geliebte nicht leiden und sterben sehen. Liebe und Sterben sind Gegensätze. Danach hätte Jesus sich den Seinen und der Welt möglichst lange erhalten müssen. Nur wenn man sich resigniert mit der Tatsache des Todes abgefunden hat, kann man behaupten, daß die Liebe durch Sterben gehen m u ß. Es müßte denn sein, daß im Sterben etwas stirbt, durch das die Liebe verdeckt und verhindert wurde: die Sünde! Es müßte denn sein, daß die Liebe durch den Tod zu ihrem wahren Ziel gelangt: zu Leben und Freude! Dann ist allerdings das Sterben die höchste und seligste Liebestat. Aber dann stehen wir auch schon mitten in der Versöhnungslehre. In Jesu zeitlichem Sterben ist die Sünde gestorben und das ewige Leben geboren durch Gottes Schöpfertat. Jesus gibt aus Liebe die irdische Zeitlichkeit hin, um uns aus ihren sündlichen Banden zu lösen und in seine göttliche Ewigkeit hineinzuziehen. Das ist die

---

[1]) Vgl. Lütgert: Die Liebe im Neuen Testament. Leipzig 1905. S. 82 ff., 137 ff. 186 ff. 259.

Liebe, die nimmer aufhört, und von der es heißt: Gott ist die Liebe. Für sie ist das Sterben nicht mehr ein Hindernis, mit dem man sich notdürftig abfindet. Sondern ihr ist das Sterben Mittel der Selbst= offenbarung, Schöpfung eines ganz neuen Verhältnisses Gottes zur sündigen Welt.

Dieses Verhältnis schafft der Gekreuzigte durch den göttlichen Geist. In diesem Geiste ist und bleibt Jesus der „Herr", der Gottes Königsherrschaft offenbart. Indem Jesus so gestraft wird, wie ein Vater sein Kind straft, wird er nicht seines einzigartigen Charakters entkleidet. Seine menschliche Ohnmacht nimmt ihm nichts von seiner göttlichen Macht. Seine Niedrigkeit nimmt ihm nichts von seiner Hoheit. Sein Tod nimmt ihm nichts von seinem wahren Leben. Seine Strafe nimmt ihm nichts von seiner Heiligkeit. Er ist zwar für uns der Erstgeborne unter vielen Brüdern, und als solcher für uns ge= straft. Aber er bleibt zugleich der Herr über alle, dessen Tat für alle wirksam, sühnend und erlösend wird. Er hat die Macht, frei= willig ins Grab zu gehen, weil er weiß, daß er aus dem Grabe auferstehen wird als der, dem alle Gewalt im Himmel und auf Erden gegeben ist (Matth. 11, 27; 28, 18; Joh. 10, 18; Phil. 2, 9 ff.).

Jesu Stellung zu Gott begründet die Stellung, die der Christ zu Gott einnimmt. Er läßt sich von dem Vater willig strafen, und er wird selbst durch die schwersten Erfahrungen nicht an ihm irre, weil sein Verhältnis zu ihm nicht von den subjektiven Erfahrungen ab= hängig, sondern objektiv in Jesu Versöhnungstat begründet ist. Zu verlangen, daß ein Mensch aus seinen subjektiven Erlebnissen Gott erkennt, ist angesichts der Kreuzestiefen eine übermenschliche Leistung, ist Gesetz und nicht Evangelium. Aber wer da weiß, daß der Vater in Christus ihm gewiß ist, den trägt diese Gewißheit durch alle Tiefen hindurch, und aus dem Klagelied wird ein großer Lobgesang (Röm. 8). Wie Jesus mit Gott wesenseins und darum Herr über die Welt ist, so sind wir mit Jesu wesenseins und darum gleichfalls Herren über die Welt. Nicht der von Gott geleitete Weltlauf gibt uns die Gewißheit Gottes, sondern, weil wir in Christi Kreuz Gottes gewiß sind, haben wir die Kraft und Freudigkeit, auch den kreuzes= schweren Weltlauf in unserem eigenen Leben aus Gottes Vaterhand zu nehmen. Dieses Verhältnis väterlicher Liebe ist ganz und gar nichts Selbstverständliches. Es läßt sich nicht aus den natürlichen menschlichen Verhältnissen ableiten. Denn der natürliche Vater will von Natur das natürliche Leben seines Kindes erhalten. Er vermag die Sünde des Kindes niemals zu töten, weil er selbst nicht Herr, sondern Knecht der Sünde ist. Darum ist seine Liebe entweder zu natürlich weich oder zu unnatürlich hart. Er empfängt seine wahre Vaterliebe erst von dem Vater des Gekreuzigten, von dem alle Vaterschaft im Himmel und auf Erden ihren Namen hat.[1]) „Welche ich lieb habe, die strafe und züchtige ich", dies alttestamentliche Wort der Vaterliebe wird erst in der Strafe und Züchtigung des Gekreuzigten erfüllt.[2]) Das ungelöste Problem Israels kommt zur Lösung in der inklusiven Strafstellvertretung[3]) des gekreuzigten Gottessohnes. Wie in ihm die Sünde stirbt, so soll und kann in seiner Gnadenkraft auch der irdische Vater in seinem Kinde die Sünde zum Sterben bringen und das Kind für das ewige Leben erziehen. Nicht weichliches Dulden der Sünde, nicht hartes Verstoßen des Verlorenen, sondern die Sünde überwindendes Vergeben für den Sünder — das ist die Vaterliebe des Gekreuzigten, die für jeden Vater maßgebend ist. Sie ohne den Glauben an das Kreuz zu üben, geht über Menschenkraft. Die meisten Väter scheitern an ihrer eigenen Vaterliebe. Aber unter dem Kreuz dessen, der allen Vätern und Kindern den Zugang zur Ewigkeit öffnet und den Zugang zur Sünde versperrt, ist diese Liebe nichts weiter, als ein Weitergeben dessen, was uns gegeben ist durch den, der uns geliebet hat (Röm. 8, 37; 1. Joh. 3, 16; 4, 19). Also muß der göttliche Vaterbegriff dahin bestimmt werden, daß Gott der Vater des Gekreuzigten ist. Die Vaterschaft wird erst durch ihr Objekt voll bestimmt: Gott ist der Vater Jesu Christi, und Jesus Christus ist der, der für unsere Sünden ans Kreuz ging. Das Kreuz offenbart die absolute Einheit des Vaters und des Sohnes.

c) **Transzendenz und Immanenz Gottes.** Damit wird auch das theologische Problem der göttlichen Transzendenz und Immanenz gelöst. Dieses wird am Kreuz in der Gottverlassenheit Jesu ganz besonders brennend. Wenn Jesus, in welchem sich die Fülle des immanenten Gottes verkörpert, sterbend die Gottverlassenheit in sein Bewußtsein aufzunehmen vermag, dann hat er Gott deutlich von seinem eigenen Bewußtsein unterschieden. Also kann die Gottverlassenheit nicht mit dem Verlöschen seines Bewußtseins identisch sein. Sein

---

[1]) Eph. 3, 15: ἐξ οὗ πᾶσα πατριὰ ἐν οὐρανοῖς καὶ ἐπὶ γῆς ὀνομάζεται.
[2]) Hebr. 12, 1—12; 1. Kor. 11, 32; Offb. 3, 19—20.
[3]) Vgl. das Resultat von Teil I.

eigenes Verlöschen ist ihm ganz und gar nicht ein Verlöschen Gottes. Gott bleibt der Gott Jesu, auch wenn Jesus stirbt. Dieser Gott Jesu, der über Jesu eigenes Bewußtsein hinausgeht, ist auch nicht mit der objektiven Natur identisch. Mag sonst mancher sterbende Mensch beim Vergehen seines natürlichen Leibes sich von der Natur verlassen fühlen, und mag dieses Gefühl noch so modern sein: Jesus ist ihm nicht verfallen. Jesus hat das Sterben viel tiefer empfunden. Er spürte über dem Naturvorgang den Gott, der seinem eigenen Ich als persönliches Du gegenüberstand, über ihm selbst, wie über der Natur.

Von hier aus fällt erst volles Licht auf Jesu Reden von Gott und Jesu göttliche Naturwunder. In Jesu Wort und Tat ist der transzendente Gott immanent geworden. Aber dadurch wird seine Transzendenz nicht aufgehoben, sondern er bleibt der Herr auch über die Immanenz. Es kann niemals eine Identifizierung Gottes mit dem subjektiven Bewußtsein Jesu oder mit dem objektiven Bestande der Natur geben. So groß die Vollmacht Jesu auch ist, sie kann niemals mit der Macht Gottes in Konflikt kommen, solange Jesus die Versuchung besteht. Er hat es als „seine Sünde" empfunden, seinen Glauben und seine Macht aus der Gehorsamsstellung zu lösen. Es war die Adamsversuchung, die auch seiner Seele gefährlich werden konnte: „Ihr werdet sein wie Gott". In jedem Wort und jeder Tat hatte er diese Versuchung zu überwinden; jedes Wort und jede Tat war ein Opfern seines Selbst für Gott. Am Wunder wird die Größe seines Opfers offenbar. Sobald es Gott will, nimmt Jesus gehorsam statt des Wunderwillens den Leidenswillen. In beiden Willen wirkt dieselbe göttliche Kausalität. Der sterbende Jesus hat keinen anderen Gott, als der lebende. Weil Wort und Tat des Lebenden von Gott kamen, darum hören sie auf, sobald Gott es will. Sie tragen das Moment des Aufhörens bereits in sich; ja, sie werden gerade durch diese Möglichkeit des Aufhörens und deren Bejahung durch Jesus zum dauernden Band zwischen ihm und dem Vater. „Der Sohn kann nichts von sich selber tun, sondern, was er siehet den Vater tun" (Joh. 5, 19; 3, 11. 32). Die einmalige Tat gibt ihm keinen Anspruch auf die Macht, sie immer tun zu können. Die Fülle des Worts darf nicht um ihrer selbst willen genossen werden. Neben der Tatenlust und dem Genuß des Worts steht der bittere Kelch als Möglichkeit von Anfang an, so gewiß Gott selbst von Anfang an in ihnen ist. Daß die Möglichkeit zur Wirklichkeit wird, ist in nichts anderem begründet als in demselben Gotteswillen, aus dem Jesu Wort und Tat stammt. Jesus empfindet diesen Willen als transzendent, so gewiß er ihn von seinem eigenen Willen zu unterscheiden vermag (Gethsemane!). Aber das Entscheidende ist nicht die Unterscheidung, sondern die Einheit beider Willen. Diese Einheit ruht auf der Überordnung des transzendenten Gotteswillens im liebevollen Gehorsam des Sohnes. Die Überordnung ist keine Beschränkung im Sinne einer Einengung oder Knechtung. Sie ist vielmehr der Quellpunkt der Seligkeit, das Einheitsband zwischen menschlichem und göttlichem Willen. Sie ist einfach die Form, in der der transzendente Gott immanent wird. Der transzendente Gott wird einem menschlichen Bewußtsein immanent durch Selbsthingabe, durch Sterben des Willens, durch fortgesetztes Aufopfern des Menschlichen, ohne daß das Menschliche dadurch verneint wird. Dagegen der der Natur immanente Gott sichert seine Transzendenz dadurch, daß er die Natur fortgesetzt durch das Sterben des Leibes erneuert.

In Jesu Kreuz faßt sich die sterbende Naturwelt und die sterbende Menschenwelt zusammen, und der Geist des sterbenden Menschen Jesus ist der Geist des lebendigen Gottes. Dieser Geist war vor Jesu Tode noch nicht da (Joh. 7, 39). Daß die Gottesoffenbarung durch das Sterben des Menschlichen hindurchgeht, das konnte die sündige Welt nicht eher fassen, als bis Jesus seinen letzten Atemzug ausgehaucht hatte. Vorher mußte sie immer noch denken und hoffen, daß dieser Kelch vorübergehe. Erst die vollendete Tatsache ist die vollendete Offenbarung, in welcher der Gekreuzigte als der Verklärte offenbar wird (Joh. 7, 39; 12, 24—33). Erst indem der Gekreuzigte seinen Leib durch den ewigen Geist Gott geopfert hat (Hebr. 9, 14; 10, 4—7), ist er in das Heilige eingegangen und hat von dort den Geist gesandt, der die Jünger trösten und in alle Wahrheit leiten, die Welt aber strafen und ihren Fürsten als Gerichteten offenbaren wird (Joh. 16, 8 ff.). Dieser Geist ist das Prinzip der göttlichen Immanenz und bleibt doch zugleich das Walten des transzendenten Gottes. Das Wesen dieses Geistes ist dahin zu bestimmen, daß er der Geist des Gekreuzigten ist, denn der Herr ist der Geist (2. Kor. 3, 17 f.), und der Gekreuzigte ist der Herr (Phil. 2, 8 ff.). Der Geist ist nicht etwas, das zu dem gekreuzigten Herrn noch hinzukommt, sondern er ist mit dem Wesen dieses Herrn eins, und von ihm nimmt er, was er hat (Joh. 16, 13—15). Zugleich ist er mit Gott wesenseins. Denn Gott ist Geist (Joh. 4, 24). Indem

der Geist alles von Christo nimmt, nimmt er alles von Gott. Denn
der Gekreuzigte ist, was er ist, von Gott. Der in der sündigen
Menschenwelt offenbare Gott und der überweltliche ewige Gott sind
eins im Geiste des Gekreuzigten. Dadurch sind auch Gott und die
Menschheit, die durch die Sünde getrennt sind, eins im Geiste des
Gekreuzigten. Was Gott an sich ist, wird offenbar durch das, was
Gott für uns ist. Der transzendente Gott wird immanent im Geiste
des Gekreuzigten.

So kommt die Gotteslehre zum Abschluß in der **Trinitäts=
lehre.** Diese wird nicht als bloßes Schema von außen heran=
gebracht, sondern sie wächst von innen aus den dogmatischen Re=
sultaten heraus. Sie führt weder zur Vertiefung in metaphysische
Spekulationen, noch zur Verflachung in eine bloße ökonomische Trinität.
Sondern sie gründet sich ganz auf die geschichtliche Heilstat des
Kreuzes. Das Wesen des trinitarischen Gottes wird nicht im Sinne
der physisch=materiellen οὐσία, sondern wahrhaft im Geiste erkannt,
wenn nach den oben gewonnenen Resultaten definiert wird:

Gott ist seinem Wesen nach der Vater des Gekreuzigten.

Gottes Sohn ist seinem Wesen nach der Gekreuzigte.

Gottes Geist ist seinem Wesen nach der Geist des Gekreuzigten.

Das Kreuz ist der Einheitspunkt der göttlichen Dreiheit. Nicht die
spärlichen trinitarischen Formeln des Neuen Testaments, sondern das
durchgehende einheitliche Zeugnis vom Kreuz ist der Schriftgrund
für den christlichen Glauben an den dreieinigen Gott, und der kürzeste
Ausdruck für die Trinität ist die göttliche Kreuzestat, in welcher d e r
V a t e r  d e n  S o h n  s i c h  d u r c h  d e n  G e i s t  o p f e r n  l ä ß t. Der Vater
ist Ursache und Ziel des Kreuzes, der Sohn ist Inhalt des Kreuzes,
der menschliche Leib und der göttliche Geist sind das Mittel zur Ver=
wirklichung des Kreuzes. In der geopferten Menschheit wird der
lebendige Gott offenbar. Gott ist und bleibt ewig der μόνος θεός.
Aber dieser eine ewige Gott offenbart sein innerstes Wesen dadurch,
daß er aus heiliger Liebe in die Spannungen und Gegensätze des
Menschenlebens: Leid, Sünde, Strafe und Tod, eingeht und sie sieg=
reich überwindet. I n  J e s u  G o t t v e r l a s s e n h e i t  h a t  G o t t  n i c h t
s i c h  s e l b s t  v e r l a s s e n, sondern sich selbst durchgesetzt, indem er die
Sünde verließ und den vom Geist bereiteten Menschenleib Jesu dem
Sündensold des Todes überließ. Zugleich damit setzt er seinen ewigen
Liebeswillen durch und schafft in Jesu Auferstehung und in der Aus=

gießung des Geistes eine neue Menschheit, die ganz das Organ des göttlichen Geistes ist. Dadurch nimmt der ewige Gottesgeist die Offenbarungsform an, in der er völlig der Menschheit und ihrem Heil gehört. Er dient der Menschheit, indem er sie beherrscht. Dadurch hat auch der Sohn die Offenbarungsform angenommen, in der seine ewige, göttliche Herrlichkeit (Joh. 17, 5) und seine völlige Zugehörigkeit zur Menschheit (Joh. 17, 22 ff.) eins sind. In dieser Form ist er über die Spannungen seines menschlichen Erdenlebens hinausgehoben und in seine ursprüngliche göttliche Daseinssphäre (Phil. 2, 6) zurückgekehrt. Aber damit drängt er den einen ewigen Gott nicht beiseite, sondern vollendet dessen Offenbarung. Denn so große Worte auch der Herr von sich selber sagt, so sagt er doch niemals: ἐγώ εἰμι ὁ θεός. Das wäre für ihn Gotteslästerung. Wohl aber läßt er sich von den Seinen auf den Höhepunkten ihres Glaubens (Joh. 20, 28; 1. Joh. 5, 20; Röm. 9, 5; Hebr. 1, 8) als θεός anbeten, da sie ihn durch die Wirkung des Geistes in der Einheit mit dem Vater erkennen und ihn als das „Transparent des unsichtbaren Gottes" (Kähler) anschauen. Die vollendete, durch nichts mehr zu erschütternde Tatsache des Kreuzes ist der vollendete Sieg des lebendigen Gottes. Aber sie ist nicht wie Anselms exklusiver Stellvertretungsbegriff ein totes, geistloses Faktum der Vergangenheit, sondern sie ist durch die inklusive Stellvertretung lebendiger, gegenwärtiger Geist. „Für unser Denken ist diese Gegenwart einer vergangenen Tatsache natürlich ein Widerspruch. . . . Eine gegenwärtige Wirklichkeit, die dennoch nicht mehr um ihre Existenz ringt, sondern als vollendeter Tatbestand dem Kampf entrückt ist und in ewiger Vollendung wie ein Sternbild über den Meereswogen strahlt, kann sich unser Verstand nicht vorstellen. . . Behält in der Not der Sündenschuld unser Denken das letzte Wort, so sind wir verloren. Denn dann gibt es keinen Ausweg aus dem Widerspruch. Ist uns die Vergebung aber als felsenfeste Tatsache geschenkt, die den Anprall aller widersprechenden Gedanken aushält, so hat diese Tatsache auch die Kraft, unserem Denken zum Trotz, die Scheidewand zwischen Vergangenheit und Gegenwart zu durchbrechen und als vollendete Tatsache zugleich gegenwärtige Wirklichkeit zu sein."[1] (Vgl. auch, was oben S. 129 ff. über Geist und Tatsache gesagt ist.)

---

[1] Heim: „Krieg und Heilstatsache", 2. Vortrag der Sammlung: Aus der Heimat der Seele. Furche-Verlag 1915. S. 78.

Der Denkwiderspruch, an dem sich das moderne Bewußtsein immer wieder stößt, beginnt also nicht erst bei dem Begriff der Drei-Einigkeit, sondern er liegt bereits in der einfachen Tatsache des Kreuzes. Daß der Offenbarer Gottes stirbt und sogar die Gott-verlassenheit erfährt, ist ein Widerspruch. Es ist der Widerspruch, an dem das Judentum scheiterte, und der im starren Monotheismus des Islam wieder aufgenommen ist. „Mohammed sagt, es sei unmöglich, daß der Prophet Jesus gekreuzigt wurde; Gott lasse seine Werkzeuge nicht fallen" (Heim, l. c. S. 55). Steht aber trotzdem das Kreuz als Heilstatsache fest, dann ist es ein Beweis dafür, daß Gott seinem Wesen nach nicht die starre fatalistische Einheit des Islam, sondern eine lebendige, zu Bewegung und Spannung fähige Einheit ist, die im menschlichen Personleben ihr Analogon hat und doch zugleich als ewiger, siegreicher Herr über den Spannungen des menschlichen Daseins steht. Das Kreuz kann und darf nicht in einen feststehenden Gottes-begriff hineingepreßt werden, sondern es ist als das Herzstück des Gottesglaubens zu werten und zu respektieren. Das Christusbild ist bestimmend für das Gottesbild, nicht umgekehrt! Stirbt der Offen-barer Gottes für die Sünde der Welt, dann muß der Gottesbegriff ein andrer sein, als er ohne diese Tatsache wäre. Der Gegensatz von Heiligkeit und Liebe muß den Gottesbegriff sprengen, wenn nicht eine vollendete Tatsache die Einheit dieser Gegensätze verbürgt. Auch der Gegensatz von Leben und Tod sprengt den Gottesbegriff, sobald man ihn konsequent zu Gott in Beziehung setzt. Aber im Kreuz ist die Tatsache gegeben, daß Jesu innerweltlicher Tod sein überweltliches Leben offenbart, daß sein sterbender Menschenleib Träger des leben-digen Gottesgeistes ist. So ist der sterbende Christus immer zugleich der Lebendige, der Gekreuzigte immer zugleich der zur Auferstehungs-herrlichkeit Erhöhte. Die weichlich-schwächliche Blut- und Wunden-theologie führt niemals zum wahren Gottesbegriff. Aber die kraft-volle Siegestheologie des Kreuzes, die gerade in der Niederlage des Sündig-Menschlichen die Gottesherrschaft verwirklicht sieht, ist groß und tief genug, um die ganze Fülle Gottes in sich aufzunehmen. Im Katholizismus stehen rationales Denken und Kultus des irrationalen Mysteriums unvermittelt nebeneinander. Das reformatorische Evan-gelium führt über diesen Dualismus hinaus zu dem im Kreuz ge-offenbarten Gott, der alles Denken übersteigt und doch zugleich alles Denken zur Ruhe kommen läßt in der Anbetung der Dreieinigkeit. Indem der Sohn als der Gekreuzigte verehrt wird, wird der Vater geehrt, und die Verehrung des Geistes dient der Verherrlichung beider. Die Verehrung des dreieinigen Gottes erfüllt Himmel und Erde, „wie es war im Anfang, jetzt und immerdar, und von Ewigkeit zu Ewigkeit".

So bestätigt die Kreuzestheologie die Wahrheit dessen, was die Kirche an jedem Sonntage singt.

## 3. Die Kirche des Kreuzes.

Die Gottesgewißheit, die der einzelne in Christo hat, wird ihm ständig neu begründet und vermittelt durch die Kirche des Geistes, deren Glied er ist. Diese Kirche des Geistes ist eine Kirche des Kreuzes. Sie lebt ständig unter dem Kreuz. Leid und Not, Sünde und Strafe trägt und überwindet sie allezeit durch ihren Herrn. Sie geht schon jetzt auf Erden fortwährend durch Gottes Gericht hindurch. Wie hart Gott die Sünde straft, das zeigt sich nirgends so ernst und erschütternd, wie an der Kirche, ihren Mängeln und Versäumnissen, Sünden und Vergehungen. Gott zerbricht immer wieder der Kirche ihr irdisches Haus, um ihren himmlischen Geist zu reinigen und zu bewahren. Gottes Strafen gelten nur der zeitlichen Erscheinung, nicht dem ewigen Gehalt der Kirche. Aber der Geist leidet unter den Schlägen des Leibes mit. Die Kirche bleibt unter dem Gericht des Kreuzes, solange sie auf Erden ist. Sie trägt als der Leib Christi die Wundenmale ihres Herrn, die Male der Schande, der Verachtung und Ohnmacht, der Strafe und Zucht Gottes, als lauter Ehrenmale und Siegeszeichen.

Der Gedanke, daß die Kirche noch unter dem Strafkreuz Christi steht, hat für viele Kirchenchristen etwas Befremdendes. Aber er hat sich in Missionskreisen schon mehrfach durchgesetzt. Die Parallele zwischen Mission und Passion ist besonders ernst von Johannes Warneck[1]) durchgeführt. Warneck sagt: „Wer auch nur oberflächlich die Missionsgeschichte alter und neuer Zeit kennt, weiß, wie eng Mission und Passion zusammengehören. Die großen Missionare waren Kreuzträger in hervorragendem Maße. Jedem Jünger Jesu wird das Kreuz aufgelegt, und den Arbeitern im Reiche Gottes be=

---

[1]) Paulus im Lichte der heutigen Heidenmission. Berlin 1913. S. 43 ff.

sonders; aber die Heidenmission reicht ihren Boten einen vor andern gefüllten Kelch der Trübsale. . . . Wo durch Zusammentreffen günstiger Umstände, wie mehrfach in neuerer Zeit, der Weg bequemer gemacht wird, da hat man den Eindruck, als ob mit dem Kreuz auch etwas von der Gotteskraft schwände. Es muß wohl im Reiche Gottes ein gehäuftes Maß demütigender Trübsal für den Diener am Wort nötig sein, um ihn zu befähigen, selbstlos Kräfte aus der oberen Welt entgegennehmen zu können. Wo die Leiden im Dienste des Evangeliums mit Seufzen getragen werden, sind sie kraftlos; wo aber die Stimmung die jener Herrenhuter ist: Er ist es alles wert, da wird das Kreuz zur Waffe gegen den Feind. . . . Zum Werden und Wachsen der Gemeinde, die in Christo ihr Haupt hat, sind Leiden nötig. Sie braucht Glieder, die mittragen an dem, was sie nicht selbst verschuldet haben, um durch ihr unschuldiges, geduldig getragenes Leiden auf die andern einen segensreichen Einfluß auszuüben. Unter ein mit lasterhafter Vergangenheit und schwerer Schuld belastetes Volk gestellt, nimmt der Missionar freiwillig die Bürde der Volksschuld mit auf sich, um helfen zu können. Um diesen Preis erkauft er sich die innere Zusammengehörigkeit, ohne die er dem Elend hilflos gegenübersteht. Es ist der sicherste Weg, einen Menschen zu überwinden, wenn man seine Bürde mitträgt und für ihn leidet. Überzeugender als durch Predigen und wirksamer als selbst durch tätige Barmherzigkeit wirken die Missionare durch ihre freiwilligen Leiden auf heidnische Herzen ein. . . . Wo das „für euch" in der Verkündigung noch nicht begriffen wird, da wird es im Leiden der Boten veranschaulicht. Wenn Gott im Leiden und Sterben seines Sohnes das Mittel fand, eine verkehrte Menschheit zu überführen von ihrer Verschuldung und von seiner Liebe, dann mag er auch auf das Leiden seiner Gesandten etwas von dieser überwindenden Kraft legen; kann doch die Liebe Gottes zunächst nur im Spiegel der jüngerhaften Nachfolge ahnend geschaut werden, wo die lichtentwöhnten Augen den vollen Sonnenstrahl der göttlichen Liebesoffenbarung noch nicht ertragen können. Mancher Heide hat angesichts des Leidens und Sterbens von Missionsleuten bekannt: Wahrlich, dieser ist ein frommer Mensch und Gottes Sohn gewesen. . . . Die vorgelebte Heilandsliebe wird eher begriffen, als die vorgepredigte. Es liegt etwas vom Abglanz der Herrlichkeit Gottes in den heroischen Leiden der Missionsveteranen. . . . Unsre Christenheit aber, die ein allzu behagliches Leben führt, soll von der Heidenmission-

lernen, welche Kraft vom selbstlosen Leiden im Dienste des Herrn ausgeht."

Diesen wundervollen Worten, die unsrer Kirche wie Flammen auf der Seele brennen müßten, fügt Warneck nun noch einen Satz bei, durch welchen er ihre Wucht wesentlich abschwächt, ja fast wirkungslos macht. Er glaubt es, der alten orthodoxen Lehre schuldig zu sein, daß er ihr seinen Tribut mit den Worten zollt: „Es ist das nicht stellvertretendes Strafleiden (denn das sühnende Leiden Christi bedarf keiner menschlichen Ergänzung), wohl aber das Leiden eines Gerechten, der freiwillig fremde Schuld mit auf sich nimmt, um der Sündenmacht wirksam entgegenarbeiten zu können" (S. 44). Was Warneck hier bejaht, ist tatsächlich stellvertretendes Strafleiden. Aber er lehnt diesen Ausdruck ab, um nicht fälschlich so verstanden zu werden, als ob das Leiden Christi einer Ergänzung durch uns bedürfe. Nach der von uns entwickelten Versöhnungslehre ist dies Mißverständnis ausgeschlossen; denn sie gründet sich völlig auf die vollkommene vollbrachte Heilandstat. Aber wir sind der Überzeugung, daß der Segen dieser Heilandstat erst dann voll ausgeschöpft ist, wenn man sie als inklusive Stellvertretung faßt und sich nicht scheut, den Nachfolgern Christi auch sein stellvertretendes Strafleiden zuzuschreiben. Denn Paulus selber bemüht sich zu erfüllen, was ihm noch fehlt an der Leidensnachfolge Christi,[1] er will wie Christus geopfert werden $\dot{v}\pi\grave{e}\varrho\ \dot{v}\mu\tilde{\omega}\nu$ (2. Kor. 12, 15 vgl. Kol. 1, 24; Phil. 2, 17), er fühlt sich als ein Gezüchtigter in Trübsal und Sorge für alle Gemeinden (2. Kor. 6, 9 vgl. 11, 27 ff.), er hat sich für seine Korinther zum Kehricht und Auswurf der Menschheit (Luther: Fluch der Welt und Fegopfer aller Leute) gemacht (1. Kor. 4, 1—13).

Darum ist es durchaus biblisch, wenn der Gedanke der inklusiven Strafstellvertretung, gegen den sich Warneck noch gesträubt hat, infolge der Kriegserfahrungen der Mission zur konsequenten Durchführung gekommen ist. Dafür ist ein erschütterndes Zeugnis die Schrift der Berliner Missionsgesellschaft: „Das Kriegserlebnis der deutschen Mission im Lichte der heiligen Schrift" (Berlin 1917).[2]

---

[1] $\dot{\alpha}\nu\tau\alpha\nu\alpha\pi\lambda\eta\varrho\tilde{\omega}\ \tau\grave{\alpha}\ \dot{v}\sigma\tau\epsilon\varrho\acute{\eta}\mu\alpha\tau\alpha\ \tau\tilde{\omega}\nu\ \vartheta\lambda\acute{\iota}\psi\epsilon\omega\nu\ \tau\sigma\tilde{v}\ X\varrho\iota\sigma\tau\sigma\tilde{v}\ \dot{e}\nu\ \tau\tilde{\eta}\ \sigma\alpha\varrho\kappa\acute{\iota}\ \mu\sigma v$ (Kol. 1, 24).

[2] Inhalt: 1. Als die Sterbenden und siehe, wir leben (Richter). 2. Das Gericht am Hause Gottes (Axenfeld). 3. Der leidende Gottesknecht bei Jesaja (Richter). 4. Stellvertretung (Axenfeld). 5. Das Geheimnis des Leidens — Gottes Weg zur Herrlichkeit (Richter).

Der Sinn dieser Schrift deckt sich mit den von uns gewonnenen Resultaten der inklusiven Stellvertretung und läßt sich kurz in die
Sätze zusammenfassen: Die Christenheit erlebt jetzt ein Gericht über
sich selbst. Es ist kein Scheingericht, aber auch kein Verwerfungs-
gericht, sondern ein Heilsgericht (S. 27). Unser gegenwärtiges
Erlebnis soll uns lehren, wie unentbehrlich im wirksamen Dienst des
Gekreuzigten das stellvertretende Leiden ist (S. 64). Mit keuscher
Zurückhaltung ist zu sagen, daß die deutsche Mission insonderheit ein
leidender Gottesknecht geworden ist, in der Nachfolge dessen, den
Jesaja geweissagt hat (S. 52). — Dieser Gedanke soll nicht etwa ein
Ausdruck geistlichen Hochmuts sein, sondern treibt in die tiefste De-
mütigung hinein. Denn der leidende Gottesknecht ist und bleibt der
Gestrafte. Indem die Kirche an seiner Strafe teilnimmt, bewährt
sie gerade ihre Gewißheit und Weltüberlegenheit. Die Gemeinschaft
der Kirche führt fortgesetzt zur „Gemeinsamkeit der Buße". Das
hat Schlatter in seiner Dogmatik mit ganz besonderem Nachdruck
betont und damit die Trennung der Kirche von der Welt, die Abwehr des gehässigen Zanks und die Überwindung des „Zweifels an
der Kirche" begründet (S. 556 f. 292. 424. 449 ff.; vgl. S. 665,
A. 350). „Weil jede Gemeinde auch gemeinsame Versündigungen
begeht . . ., gewinnt sie . . . die normale Haltung dadurch, daß
sie in der Buße einen ihr unentbehrlichen Teil ihres Berufs erkennt", und „so wird ihr auch ihr Fall zum Quell der Kraft" (S. 557).
Die in der Kirche vorhandene Liebe bleibt mit der Buße ebenso untrennbar verbunden, wie mit dem Glauben. „Ohne die Liebe bliebe
dunkel, wie sich der Christenstand in seine beiden Zweige, Glauben
und Buße entfalten kann, ohne daß wir die inwendige Einheit verlieren. Nun tritt aber die Liebe als das höhere Dritte über beide,
hält sie beisammen und macht aus ihnen einen einheitlichen Lebens-
akt. Wenden wir uns reuig von uns selbst ab und gestehen wir,
daß wir vor Gott kein Recht haben, sondern auf seine Gnade verwiesen sind, so urteilt die Liebe ebenso und verherrlicht nicht uns,
sondern hat ihr Gut und Ziel in Gott. Sie reicht aber gleichzeitig
dem Glauben die Hand, wenn er der Gabe und Hilfe Gottes gewiß
ist und an ihr die freudige Zuversicht gewinnt." [1]
So ist Schlatters Dogmatik der Beweis dafür, daß durch die
Betonung der gemeinsamen Buße die Lehre von der Kirche nicht ein-

---

[1] Das christliche Dogma S. 563.

geengt wird, sondern daß durch sie gerade die ganze Fülle und Tiefe der in der Kirche vorhandenen Lebenskräfte entfaltet werden kann. Trägt die Kirche mit dem Gekreuzigten die Schmach, dann offenbart sich zugleich ihre verborgene Schönheit und Herrlichkeit, und dann wird sie immer wieder dazu getrieben, daß sie im Glauben sich an den Herrn hält, der alle Schmach schon überwunden hat und allzeit ihre Armut reich macht. „Wie gering und unwert ist unsre Kirche! Nur die Freunde spüren es, nur die Kinder und die sie lieb haben, fühlen es. Welche Not leidet sie, wie gar unbegrüßt und un= bewillkommnet, wie elend und arm steht sie am Wege, eine Bettlerin, die viele reich machte, eine Witwe, die viele Tränen trocknete, eine Verstoßene, die vielen ein Halt war. Aber weil sie so glaubensreich ihre Armut auf den Herrn und ihre Einsamkeit auf den Heiland wirft, weil sie aller menschlichen Hilfe bar, je länger je mehr auf den Herrn sieht, wird er sie nicht zuschanden werden lassen. Daran muß man seine Kirche wieder lieb gewinnen, die Kirche der Verbannung in der Wüste, daß sie mit ihrem Jesus so arm sein kann. Die Kirche mit dem Tränenkrüglein in der Hand und mit dem Kreuz auf der Schulter, tut das Allergrößte für die Zeit wie für die Ewig= keit: sie glaubt!" (Bezzel).[1]

Daß der Strom des Glaubens, von dem die Kirche lebt, völlig jenseits ihrer zeitlichen Beschaffenheit entspringt, hat Sohm der Kirche in seinem „Grundriß der Kirchengeschichte", wie folgt, gesagt: „Das ist gerade das Wunderbare und der größte Erfolg des Christen= tums, daß es nicht vernichtet werden konnte, ja, daß es seinerseits den Sieg davontrug, trotzdem es durch viele seiner Bekenner so elend vertreten wurde. Es ward verraten von einer großen Zahl seiner Angehörigen, und doch blieb ihm der Geist, welcher trotz Sünde und Irrtum in einer kleinen Schar von Auserlesenen mächtig genug blieb, die Welt zu überwinden. . . . Durch alle die Schatten und Finsternis, welche wir in der Geschichte der christlichen Kirche wahrnehmen, bricht zu allen Zeiten siegreich, das Gewölk mit Sonnenkraft zer= trennend, bald hier, bald da strahlend aufleuchtend, das unzerstörliche Licht des wahren Christentums. So auch damals. Die Kirche siegte nicht durch die Christen, sondern trotz der Christen durch die Macht des Evangeliums." Dieses siegreiche Evangelium ist das

---

[1] Die sieben Worte Jesu am Kreuz. Passionsandachten. München 1919. Vgl. die Andacht über das Kreuzeswort: „Mich dürstet". S. 59.

Evangelium vom Kreuz, durch welches die armselige Sünderwelt mit der Gnade des überweltlichen Gottes vereinigt ist, und die Kirche wird in dem Kampf, den sie fortgesetzt um ihren Bestand zu kämpfen hat, so lange siegreich sein, als sie eine Kirche des Kreuzes ist.

Damit überwindet sie nicht nur die Mängel und Sünden in ihrer eigenen Mitte, sondern auch die Feindschaft und Sünde der Welt. Sie umschließt auch diejenigen mit, die noch „fern“ sind. Denn die Versöhnung des Kreuzes ist **Weltversöhnung.** Sie wird nicht erst durch das subjektive Verhalten der einzelnen Menschen geschaffen; sie ist objektives Verhältnis der ganzen Menschheit zu Gott, durch Gott selbst in die Menschenwelt hineingestiftet und ihr als vollendete Tatsache geschenkt. Auf dieser siegesgewissen Überzeugung beruht die Missionskraft des Christentums. Sie ist so groß, daß sie den Unglauben in Glauben zu verwandeln vermag. Das behaupten wir gegenüber einer ganzen ungläubigen Welt. Es steht in keines Menschen Belieben, die Kreuzestatsache durch Leugnen aus der Welt zu schaffen. Die Tatsache steht unabhängig von Menschenmeinung fest in Gottes geschehener Tat, welche Glauben schafft und den Unglauben richtet. Die Verkündigung dieser Botschaft mit ihren seligen und unseligen Folgen kann auch einen Atheisten zum Glauben bringen. Aber daß so viele davon noch nichts wissen oder nichts wissen wollen, legt denen, die es erfahren haben, die heilige Verpflichtung auf, es kundzutun. Die Welt ist versöhnt, aber sie weiß es nicht. Auch unsere Zeit ist mit Gott versöhnt, aber sie weiß es nicht. Sie steht unter Gottes erschütterndem Gericht und richtet sich selbst daran zugrunde, wenn sie nicht zum Glauben kommt. Darum ist die Weltmission, die äußere, innere und innerste Mission die selbstverständliche Aufgabe der Kirche an der Welt. Und wenn immer wieder der Einwand auftaucht, daß die Welt faktisch keine versöhnte Welt sei, dann trifft dieser Einwand nicht Gott, sondern die Kirche. Gott hat am Kreuz alles getan. Nun ist die gestrafte Welt tatsächlich eine versöhnte Welt, die Gott zum Heile straft. Aber die Kirche hat nicht immer alles getan, um der Welt die vollbrachte Versöhnung zu bringen. So wird das grandiose Wort von der Weltversöhnung immer wieder ein Bußwort für die Kirche. Die Kirche wird Herrin der Welt nur, indem sie der Welt dient, und wo sie den Dienst an der Welt aufgibt und statt zu dienen herrschen will, da gibt sie sich selber auf.

Wo aber die Welt sich absichtlich dem Dienst der Kirche verschließt und zum **Widerspruch** gegen das Kreuz wird, da soll die Kirche sich darauf besinnen, daß das Kreuz das Zeichen des Widerspruchs (Luk. 2, 34; Hebr. 12, 2 f.) ist und bleibt. Am Widerspruch der Welt kommt die Kirche immer wieder zum Bewußtsein ihrer selbst und zu der Gewißheit, daß sie auf dem rechten Wege ist.

Der Widerspruch der Erkenntnis wird zum Ärgernis des Willens, wenn der Glaube sich in eigenem Kreuz und Leiden mit Jesus zusammenschließt. So bleibt die rein geistige Gewißheit auch auf der Höhe des Glaubens verbunden mit dem Leiblichen. An allem Leiden ist der Leib mit beteiligt. Wir können nicht aus unserm geistleiblichen Wesen heraus. Die Einheit unsrer geistleiblichen Persönlichkeit wird durch Gottes Geist nicht zerrissen, sondern bestätigt. Es ist Gottes Gnade, daß er dem Leibe gibt, was des Leibes ist, und dem Geiste, was des Geistes ist. Gott schafft die Herrschaft des Geistes über den Leib, aber er läßt den Geist zugleich an den Dienst des Leibes gebunden sein und sichert ihn dadurch vor Schwärmerei und Illusion. Allerdings bleibt der Geist dadurch in dauernder Gefahr und Anfechtung bis zu „des Leibes Erlösung". Das Ärgernis wird nicht aufgehoben. Es bleibt bei uns, wie es bei Jesus blieb. Es ist der in Gottes Willen und in unserm Wesen begründete Begleiter des Kreuzes. „Völlig unvermeidlich erscheint es dem Herrn, daß auch die nächsten Menschen . . . an ihm irre werden.

. . . So sehr es Jesus darum zu tun ist, daß niemand geärgert wird, so beseitigt er doch das göttliche Ärgernis nicht, sondern bejaht es als heilige Notwendigkeit bis in sein Sterben hinein."[1]

So hat der jüdische Wille und die griechische Erkenntnis sich wund gerieben an dem Ärgernis des Kreuzes und an der Torheit des darin enthaltenen Widerspruchs (1. Kor. 1, 18 ff.). Sie sind daran zugrunde gegangen. Aber aus ihren Trümmern ist das Reich des Gekreuzigten erwachsen, in dem alles Ärgernis und aller Widerspruch überwunden ist. Beide, Ärgernis und Widerspruch, der Anstoß des Willens und der Anstoß des Denkens, bleiben zwar bis ans Ende der Tage mit dem Kreuz verbunden. Aber sie werden fortgesetzt zum Beweis des Glaubens, zu Zeichen des Sieges. Ihr Vorhandensein zeigt der christlichen Gemeinde, daß auch der Überwinder vorhanden ist. Ihre Dauer verbürgt ihr die Dauer der Gnade. Ihr Reiz zum Unglauben reizt den Glauben zur steten Überwindung und

---

[1] Otto Schmitz, Das Ärgernis. Furche=Verlag. S. 28.

Steffen, Das Dogma vom Kreuz.

wird so zum Organ des Heiligen Geistes. Denn durch sie hindurch
wird die absolute Gewißheit gewonnen, in welcher der Widerspruch
zum Zeugen der Wahrheit geworden ist.

Damit findet auch das schwerste Problem der Theologie seine
volle Lösung unter dem Kreuz. Das ist die Frage, wie der absolute
Gott den absoluten Widerspruch der Sünde wider sich dulden kann.
Er kann es, indem er die Sünde zum Zeugen der Gnade macht. Er
hebt den absoluten Widerspruch nicht auf, sondern er bestätigt ihn
und überwindet ihn so, daß er ihn sich dienstbar macht. Wo die
Sünde mächtig geworden ist, da ist doch die Gnade viel mächtiger
geworden (Röm. 5, 20). Die Sünde bleibt absoluter Widerspruch
gegen Gott, aber sie bleibt zugleich Werkzeug der absoluten Macht
Gottes. Ihr Vorhandensein um uns und in uns ist eine dauernde
Versuchung, an dem Vorhandensein Gottes irre zu werden. Aber
indem diese Versuchung durch das Kreuz überwunden wird, ist der
Gottesglaube in seiner absoluten Geltung gesichert. Die Sünde ist
durch den Gekreuzigten aus dem Bereich des Geistes in den Bereich
des zum Tode verurteilten Fleisches gedrängt. Sie lebt fortan nur
noch als eine sterbende. All ihr Toben ist nur Todeskampf. Der
Gekreuzigte hat ihr das Todesurteil unauslöschlich aufgeprägt, und
so wird ihr Dasein zum Zeichen des überwundenen Widerspruchs.

Göttliche Zeichen dieses im voraus überwundenen Widerspruchs
der Sünde sind für den einzelnen Christen die Sakramente der
Kirche. Die **Taufe** steht mit ihrer Gnadengabe am ersten Anfang
des Lebens. Die Erlösung gehört uns schon, ehe wir uns für sie
persönlich entschieden haben. Der Geist wirkt an uns, noch ehe wir
ihn verstehen. Wie die Sünde uns in der Gewalt hat, noch ehe
wir zum Bewußtsein gekommen sind, so hat uns Gottes Gnade von
vornherein in noch stärkerer Gewalt. Das ist der Sinn der Kinder=
taufe. Es handelt sich dabei um keinerlei mystische infusio gratiae.
Es handelt sich vielmehr hier um die Lebensfrage der Religion: ob
wirklich Gott alles ist und der Mensch nichts, und ob der Mensch
sich das gefallen lassen will. Das Kreuz ist die Offenbarung der
Tatsache, daß Gott alles ist und der Mensch nichts. Der Glaube ist
die einfache Bejahung, die geistige Annahme dieser Tatsache. So
absolut umfassend ist die Gnade Gottes, daß sie auch die Annahme,
die Bejahung der Gottestat, in uns wirkt.

Darum ist auch im **Abendmahl** das Entscheidende nicht unser
Glaube, sondern Gottes Gnade. Wir werden dort nicht an unsere

subjektiven Gefühle, sondern an die objektiven Elemente gewiesen. Gottes Gnade ist so objektiv-wirklich, daß man sie „schmecken und sehen" kann. Sie hat dieselbe greifbar-materielle Grundlage wie Jesu Fleisch und Jesu Kreuz, ja sie gibt uns das Fleisch des Ge-kreuzigten real zu essen, indem sie uns mit den Elementen das Wort und den Geist des Gekreuzigten gibt. So gibt sie uns teil an seinem Opfer in vollendeter Gemeinschaft und macht uns fähig und fertig, unser eigen Fleisch und Blut und Leben dem Gekreuzigten zum leben-digen Opfer zu weihen. Was uns im Abendmahl gegeben wird, geben wir uns nicht selbst. Es ist Gottes Geistesgabe, wie die Taufe und das Wort und wie der Glaube selbst.

Wer je im Pfarramt einer Landgemeinde gestanden hat, weiß, welch unersetzlicher Gottessegen in der Objektivität des Abend-mahles liegt. Mag viel Aberglauben und Mißbrauch sich daran hängen — darum wollen wir doch den rechten Gebrauch und Glauben nimmermehr aufgeben. Die christliche Sitte bleibt so lange gut und wünschenswert, als sie noch Ausdruck des Gehorsams gegen Gottes Institution ist. Und wo im Tode schon alle Kräfte brechen und die Seele zu keinem eigenen Glaubensaufschwung mehr fähig ist, da vermag sie noch das gegebene Objekt glaubend zu umfassen und daran emporzusteigen wie an einer Himmelsleiter. Wer einer solchen entbehren zu können meint, hat die Tiefen menschlicher Not noch nicht erfahren und beraubt sich in geistigem Hochmut einer von Gott gegebenen Stütze, nach der er vielleicht noch einmal sehnsüchtig aus-schauen wird. Wir sind nicht dazu da, alle Stützen unseres Daseins wegzuwerfen, sondern Gott will, daß wir uns von ihm stützen lassen. Nicht einmal der eingeborne Gottessohn sollte die fühlbare Nähe des Vaters länger als einen „Augenblick" entbehren. Sollte Gott von uns etwa mehr verlangen, als von ihm?!

Andrerseits jedoch darf diese Objektivität nicht in den starren Formen der orthodoxen Lehre bleiben. Wenn es der Kirche nicht gelingt, das objektive Dogma zur Anregung der subjektiven Lebens-äußerungen fruchtbar zu machen, dann wird sie besonders auf dem Lande einen schweren Zusammenbruch erleben, und die starre leblose Sitte wird durch völlige Sittenlosigkeit abgelöst werden. Der Weg zur Vereinigung des Objektiven mit dem Subjektiven ist in Christi inklusiver Stellvertretung gegeben, und die Sakramente sind die beste Bestätigung dafür, daß Jesu Sterben inklusiven Sinn hat. Wir sind in Christi Tod getauft und samt ihm gepflanzt zu **gleichem**

11*

Tode (Röm. 6, 3—8). Das Abendmahl ist die tatsächliche Gemein=
schaft mit dem Leib und Blut dessen, der für uns starb (1. Kor. 10, 16
vgl. Joh. 6, 48—58). Mit ihm stirbt unser ganzes sündig=natürliches
Wesen, damit unsre Person mit ihm lebt. Diese im Sakrament be=
stätigte Gemeinschaft mit dem Gekreuzigten bestimmt die ganze
Lebenshaltung. Sie hält das Bewußtsein wach, daß „der Herr zu
fürchten ist" (2. Kor. 5, 11). Sogar die Liebe, die der Christ übt,
trägt die Spuren des Todes Jesu in sich, „sintemal wir halten, daß,
so einer für alle gestorben ist, so sind sie alle gestorben" (2. Kor. 5, 14).
Damit gibt Paulus selbst der inklusiven Stellvertretung den treffendsten
Ausdruck. Das eine Sakrament hat Jesus unmittelbar v o r, das
andere unmittelbar n a c h seinem Tode eingesetzt. Beide rahmen sein
Sterben ein. Im Abendmahl macht er aus dem traurigen Abschieds=
mahl ein freudiges Mahl der bleibenden Vereinigung. In der Taufe
hinterläßt er scheidend das Unterpfand für die Wahrheit seiner Ver=
heißung: Siehe, ich bin bei euch alle Tage. . . . (Matth. 28, 19 u. 20).
Er sagt n i c h t, daß er rein geistig=ideell bei ihnen bleibt, während
seine leiblich=reale Gegenwart aufhört. Dies wäre ein schwacher
menschlicher Trost. Statt dessen gibt er wirkliches göttliches Evan=
gelium: er schenkt den Seinen für und für seine reale persönliche
Gegenwart durch Vermittlung der sinnlichen Elemente, die auf sein
Sterben weisen. Der Geist des Gekreuzigten bleibt an das Kreuz
gebunden.

So wird es ganz deutlich, daß in Jesus das **Wort** und das
Fleisch zusammengehören. Die Fleischwerdung des Wortes führt not=
wendig zur Wortwerdung des Fleisches. J e s u  F l e i s c h  p r e d i g t,
s e i n  B l u t  r e d e t. Aber das tut es nicht durch sich selbst, sondern
durch die Tat, deren Zeugnis es ist und deren Spuren es trägt.
Umgekehrt: Jesu Wort ist Fleisch und Blut. Es ist kein in der Luft
verwehender Hauch. Die Hingabe der ganzen Person Jesu redet
darin. In seinem Wort gibt er sich selbst. Sein fleischgewordenes
Wort schafft Leben und Vergebung, und sein wortgewordenes Fleisch
schafft gleichfalls Leben und Vergebung; beides ist eins in der von
Gott gegebenen Hingabe an Gott. Das Wort wie das Fleisch kommen
von Gott und gehen wieder zu Gott, indem sie ans Kreuz gehen.
Jedes im Fleischesleben Jesu gesprochene Wort bewegt sich zwischen
den Gegen=Polen: Geburt und Tod, Ursprung aus Gott und Mün=
dung in Gott, Gabe Gottes und Hingabe an Gott. Aber erst nachdem
die Hingabe am Kreuz vollendet ist, werden Geburt und Leben des

Wortes wirklich verstanden. Das Kreuz deckt die Tiefen des Wortes auf; es ist der Schlüssel zum Wort. Denn das Wort, so klar und selbstverständlich es auf der einen Seite ist, so dunkel und rätselhaft ist es auf der andern Seite. Es deckt das Menschliche auf, aber es hüllt das Göttliche in Geheimnisse ein. Die Worte, die seine Wunder=taten begleiten, die Worte der Gleichnisse und der Verheißungen — man denke an die Paradoxien der Seligpreisungen! —, die Worte der Vergebung und der Gnade sind lauter Geheimnisse. Sie bleiben undurchdringlich und letzten Endes unverständlich, solange sie nicht vom Kreuz aus verstanden werden. Und wenn man sie heute immer wieder durch sich allein verstehen will, vergißt man, daß nicht einmal die Zeitgenossen Jesu sie verstanden haben. Wurden sie unter dem lebendigen Eindruck der Person Jesu, des fleischgewordenen Worts, kaum verstanden, wieviel weniger können sie verstanden werden, wo dieser lebendige Eindruck von Fleisch und Blut fehlt! Einzig und allein das Kreuz macht heute noch den Eindruck von „Fleisch und Blut". Das fleischgewordene gekreuzigte Wort leuchtet durch das Licht des Geistes in alles Dunkel hinein und macht es hell. Das ist aber kein physischer Vorgang, keine Vergewaltigung des persönlichen Lebens, sondern durchaus etwas Geistiges. Derselbe Geist, der Jesum befähigte, Kreuz, Leid, Strafe und Tod zu tragen, trägt auch uns durch Kreuz, Leid, Strafe und Tod hindurch und macht uns zu Über=windern, denen die Krone winkt. Der Geist, der uns das Zeitliche überwinden läßt, ist uns zugleich damit das Unterpfand ewiger Herrlichkeit. Wir warten im Geist auf Erlösung und Vollendung, weil wir in ihm schon Erlösung und Vollendung haben. Unsere Un=vollkommenheit und unsere fortdauernde Sünde binden uns im Geist nur um so fester an das Wort vom Kreuz des Heilandes, und unter Seufzen und Leiden, ja sogar unter Strafen und Gerichtserfahrungen gibt der Heilige Geist Zeugnis unserm Geist, daß wir Gottes Kinder sind (Röm. 8).

So ergibt sich ein Standpunkt, der Sünde und Leid, Tod und Strafe überwunden hat. Wir sind diesen Übeln nicht aus dem Wege gegangen. Wir haben ihnen ihr volles, schwerwiegendes Recht zu=erkannt und haben sie gerade dadurch überwunden. Denn indem wir diese negativen Größen zu Mitteln der Gnadengewißheit machten, haben wir die Gewißheit so sicher begründet, daß sie durch nichts erschüttert werden kann. Alle positiven Größen, wie Glaube, Wieder=geburt, Bekehrung, Tatbestand des Christseins und andere, die die

Theologie zur Begründung der Gewißheit anzuführen pflegt, sind der Erschütterung und dem Zweifel ausgesetzt. Das kommt daher, weil sie immer irgendwie subjektiv verankert sein müssen, um stichhaltig zu sein. Sie setzen also etwas im Subjekt voraus, was ja gerade erst begründet werden soll. Darum bleibt das Subjekt schließlich doch der objektiven Zerstörungsmacht jener negativen Größen ausgeliefert. Diese sorgen von selbst dafür, daß sie zur Wirkung kommen. Wir erkennen von vornherein an, daß jene objektive Zerstörungsmacht größer ist, als alle subjektiven Glaubenskräfte. Aber wir machen diesen negativen Größen, deren Objektivität sich nicht aus der Welt schaffen läßt, zum Beweise für eine andere höhere Objektivität, der jene wider ihren Willen dienen müssen. Das ist der wahre „Beweis des Glaubens", der nicht den Ungläubigen, sondern den Gläubigen dient und ihnen in ihrem täglichen Lebenskampf die frohe, siegesgewisse Überzeugung gibt, die auf nichts anderes gegründet ist, als allein auf Gottes Wort. Es ist so, weil Gott es gesagt hat — und daß Gott es wirklich gesagt hat, nicht nur mit dem Worte, sondern auch mit der Tat des Kreuzes, diese Gewißheit kann jeder Christ ohne weiteres aus seiner Bibel gewinnen.

In ihr wirkt Gottes Geist. Gotteserkenntnis ohne Gottes Geist gibt es nicht. Das Kreuz mit den Augen des Weltgeistes angesehen, ist der Zusammenbruch der Gotteserkenntnis. Gott will diesen Zusammenbruch! Gott will nicht von dem Geist der Welt erkannt sein, und wer diesen Gotteswillen kennt, dem wird der Widerspruch des Weltgeistes zum Zeugnis für die Wahrheit des Heiligen Geistes. Wenn Gott sich uns durch seinen Geist im Wort vom Kreuz zu erkennen gibt, dann haben wir eine Gewißheit, die über alles irdische, auch über das historische Erkennen, hinausliegt. Es ist nicht so, daß der Glaube ans Kreuz von den Resultaten historischer Forschung abhängig gemacht wird. Vielmehr ist der Glaube allein an das Wort Gottes gebunden und trägt durch den im Wort wirkenden Geist die Gewißheit in sich, daß seines Glaubens Grund Wahrheit und Wirklichkeit ist.

„Die Frage nach den letzten Gründen der christlichen Gewißheit ist die Frage der Theologie." [1]) Aber sie ist es nur dann, wenn sie uns über das schwankende subjektive Glaubensleben hinaus zu dem

---

[1]) So sagt mit Recht H. A. Glüer in seiner Untersuchung über „Die letzten Wurzeln der christlichen Gewißheit". Neue Kirchl. Zeitschr. 1920, XXXI, 4.

Gotte führt, der uns die Gewißheit seines Heils selber gibt. Müßten wir an unsern eignen Glauben glauben, dann blieben wir im letzten Grunde unerlöst. Aber wir sollen nicht an unsern eigenen Glauben glauben, nicht unsre subjektive Aneignung zum Grunde der Gewißheit machen. Sondern wir sollen und dürfen auch hierin an das über unserm Subjekt liegende Objekt, an den objektiv vorhandenen Gottesgeist, glauben. So wird der dritte Artikel zu einem neuen Geschenk, statt zu einer neuen Last.

Dies Gottesgeschenk verkörpert sich im Worte Gottes. Im Wort ist der Geist. Aber dieser Geist verflüchtigt sich nicht in willkürliche subjektive oder psychologische Funktionen, sondern er bindet sich selbst für uns an das Kreuz. Das Wort ist seinem Wesen nach ein Wort vom Kreuz.[1]) Das bedeutet: Das Wort ist Tatsache geworden, es hat sich greifbar und faßbar gemacht, es hat sich konzentriert und zugleich in alle Welt ergossen durch das Kreuz. Die besondere Geistesausgießung ist die Ausgießung dessen, was der Gekreuzigte vollbracht hat. Ohne die Geistesausgießung bleibt das Wort vom Kreuz Torheit und Ärgernis. Durch den Geist wird es göttliche Kraft und göttliche Weisheit.

Die Gewißheit des ungeheuren, uns ganz umfassenden Gottesgeschenks erprobt sich an der Überwindung der Widerstände. Daran wird offenbar, daß das ungeheure Geschenk keine ungeheure Illusion ist. Jesu eigener Geistbesitz mußte sich so in Versuchung und Leiden erproben, und unser eigener Geistbesitz erprobt sich auf dieselbe Weise in Jesu Nachfolge. Gott will nichts weiter, als daß wir seinem Worte trauen, „seine Strahlen fassen und ihn wirken lassen" (Tersteegen). Sein Wort trägt Segens= und Seligkeitskräfte in sich, die durch das Kreuz die Macht bekommen haben, alle Widerstände unseres natürlichen sündigen Wesens zu überwinden. Aber weil dieser Sieg des Wortes mit dem Schwert des Geistes ausgefochten wird und von Gewalt und Zwang in jeder Form absieht, läßt das Wort dem subjektiven Persönlichkeitsleben weiten Spielraum und nimmt in den einzelnen ganz individuelle Ausdrucksformen an. Es ist von jeher der Vorzug der Kirche gewesen, daß sie eine Fülle verschiedenster Individualitäten in sich vereinigen konnte. Dagegen ist es die Schranke alles Konventikelwesens, daß es die persönliche Entfaltung des einzelnen bedroht und ihn zum schablonenhaften Abklatsch des

---

[1]) S. u. Schriftbeweis.

jeweiligen Leiters zu machen sucht. Liegt hier die Gefahr der Einengung des Geistes vor, so besteht andrerseits in der Kirche die Ge-
fahr der Verflüchtigung des Geistes. Nur sofern die Kirche an das
Wort vom Kreuz gebunden bleibt, ist sie die Kirche des Geistes. Wo
sie das Wort ohne das Kreuz predigt, da hat sie einen falschen Geist.
Wo dagegen das Kreuz ohne das lebendige Verständnis des Wortes
angebetet wird, da ergibt sich die geistlose Schablone. Zwischen beiden
Extremen findet die Kirche den rechten Weg durch das Wort vom
Kreuz. Sie erzeugt fortgesetzt eine Gemeinschaft der verschiedenen
Geister, die sich gegenseitig ergänzen, stärken, korrigieren, strafen und
zurechtweisen, und sie bleibt trotz aller Mängel und Sünden die Kirche
des heiligen Geistes, weil sie das Wort und die Sakramente des
Kreuzes als unverlierbaren Besitz in sich trägt. Die Glaubens-
gemeinschaft der Kirche ist im Geiste zugleich Lebens- und Liebes-
gemeinschaft, Opfer- und Leidensgemeinschaft bis in den Tod. So bewährt die Kirche ihre Gewißheit fortgesetzt mitten im Strom der Welt,
und hält im dauernden Geisteskampf mit der Welt das Siegeszeichen
des Kreuzes hoch. Sekten und Konventikel bekämpfen sich gegenseitig
und gelangen niemals zu dem beseligenden Bewußtsein, einem großen,
allgemeinen Ganzen anzugehören. Die Kirche des Kreuzes dagegen
ist die Trägerin des weltumspannenden Gottesgeistes, der auch starke
Gegensätze mit umspannt und der, wenn die äußere Form zerbricht,
stets neue Formen zu schaffen vermag.

---

## 4. Der Christ unter dem Kreuz.

Wer ein wahres Glied der Kirche Christi ist, erlebt an sich selbst
den Zusammenbruch der irdisch-diesseitigen Form des Daseins und
das Aufleuchten eines neuen überweltlichen Lebens. Für dieses siegreiche Durchdringen des göttlichen Geistes, das allein die Tiefe des
religiösen Bedürfnisses füllt, hat die Reformation den Ausdruck der
**„Rechtfertigung** allein durch den **Glauben"** gefunden und darin
den articulus stantis et cadentis ecclesiae festgestellt. Der rechtfertigende Glaube läßt den Menschen im Zusammenbruch des Menschlichen den Sieg des Göttlichen erfahren.

Die Rechtfertigung setzt wie das Kreuz nichts anderes im Menschen voraus, als daß er ein Sünder ist. Trotzdem beurteilt sie den

Menſchen als gerechtfertigt. Denn Gottes Urteil trennt den Sünder
von ſeiner Sünde und beſtätigt damit nur das, was Chriſti Tat am
Kreuz vollbracht hat. Indem der Sünder die von Chriſtus voll=
brachte Gerechtigkeit einfach hinnimmt, iſt er tatſächlich gerecht=
fertigt. Chriſti Tat und Gottes Urteil verbürgen ihm die vollſtändige
Realität ſeiner Rechtfertigung.

Jeſus hat unſere Sünden mit ihrer Strafe getragen und iſt
dadurch ſelbſt in die ſchwerſte Verſuchung gekommen. Aber er hat
die Verſuchung überwunden, ohne ſelbſt in Sünde und Verdammnis
zu fallen. Unſere Sünde und ſeine Verſuchung ſtehen alſo in engſtem,
perſönlichem Zuſammenhang. Darum ſteht auch ſeine bewährte Ge=
rechtigkeit und unſre geſchenkte Rechtfertigung in engſtem, perſönlichem
Zuſammenhang. Wie er ſtellvertretend unſere Sünde trug, ſo hat er
uns auch ſtellvertretend von der Sünde losgelöſt. Sein Erlöſungs=
werk kommt uns zugute. Es wird uns nicht nur im Sinne eines
juriſtiſchen Aktes von Gott angerechnet, ſondern es gehört uns tat=
ſächlich nach Gottes Willen, ſowie es vollbracht iſt. Die Gerechtigkeit
des Gekreuzigten iſt unſere Gerechtigkeit, weil unſere Strafe ſeine
Strafe geweſen iſt. Indem Gott durch ihn recht bekommen hat,
haben auch wir vor Gott recht bekommen. Wie ein Menſch Sünde
und doch von der Sünde los ſein kann, wie er die Verdammnis der
Sünde überleben kann, ohne ſelbſt verdammt zu ſein, iſt etwas
Irrationales. Es kann nicht begrifflich durch das Denken, ſondern
nur tatſächlich durch die Anſchauung feſtgeſtellt werden. Dieſe An=
ſchauung der irrationalen Tatſache iſt in Jeſus Chriſtus dem Ge=
kreuzigten gegeben. Er iſt Sünde und doch von der Sünde los, er
iſt nicht ſündig, ſondern gerecht vor Gott. Genau ſo beurteilt Gott
uns um ſeinetwillen. Wir ſind Sünde, und erleiden die Verdammnis
unſrer Sünde. Aber wir ſelbſt werden gerettet. In Chriſto ſind wir
perſönlich nicht mehr Sünder, es iſt nichts Verdammliches mehr an
uns. Wir haben die vollſtändige Vergebung. Wir ſind gerecht. Die
Verdammnis gilt allein der Sünde, von der uns Chriſtus losgemacht
hat. So tragen wir gleichfalls ein Irrationales an uns. Wir tragen
die Verdammnis und ſind doch ſelig, wir ſind Sünde und doch nicht
mehr Sünder. Wir geben unſer ganzes Sein auf und haben ein
neues Sein als Gnadengeſchenk bekommen. Wir haben allen Halt
in uns verloren und in Gott den überweltlichen Halt gewonnen, der
über alle Sünde erhaben iſt. Es wird uns nicht das furchtbare Geſetz
auferlegt, daß wir nun die Strafe in eigener Kraft tragen ſollen.

Sondern wir sollen uns die getragene Strafe im Glauben aneignen und sie so in der Kraft Christi tragen. Unser Heil ist nicht ab= hängig von unserm Tragen der Strafe; es ist fertig und vorhanden durch Jesu getragene Strafe. Aber das Heil gibt uns die Kraft, unsere Strafe zu tragen. Die Strafe ist parallel den guten Werken. Die Werke schaffen nicht das Heil, aber das Heil schafft die Werke in uns. Der Glaube eignet sich Jesu Werk und damit auch Jesu Strafe an, damit es in uns zu guten Werken und zum Ertragen der Strafe kommt. Unsere Werke bleiben höchst unvollkommen.

So bleibt auch unsere **Reue** und unser Tragen der Strafe un= vollkommen und treibt uns immer mehr in die **Buße** und in das Vertrauen auf Christi vollendetes Werk hinein.[1]) Das ist „das Er= bauliche des Gedankens, daß wir vor Gott immer unrecht haben".[2]) „Der Gedanke, daß wir vor Gott immer unrecht haben — wie? Der sollte nicht begeistern? Denn was sagt er anders, als, daß Gottes Liebe immer größer ist als unsere Liebe? — Es gibt mancherlei Liebe . . ., aber es gibt auch eine Liebe, in der ich Gott liebe, und diese hat in der Sprache nur einen Ausdruck: die Reue. Und gäbe es keinen andern Grund dafür, daß der Ausdruck meiner Liebe zu Gott die Reue wäre, es wäre der, daß er mich zuerst geliebt hat. . . . Und war es nicht deine Seligkeit, daß du niemals so lieben konntest, wie du geliebt wardst?"[3])

„Erst im Christentum hat die Reue ihren wahren Ausdruck gefunden. Der fromme Jude fühlte es, daß der Fluch seiner Väter auf ihm ruhe, und doch fühlte er es lange nicht so tief wie der Christ. . . . Die Sünden der Väter lagen schwer auf ihm, er brach unter dieser Last zusammen, er seufzte, aber er konnte die Last nicht aufheben; das kann nur der, der sich mit Hilfe der Reue selber absolut wählt. Je größere Freiheit, desto größere Schuld, und das ist das Geheimnis der Seligkeit; und ist's nicht gerade feige, so ist's doch kleinmütig, wenn man nicht die Sünden der Väter in seine Reue aufnehmen will. . . . Und ob die Strafe, welche die Sünden der Väter auf dich herabgerufen hatten, dich ereilten — du bist doch froh, denn vor Gott haben wir immer unrecht."[4])

---

[1]) Vgl. F. Konkord. II, 3 § 30: Also auch verläßt sich der Glaube in der Rechtfertigung weder auf die Reue, noch auf die Liebe oder andere Tugenden, sondern allein auf Christum und auf seinen vollkommenen Gehorsam.

[2]) Sören Kierkegaard — Viktor Eremita: „Entweder — Oder". Ein Lebens= fragment. Aus dem Dänischen. 4. Aufl. Dresden 1909. S. 710 ff.

[3]) l. c. 724, 570, 721. — [4]) l. c. S. 572, 725.

Diese tieffinnigen Worte Kierkegaards stellen das, was oben über die gemeinfame Buße gefagt wurde, nach der fubjektiven Seite hin dar und vollenden damit den Begriff der inklufiven Stellvertretung. Es gibt wirklich eine mit Seligkeit verbundene Buße vor Gott, in die auch der Unfchuldigfte mit einbegriffen ift, und in der einer für den andern mit eintritt. Man kann tatfächlich für einen andern erröten, fich für ihn fchämen und für ihn Buße tun. Aber das fetzt voraus, daß man fein eigenes Unrecht vor Gott in der ganzen Tiefe erfaßt hat. Nur der Pharifäer fchließt fich davon aus. Der Chrift fchließt fich in der Nachfolge Chrifti ganz mit den andern zufammen und trägt ihre Strafe in der Kraft Chrifti mit. Auch das unfchuldige Leiden des Chriften fetzt voraus, daß er erft vor Gott feine Schuld erkannt hat und fich dauernd deffen bewußt bleibt. Außerdem trägt auch der frömmfte Chrift in fich Refte ungebüßter Schuld, die ihn dauernd in tiefere Buße hineintreiben.

Aber diefe Buße ift unter dem Kreuz nicht Verzweiflung, fondern Seligkeit. Sie fchaut glaubend von fich weg zu Gott empor, der um Chrifti willen der treue Vater bleibt, auch wenn er ftraft. Ein Fremder darf nicht Strafe üben. Es ift das Vorrecht des Vaters, dem das Kind gehört, es zur Rechenfchaft zu ziehen und feine Hand fühlen zu laffen. Dadurch wird das Band zwifchen ihm und dem Kinde nicht zerriffen, weil das Vaterverhältnis ftärker und eher vorhanden ift, als das Strafverhältnis. So muß auch Gottes Vaterverhältnis durch eine Tatfache begründet fein, die ftärker und eher vorhanden ift, als die jeweilige Strafe. Diefe Tatfache ift die Verföhnung des Kreuzes, welche die Feinde Gottes zu Kindern Gottes macht. Derfelbe Gott, der meiner Sünde als Richter gegenüberfteht und fie zum Tode verurteilt, fteht in Chrifto mir, dem Sünder, als Vater gegenüber, der mich perfönlich wie ein Vater ftraft, um mich von der todverfallenen Sünde loszulöfen. Im rechtfertigenden Glauben ergreife ich feine völlige Vergebung, die über aller Strafe in feinem ewigen Rat und Willen liegt. Aber zugleich bejahe ich damit bußfertig meinen fündigen Rat und Willen und feine zeitlichen Strafen, die mich über diefe Zeitlichkeit hinweg in feine ewige Seligkeit ziehen wollen. Die Bejahung der göttlichen Vergebung bleibt zugleich die Bejahung der eigenen Strafwürdigkeit und Strafbedürftigkeit. So ift die Buße mehr als das Tragen der Strafe. Sie enthält gerade die Erkenntnis, daß wir die Strafe aus eigener Kraft nicht zu tragen vermögen und unter ihrer Wucht zufammenbrechen. Trotzdem fchafft die durch das Kreuz geweckte Buße die Willigkeit und Fähigkeit zum Tragen der Strafe. Durch das Verzweifeln am eignen Können werden wir zum Vertrauen auf Gottes Wirken getrieben und können so mit Furcht und Zittern unsre Seligkeit schaffen (Phil. 2, 13). Die Bekenntnisschriften[1]) schildern immer wieder beide Erfahrungen des Christen: 1. daß er unter Gottes Strafen zur Verzweiflung kommt, wenn er nicht die Rechtfertigung durch den Glauben erfährt, und 2., daß er im Glauben die Fähigkeit gewinnt, Gottes Strafen zu tragen. Die Rechtfertigung durch den Glauben macht aus denen, die sich nicht strafen lassen wollen (Gen. 6, 3), bußfertige Sünder, die die Straf= willigkeit des verlorenen Sohnes haben: Vater . . . ich bin hinfort nicht mehr wert, daß ich dein Sohn heiße; mache mich zu einem deiner Tagelöhner (Luk. 15, 19, s. u. Schriftbeweis).

In dieser bußfertigen Gesinnung wird nicht unser eigenes Tun des Guten in irgend einem Sinne vorausgenommen und von Gott so angesehen, als ob es bereits getan ist. Sondern unser Tun ist tatsächlich vollbracht am Kreuz, unsere Strafe ist getragen, unsere Schuld ist gebüßt und unsere Gerechtigkeit ist vollendet durch den, der in allem unser Stellvertreter vor Gott ist. Uns liegt nun keinerlei Verpflichtung mehr ob. Wohl aber schenkt Gott uns die Fähigkeit und die Erlaubnis, in freier Entscheidung die Annahme seiner Gnade durch den **Glauben** zu vollziehen, wie es dem Wesen unseres Geistes entspricht. Denn unser gottebenbildlicher, persönlicher Geist läßt sich weder physisch, noch juristisch=sachlich beeinflussen oder be= schenken. Er kann nur im Glauben hinnehmen, was Gott ihm gibt. Er kann nicht an Gott hingegeben bleiben, ohne daß er diese Hin= gabe glaubend bejaht und den Anreiz zum Unglauben überwindet. Gott hat den Menschengeist so geschaffen, daß er sich nur durch Kampf vollendet. Es entspricht dem Wesen des Geistes, sich an der

---

[1]) Besonders Apologie: De confess. et satisf. § 51 „Wir lehren, daß in der Buße Strafe der Sünden sei . . . dadurch die Sünde in uns gerichtet wird." Ferner: F. C. II, VI, § 18—24; § 23: Bei den Christen ist „die Person von dem Fluch und Verdammnis des Gesetzes durch den Glauben an Christum gefreiet; gleichwohl aber führen sie einen stetigen Kampf wider den alten Adam. Denn der alte Adam, als der unstellig streitig Esel ist auch noch ein Stück an ihnen, das . . . oftermals mit dem Knüttel der Strafen und Plagen in den Gehorsam Christi zu zwingen" ist. Vgl. auch Luther, An den chr. Adel: „Nun helfe uns Gott, damit wir . . . die christlichen Ruten, mit denen Sünde gestraft wird, losmachen" (Vorrede). „Wo Sünde ist, da ist auch keine Rettung mehr wider die Strafe" (1. Mauer, Schluß).

überwindung von Widerständen wach und lebendig zu erhalten. Aber zugleich sind die Widerstände von Sünde, Leid und Tod für den natürlichen Geist so groß, daß er ihnen unterliegt bis zum Zusammenbruch. In dieser Lage kommt das Heil, um ihm die Überwindung einfach zu schenken. Aber dies Geschenk ist wieder geistiger Art. Es wird nicht physisch eingeimpft, sondern will im Glauben geistig angenommen sein. Der Geist behält die Freiheit, es abzulehnen. Die Ablehnung ist seine persönliche Schuld. Aber die Annahme ist nicht sein persönliches Verdienst. Denn sie selbst ist auch Wirkung Gottes durch den Heiligen Geist. Gott mutet uns damit nicht eine eigne Tat der Selbstbefreiung, einen Erwerb der Erlösung aus eigener Kraft zu. Sondern Gott schenkt uns das, was unser Stellvertreter erworben hat, in der Form, die unserm geistigen Wesen entspricht. Unser Geist kann nur einen solchen Stellvertreter haben, der ihn nicht ausschließt, sondern nach sich zieht. Er kann die Rechtfertigung nur so als reines Geschenk annehmen, daß ihm zugleich damit auch seine Heiligung, sein ganzes neues Leben, geschenkt ist. Die Seligkeit des Gerechtfertigten, dem seine Sünden vergeben sind, und die Seligkeit dessen, der „selig ist in seiner Tat", sind eins.

———

Es ist nicht so, daß Gottes Wirken vor der **Heiligung** halt machte und nun den Christen allein wirken ließe. Das wäre eine gottlose Heiligung und damit ein Widerspruch in sich selbst. Denn nur der Heilige kann uns heiligen. Indem Jesus sich „für uns geheiligt" hat, hat er uns die Heiligung erworben. Fortan können wir uns nur so für ihn heiligen, daß wir die von ihm erworbene Heiligung glaubend annehmen. Unsere Heiligung ist ein Bleiben in ihm, ein Bleiben in der Liebe, mit der er uns geliebet hat, ein Bleiben in seinem vollendeten Werk. So sind wir heilig in ihm. Unsere eigne Unheiligkeit kann daran kein Jota ändern, sondern sie treibt uns vielmehr dauernd in seine Arme. Weil wir es täglich und stündlich spüren, wie unheilig wir aus uns selber sind, werden wir es täglich und stündlich inne, daß er allein unsere wirkliche Heiligung ist. Sein Geist durchleuchtet uns so, daß unsere eigene Dunkelheit und Unreinheit dadurch immer wieder ans Licht tritt. Sein Geist wird niemals unser Geist, sondern wirkt in uns in deutlicher Unterscheidung von unserm eigenen Wesen. Wir glauben als Christen nicht an unsern eignen Geist, sondern an den heiligen Geist des Gekreuzigten. Ohne ihn können wir nichts tun. Wer den Geist nicht hat, kann vieles ohne ihn tun. Wer ihn hat, ist ganz auf ihn angewiesen; er ist hilflos und verloren, sobald er sich vom Geiste emanzipiert und eigene Wege gehen will. Das Scheitern dieser eigenen Wege führt uns immer wieder auf Gottes Weg. Der Inhalt unserer Heiligung ist und bleibt die absolute Hingabe an Gott durch den Geist des Gekreuzigten, der unser ganzes Wesen richtet und zugleich uns durch sein Wesen heiligt und vollendet. Welche Christo im Glauben angehören, sind schon vollendet. Sie haben ihr Fleisch samt den Lüsten und Begierden schon gekreuzigt (Gal. 5, 24: ἐσταύρωσαν). Der Glaube hat die Welt schon überwunden mit aller ihrer Lust[1]) (1. Joh. 5, 4). „Liebe, Freude, Friede, Geduld, Freundlichkeit, Gütigkeit, Glaube, Sanftmut, Keuschheit" (Gal. 5, 22), diese Früchte der Heiligung sind ganz und gar Früchte des Geistes. Aber sie wachsen nicht abseits von unserem eigenen Geist, sondern an dem in unsern Geist hineingepflanzten Baum des Kreuzes.

---

Das Mittel unsrer fortgesetzten Heiligung ist das **Gebet.** Die verschiedenen Formen und Entwicklungsstufen des Gebets kommen zur Vollendung durch das Gebet im Namen Jesu. Da Jesus seinem Wesen nach der Gekreuzigte ist (s. o. S. 140), so ist das Gebet im Namen Jesu ein Beten im Namen des Gekreuzigten. Der Name ist im biblischen Sinne das Zeichen der Vollmacht. Wenn wir in der Vollmacht des Gekreuzigten beten, dann beten wir recht (Joh. 16, 23 ff.). In der Vollmacht eines toten Menschen zu beten, ist sinnlos. Die ganze Sinnlosigkeit des modernen „Jesuskultus" wird hier offenbar. Nicht erst das Gebet zu Jesus, sondern schon das Beten im Namen Jesu ist eine Unmöglichkeit, wenn Jesus nichts weiter ist, als der vorbildliche religiöse Mensch. Denn die Vollmacht des toten Menschen

---

[1]) Zinzendorf:
„Wenn nun kam eine böse Lust, so dank ich Gott, daß ich nicht mußt.
Ich sprach zur Lust, zum Stolz, zum Geiz: dafür hing unser Herr am Kreuz."
Joh. Heermann:
„Will sich denn in Wollust weiden mein verderbtes Fleisch und Blut,
So gedenk ich deiner Leiden; bald wird alles wieder gut."
Zu vergleichen ist auch die Bekehrung des schwer angefochtenen Elias Schrenk, die erfolgte durch einfache Aneignung der Tatsache: „Sie haben ihre Kleider helle gemacht im Blut des Lammes" (Offb. 7, 14).

Jesus ist völlig negativ, und wer in seinem Namen vor Gott tritt, der spricht sich selbst das Todesurteil. Diese trostlose Lage der Dinge wird nur dann überwunden, wenn der tote Jesus zugleich der ewig Lebendige ist, der nicht im Grabe blieb, sondern als der Auferstandene und Erhöhte bei Gott ist. So wird das Gebet in seinem Namen ohne weiteres ein Gebet zu ihm (Joh. 20, 28; 1. Kor. 1, 2; Akt. 9, 14—16).

Ist der Gekreuzigte wirklich der zu Gott gehörige Inhalt unseres Glaubens und wird durch ihn das Todesurteil über uns zum Gnadenurteil Gottes, dann ist er auch das Objekt unseres Gebets. Das Gebet zu ihm ist nichts anderes, als ein Wirksamwerden des Glaubens an ihn. Wie der Glaube an das Kreuz uns alles eigene Recht und alle eigene Macht nimmt, um uns Gottes Recht und Macht zu geben, so verzichten wir im wahren Gebet auf uns selbst, um uns ganz in Gottes Hände zu legen. Gebet und Opfer stimmen überein in der absoluten Hingabe an Gott. So können wir heute noch Gott Opfer darbringen durch unsere Gebete. Aber dadurch wird das Opfer Christi nicht entwertet, sondern erst recht wirksam (s. u. Schriftbeweis). Wir üben im Gebet das Recht geistiger Gemeinschaft mit Gott aus, die in Christi Opfer hergestellt ist und in wechselseitigem Geben und Nehmen besteht. Wie Christi Opfer Gott etwas gibt, was ihm schon gehört, so gibt unser Gebet Gott die Ehre, die er auch ohne unser Gebet hat. Es ist die Freude dessen, der alles hat, daß er sich bitten und loben läßt, und es ist unsere Freude, daß wir ihn bitten und loben dürfen. In diesem Sinne sind der Vater und der Sohn und der Geist für uns eins. Sinkt der Sohn für uns von seiner anbetungswürdigen Höhe herab, dann verliert auch der Vater, den er uns bringen will, seine autoritative Majestät; und wird der Geist aus unserm Gottesverhältnis ausgeschaltet, dann geht uns Gott ganz verloren. Zu Gott anders beten, als im Geist und in der Wahrheit (Joh. 4, 24), ist Götzendienst. Zu Gott kommen wollen abseits von dem Wege, den er uns zu sich öffnet, ist frevelhafter Ungehorsam, der dem Geist des wahren Gebetes entgegengesetzt ist. Der von Gott gegebene Weg zu Gott ist der Gekreuzigte. Ihn anbeten, heißt Gott anbeten.

„Nur in einem Falle ist es kein Heidentum, wenn Christus eine Stelle in unserem Gebet einnimmt. Nur unter einer Bedingung können wir ihn ohne Gotteslästerung als den Weg ansehen, auf den wir immer treten müssen, wenn wir zum Vater gehen wollen. Wenn er wirklich der Mittler ist, ohne den wir Gott nicht nahen können, wenn wir vor Gott nur treten können, indem wir „Christum an= gezogen haben", gleichsam von ihm gedeckt und umkleidet sind. „Es soll dein Blut mein Purpur sein, darein will ich mich kleiden." Dann ist er nicht nur der Wegweiser, der uns die Brücke zeigt, auf der wir über den Strom hinüberkommen, der uns von Gott scheidet, auch nicht bloß der Architekt, der die Brücke gebaut hat, sondern er ist selbst die Brücke, auf der wir gehen müssen, so oft wir mit Gott in Verbindung treten wollen. Wie Siegfried durch die Waberlohe hindurchschritt, so müssen wir bei jedem Gebet durch ein Flammenmeer hindurchschreiten, das uns von Gott scheidet. Wir würden darin umkommen, wenn Christus uns nicht deckte. Bei jedem Gang zu Gott müssen wir eine Stelle passieren, die einem mörderischen Flankenfeuer ausgesetzt ist. Wir kommen an dieser Stelle nur vorbei, weil Christus seinen Schild über uns hält." [1] Entweder versperrt das Kreuz den Zugang zu Gott und seinem Christus, oder es öffnet ihn. Das ist die Entscheidung, um die es sich handelt und die nicht einfach ignoriert werden darf.

Wie man zu Gott nicht ohne Christus kommen kann, so kann man zu Christus nicht ohne das Kreuz kommen. Der Irrtum, daß uns der lebendige Herr gewisser sei, als seine Offenbarung im Kreuz, entspricht dem anderen Irrtum, daß Gott uns sündigen Menschen ohne weiteres nahe sei. Der wahre Weg zu Gott und der wahre Weg zum lebendigen Auferstandenen ist und bleibt das Kreuz. Denn der Geist des Auferstandenen ist der Geist des Gekreuzigten. Gott hat seine Nähe an das Kreuz gebunden, und statt uns darüber in geistigem Hochmut hinwegzusetzen, sollten wir uns in Demut dankbar freuen, daß wir einen festen Ort haben, an dem Gott sich von uns finden lassen will, und wo unser auf Gott gerichtetes Wollen, Denken und Fühlen festen Fuß fassen darf. Darum steht neben dem mensch= lichen Gethsemanegebet Jesu, das er uns in der dritten Bitte des Vaterunsers selbst zum Vorbild macht, zugleich das göttliche, hohe= priesterliche Gebet, in welchem er nicht etwa zu sich selber betet, son= dern den Vater anruft, mit dem er über sein menschliches Wesen hinaus eins ist. So wird sein menschliches Kreuz der Thron des lebendigen Gottes, dem wir betend nahen, und das im Geist geschaute Golgatha wird uns das Allerheiligste, in dem wir Gott suchen und finden.

---

[1] Karl Heim, „Aus der Heimat der Seele". S. 62 f.

Das auf den Heilsglauben gegründete Gebet ist zugleich auch eine Betätigung des **Vorsehungsglaubens.** Ist das Gebet die Wurzel unserer Heiligung, so ist der gelingende Vorsehungsglaube eine Frucht der Heiligung. Ohne das Kreuz ist das sogenannte „Befiehl = du = deine = Wege = Christentum" ein Irrweg im Sinne von Jes. 53, 6: „Wir gingen alle in der Irre wie Schafe, ein jeglicher sah auf seinen Weg". Darum darf der Vorsehungsglaube nicht überschätzt werden, wie es bei Ritschl der Fall ist. Er darf aber auch nicht, wie in der alten Lehre, unterschätzt und als ein minderwertiger Glaube angesehen werden. Er ist in der Tat die Probe auf die Echtheit des Glaubens. Aber er setzt einen in sich selbst gegründeten Heilsglauben voraus. Allein durch das Kreuz führt unser Irrweg zum Ziel, zu Gott. Das Kreuz ist die tatsächliche Vereinigung der sündigen Menschenwege und des heiligen Gotteswegs. Ohne das Kreuz ist es eine übermenschliche Forderung und eine aussichtslose Sisyphusarbeit, seine Wege auf den Herrn zu „wälzen" (Psalm 37, 5: גֹּל). Durch das Kreuz aber sind alle unsere Wege auf den Herrn gewälzt. Denn „der Herr warf unser aller Sünde auf ihn" (Jes. 53, 6). Das eigentliche Problem des Vorsehungsglaubens liegt also nicht, wie Ritschl meint, bei den subjektiven Funktionen der Geduld, der Treue, des Gottvertrauens, sondern vielmehr bei der ins Objektive hineinreichenden Frage: ist der Weg, auf dem ich mich subjektiv betätige, wirklich der richtige? Bin ich überhaupt imstande, den richtigen Weg zu finden, da doch die Sünde meinen Blick verdunkelt und mich immer wieder in die Irre führt? Wo bleibt für mich das unentbehrliche Licht, wenn mein subjektives Glaubensleben sich fortgesetzt durch meine eigene Schuld verdunkelt? Diese quälenden Fragen, die die tägliche Not des Christenstandes sind, werden nur durch den Glauben an die objektive Kreuzestatsache gelöst. Durch das Kreuz fällt auf unsern dunkeln Lebensweg der Lichtstrahl aus der geöffneten Himmelstür. Durch das Kreuz sind wir gewiß, daß auch die dunkelste Führung uns nicht von Gott weg, sondern zu Gott hin führt (Röm. 8, 35 ff.). Durch das Kreuz wird sogar das düstere Psalmwort von den „Schlachtschafen" (44, 23) zu einem Triumphgesang (Röm. 8, 36 ff.). Durch das Kreuz ist das Ende aller unsrer Wege verschlungen in den Sieg (1. Kor. 15, 55 ff.). Unter dem Kreuz werden die tausend unklaren Beziehungen zur Welt, die uns bedrücken und verwirren, aufgelöst in eine einzige große, klare Beziehung zu Gott. Darin liegt schon etwas Erlösendes.

Daß Jesus das Organ der Weltschöpfung und der ganzen Beziehung Gottes zur Welt ist, soll kein theoretisch=metaphysisches Dogma bleiben, sondern praktische Lebensweisheit sein, die uns überall „hinter" die Dinge schauen und dort ihn finden läßt, so daß unsre Seele auch über den Trümmern der Erscheinungswelt „seine Gestalt allein erblickt".

---

Wie das Ende des Christenweges, so ist auch sein persönlicher Anfang, die **Bekehrung,** Gottes Werk. Die Frage, ob der Mensch bei dieser seiner Bekehrung „mitwirke", ist von der alten Lehre ebenso energisch verneint, wie sie vom modernen Bewußtsein bejaht wird. In Wirklichkeit ist sie in dieser Form unlösbar, weil sie falsch gestellt ist. Die Ablehnung der „Mitwirkung" erweckt den Anschein, als ob die geistige Beteiligung überhaupt ausgeschaltet werden solle und nimmt daher dem Menschen seinen geistigen Charakter. Die Bejahung der Mitwirkung nimmt dagegen dem göttlichen Geiste seine Allwirksamkeit. In Wirklichkeit ist die Bekehrung die Hin= kehr zu Gottes Wirken. Liegt in ihr noch irgendwelches Streben nach eigenem Wirken, dann ist es überhaupt noch keine Bekehrung. So gewiß Gott der Absolute ist, so gewiß ist die wirk= liche Hinkehr zu ihm absolut. Aber sofern sie wirkliche Hinkehr ist, ist auch das eigene Wirken dabei beteiligt. Wo gar keine Wirkung zustande kommt, da ist auch keine Bekehrung. Gott be= kehrt uns nicht ohne uns, nicht über unsern Kopf hinweg. Indem er in uns wirkt, wirken wir. Das sind nicht zwei getrennte Wirkungen nebeneinander, die man addieren kann, nicht zwei Pferde, die den Wagen ziehen (Ausdruck der Konkordienformel); sondern dasselbe Wirken ist zugleich Gottes Tat und unsere eigene persönliche Tat. Der persönliche Geist eignet sich Gottes Wirken an. Aber diese An= eignung selbst ist wiederum eine Wirkung Gottes. Nur eine Zurück= weisung des göttlichen Wirkens wäre eine rein menschliche Tat. Aber indem der Mensch an den Folgen dieser Zurückweisung zugrunde geht, offenbart sich auch in ihr Gottes Allwirksamkeit. Gott hat uns ein für allemal in Christo zu sich hingekehrt, an sich hingegeben. Indem wir diese vollendete Tatsache geistig=persönlich im Glauben aneignen, sind wir bekehrt. Wir können und dürfen uns alle Tage von neuem bekehren, weil wir schon bekehrt sind.

Unser ganzes subjektives Glaubensleben wurzelt im Objektiven. Wir können uns versöhnen lassen, weil wir versöhnt sind (2. Kor. 5, 18—20). Wir können uns erwählen, berufen und heiligen lassen, weil unfre Erwählung, Berufung und Heiligung schon geschehen ist (1. Petr. 1, 15 f.; 2. Petr. 1, 10). Wir können uns bekehren, weil wir bekehrt sind (1. Petr. 2, 25). Wir können uns vergeben laſſen, weil die Vergebung schon da ist (Matth. 26, 28). Wir können um alles bitten, weil alles unser ist (Röm. 8, 32; 1. Kor. 3, 21 ff.). Wir können siegen, weil der Sieg schon errungen ist (1. Kor. 15, 55; 1. Joh. 5, 4). Wenn wir um alle diese Geistesgüter nur subjektiv ringen sollten, ohne einen objektiven Grund, dann wären wir nicht erlöst, nicht los von unsrer eignen Unfähigkeit. Aber weil uns diese Güter real, objektiv, mit der Gewißheit einer historischen Tatsache und zugleich mit der absoluten Gewißheit einer göttlichen Tat durch Christi Kreuz gegeben sind (Röm. 8, 32), darum sind wir von den subjektiven Schwankungen und Hinderniſſen nicht abhängig, sondern überwinden sie allezeit durch den objektiven Grund, auf den uns der Gekreuzigte gestellt hat.

Das Drängen auf Bekehrung ist genau so unchristlich, wie der Verzicht auf Bekehrung. Jesus hat weder den Judas, noch den Pilatus und Herodes, ja nicht einmal den Petrus zur Bekehrung ge= drängt. Die einzige wirkliche Bekehrung, die er vermittelt hat, nämlich die des einen Schächers, hat er ohne Worte vollbracht. Der Eindruck seiner leidenden Persönlichkeit, der gerade durch die stille Zurückhaltung wirksam wurde, war das Entscheidende. Und doch hat Jesus niemals diesen Eindruck beabsichtigt. Seine Absicht war ganz und rein auf Gott gerichtet. Sein leidender Verzicht auf das Wirken und Einwirken hatte nur den einen Zweck: Gott wirken zu laſſen. Das muß auch der Zweck aller Bekehrungswünsche sein. Nicht, daß wir selber etwas „machen“ und durch unser Drängen manches verderben, sondern daß wir unter dem Kreuz die Bahn frei machen für Gottes Tun, d a s heißt, für die Bekehrung wirken. Es ist unsers Gottes größte Liebestat, daß er uns die Freiheit gibt, uns für ihn oder gegen ihn zu entscheiden, und es war Jesu größte Selbstverleugnung, daß er diesen Gotteswillen bis in den Tod be= jahte. Darum sollen auch wir unsern Mitmenschen die Liebe antun, daß wir ihnen die Gottesgabe der Freiheit laſſen, und sollen sie nicht dadurch von Gott abstoßen, daß wir im Namen Gottes ihre Freiheit bedrängen und bedrohen. Statt deſſen wollen wir nicht müde werden in der Anbietung des großen Geschenks! Wir wollen die Menschen „locken“ und einladen, daß sie schmecken und sehen, wie freundlich der Herr ist, der für uns a l l e s v o l l b r a c h t hat.

12*

Diese Auffassung der Bekehrung entspricht der Lehre Jesu von der **Wiedergeburt** (Joh. 3). So wenig ein Mensch sich selbst ge= bären kann, so wenig kann er aus sich selbst den Geist des neuen Lebens gebären. Das Bild von der Wiedergeburt ist das Bild der absoluten Passivität. Aber weil es zugleich das Bild des Geistes ist, sind alle physischen oder magischen Potenzen dabei ausgeschlossen. Es muß im Wesen des Menschengeistes liegen, daß er durch das absolute Geschenk der göttlichen Gnade neu geschaffen wird. Jesu Wort: δεῖ ὑμᾶς γεννηθῆναι ἄνωθεν (3, 8) enthält keineswegs die Auf= forderung an den Menschen, die Wiedergeburt selbst herbeizuführen. Will man den rechten Sinn der Paränese, die allerdings darin liegt, treffen, dann könnte man sagen: ihr müßt euch die Wieder= geburt gefallen lassen. Ihr müßt es euch gefallen lassen, daß ihr selbst nichts tun könnt (Joh. 15, 5) und daß der Geist aus Gottes verborgenem Rat über euch kommt (3, 8). Aber daß er wirklich kommt, ist durch die Erhöhung des Menschensohnes ans Kreuz ver= bürgt (3, 14 ff.). So könnte man das Jesuswort: „laßt euch die Wiedergeburt gefallen", in Parallele setzen zu dem Pauluswort: „laßt euch die Versöhnung gefallen" (2. Kor. 5, 20).[1]) In beiden Fällen ist der Grund die objektive Gottestat, die den Geist bringt (Joh. 7, 39). Diese objektive Gotteswirklichkeit wird ständig durch den Widerspruch von Haß, Sünde, Strafe, Leid und Tod in ihrer Realität bestätigt. Sie „setzt weder beim Angebot noch für die Annahme eine besondere sittliche Beschaffenheit voraus, nur zu Bewußtsein ge= kommene Schwäche und Feindschaft wider Gott."[2]) Denn die Feindschaft wird in keiner Beziehung durch uns selbst über= wunden. Sie ist ein für allemal von Gott überwunden, und der Geist ist das Unterpfand dieses Sieges (1. Kor. 1, 22; 5, 5; Eph. 1, 14; 1. Joh. 5, 4—7).

Daß die Wiedergeburt gänzlich Gottes Werk ist, wird auch durch die Zusammenstellung von Wiedergeburt und Taufe deutlich (Tit. 3, 5 ff.). Aber dadurch soll die Selbsttätigkeit des Menschen nicht unterbunden, sondern erst recht frei gemacht werden. Denn un= mittelbar daneben steht die Erneuerung des Heiligen Geistes, die das ganze Leben umfaßt und sich „in einem Stand guter Werke" (V. 8) bewährt. Die Taufe schließt Antrieb und Verpflichtung zu persönlich=

---

[1]) Nach der Kählerschen Übersetzung; vgl. Versöhnung S. 453.
[2]) Kähler, Versöhnung S. 453.

geiftiger Aneignung der geiftigen Gabe ein. Sie ift nicht gleich der Wiedergeburt, fondern sie ist das Mittel zur Wiedergeburt, welches durch das Bild des Bades dargeftellt wird. Ein Bad ift nicht gleich der Gefundheit des Menfchen; aber es kann das Mittel zur Ge= fundung fein. So ift Gottes Gnadengabe, die nur durch feine Barm= herzigkeit und durch keinerlei menfchliche Werke erzeugt ift, das Mittel zur Erneuerung unferes Lebens und Wirkens. Das neue religiöfe Seinsverhältnis ift Grund und Mittel für das neue fittliche Seinsverhältnis. Das hat Luther im vierten Hauptftück deutlich herausgeftellt. Einerfeits fagt er, daß Vergebung der Sünden, Leben und Seligkeit uns durch nichts anderes, als „durch folche Worte" gegeben wird. Andererfeits bedeutet aber diefe Gabe für ihn, „daß der alte Adam in uns durch tägliche Reue und Buße foll erfäufet werden . . . und wiederum täglich herauskommen und auferftehen ein neuer Menfch". Durch diefe Zufammenftellung hat Luther alles Magifche aus der Taufgabe ausgefchloffen und ihren rein religiöfen Charakter im Sinne der Schrift fichergeftellt. Die religiöfe Gabe ift in keiner Weife vom fittlichen Verhalten abhängig, wohl aber hängt das fittliche Verhalten von ihr ab. Das Band zwifchen dem Sittlichen und dem Religiöfen ift der Glaube, der fich die Erneuerung durch Gottes Geift einfach fchenken läßt und fich diefes Gefchenk alle Tage von neuem geiftig aneignet. So ergibt fich eine genaue Parallele zu dem Werke Chrifti. Diefes hat einerfeits rein religiöfe, andererfeits rein fittliche Bedeutung. Von dem Blute Jefu geht weder eine phyfifch=magifche, noch eine metaphyfifche Wirkung aus. Jefu fittliche Tat in fittlichem Gehorfam, fittlicher Treue und Geduld fchafft das Heil. Aber Urfprung und Ziel diefer fittlichen Tat ift Gott. Die fittliche Tat wird zum religiöfen Opfer für Gott; und das religiöfe Opfer wird nach Gottes Willen zur fittlichen Erneuerung für uns. Der Unfchuldige trägt vor Gott die Strafe der Schuldigen und macht fie dadurch fähig, fich fort= gefetzt durch Gottes zeitliche Strafen erneuern zu laffen. Was Jefus fterbend vollbrachte, eignet fich der Glaube in gleichem Sterben an. Wir find getauft zu gleichem Tode mit dem Herrn (Röm. 6, 3—6), damit wir das gleiche Leben mit ihm haben (Röm. 6, 8—11).

---

Diefes neue Leben im Geifte Chrifti zielt ab auf unfere **Voll= kommenheit** (Matth. 5, 48). Chrifti vollkommenes Werk ift der Grund unferer Vollkommenheit. Aber zugleich ift Chrifti Werk

immer wieder die Bestätigung unserer eigenen Unvollkommenheit.
Christi Kreuz bestätigt den Bruch, der durch alles Menschliche hindurch=
geht. Die Kreuzestheologie leugnet nicht die guten und großen
Gaben, die Gott dem natürlichen Menschentum gegeben hat. Aber
sie zeigt den Mangel, an dem sie alle kranken. Hohe Gedanken
und edle Geistesgaben erzeugen Hochmut, Eitelkeit und Selbstsucht.
Ein starker Wille beeinträchtigt das Gemüt. Ein ausgeprägtes
Gefühlsleben schwächt die sittliche Willensenergie. Widersprechende
Regungen zerreißen die Seele. Ein weich empfindender Mensch kann
unter Umständen erschreckend hart sein, ein rücksichtsvoller wird
rücksichtslos, ein taktvoller taktlos, wo man es am allerwenigsten
vermutet. Menschen von auserlesenem Geschmack begehen manchmal
unbegreifliche Geschmacklosigkeiten. Wer glaubt, sich auf sein eigenes
Urteil unbedingt verlassen zu können, muß erfahren, daß es ihn in
entscheidenden Momenten im Stiche läßt. Das bewußte Leben und
Wollen ist in hohem Grade abhängig von den Imponderabilien des
Unbewußten. Wir glauben frei zu sein und möchten uns der freien
Entfaltung unsrer Kräfte freuen; aber plötzlich fühlen wir, daß wir
überall gebunden sind. Ein Wille, dem das Schwerste gelang, sieht
sich manchmal außerstande, das Leichteste zu vollbringen. Durch diese
Unvollkommenheiten wird unser ganzes Wesen geschwächt und ge=
brochen, unsre besten Eigenschaften entwertet und vergiftet. Wir sind
wie ein feingeschliffenes Glas, das einen Sprung hat, wie ein edler
Wein, in den ein Tropfen Wermut fiel; der ganze Wein und das
ganze Glas sind dadurch verdorben. Je höher der Mensch steht,
desto mehr hat er unter diesem Mangel zu leiden, und bei den
meisten kommen mehrere derartige Mängel zugleich zur Geltung.

Aber wie schon ein einziger bitterer Tropfen den ganzen Trank
verderben kann, so kann auch die völlige Heilung von einer einzigen
Stelle ausgehen, wenn das richtige Gegenmittel gefunden ist. Unsere
haltlose und widerspruchsvolle Persönlichkeit braucht nur an einer
Stelle einen absolut sichern Halt zu gewinnen. Dann strömt in unser
ganzes Leben Halt und Kraft. Unsere ganze Unvollkommenheit wird
überwunden durch die innere Verbindung mit dem Vollkommenen.
Diese Verbindung läßt unsere eigene Unvollkommenheit uns immer
wieder fühlen. Das Vollkommene wirkt in uns in deutlicher Unter=
scheidung von unserm natürlichen Selbst und treibt uns immer wieder
in Buße und Selbstkritik hinein.[1]) Der Heilige Geist wird nicht

---

[1]) Vgl. „Kritik, Kreuz, Krisis" in E. Stanges Pastoralblättern 1920, S. 348.

unſer eigner Geiſt, der Glaube wird nicht ein Glauben an uns ſelbſt. Vielmehr ſteht mitten in unſerm gegebenen natürlichen Leben ein neu gegebenes, übernatürliches Geistesleben, das ſeinem Weſen nach vollkommen iſt und uns mit innerer Notwendigkeit zur Vollkommen= heit treibt (Phil. 3, 12—15).

Aber dieſe Notwendigkeit iſt kein Zwang, ſondern ſchließt die geiſtige Freiheit ein. Das ſchon oben (S. 179) berührte **Freiheitsproblem** bedarf noch beſonderer Erörterung, da es das eigentliche Problem des Geiſtes iſt. Der unverſöhnte Menſch iſt unfrei. Der unerbittliche Kauſalzuſammenhang von Sünde und Strafe hält ihn gefangen. Doch iſt dieſe Unfreiheit nicht naturhaft, ſondern geiſtig geartet. Sie iſt nicht gleich der Gebundenheit eines Tieres im Käfig, das nur durch Gewalt eingeſperrt iſt. Sondern Geiſt und Wille ſind an dieſer Un= freiheit ſo beteiligt, daß ſie noch als Schuld empfunden werden kann, und daß die natürliche Freiheitsſehnſucht zu einer Sehnſucht nach Be= freiung von der Schuld zu werden vermag. Dieſe Möglichkeit wird zur vollen Wirklichkeit, wenn das Kreuz in den Geſichtskreis des Menſchen tritt. Das Kreuz iſt die Form, in der dem unfreien, ſchuldigen Menſchen Gott begegnet. Das Kreuz knüpft an die einzige Möglich= keit der Befreiung des Unfreien an, indem es bußfertigen Glauben weckt. Glauben heißt „zu Gott kommen", und wenn der Unfreie nichts weiter tut, als daß er ſeine ſelbſtverſchuldete Unfreiheit zu Gott bringt, dann iſt er frei. An ſich iſt die geſchehene Sünde unabänderlich. Die unſelige Tatſächlichkeit läßt ſich nicht aus der Welt ſchaffen. In ſolcher Lage gewinnen wir Verſtändnis für die Tatſächlichkeit der Verſöhnung. Die Verſöhnung iſt genau ſo tatſächlich, wie meine eben geſchehene Sünde. Unabänderlich ſteht ſie als vollzogenes Faktum da, und alles Rütteln an ihr iſt vergebens. So ſchließt ſie auch meine mich quälende Sünde ein und hat ſie ſchon im voraus überwunden. Völlige Vergebung fließt mir gerade in der gegenwärtigen unſeligen Situation zu. Ich erhalte die Kraft, alle Folgen dieſer meiner Sünde getroſt in Gottes Hand zu legen, und gewinne die Gewißheit, daß nach Gottes Willen e i n e Folge ſicherlich eintreten ſoll: meine Verſöhnung mit Gott. So wird mir meine eigene Sünde zum Erkenntnisgrund meiner Verſöhnung. Jeſus befreit die ſittliche Perſönlichkeit aus den Banden der Sünde und gibt ihr durch die religiöſe Bindung an Gott die volle ſittliche Selbſtändigkeit. Darum kann ſie in Jeſu Nachfolge sogar die Folgen ihrer noch vorhandenen Sünde, die Strafen und Züchtigungen Gottes, tragen. Aber sie kann sich niemals von der einen Opfertat Jesu, der sie ihr Leben verdankt, emanzipieren. Denn sobald sie versucht, in eigener Kraft die Folgen und Strafen ihrer Sünde zu tragen, muß sie scheitern. Indem Gott dem Menschen dauernd das Kreuz vorhält, bestätigt er ihm den Zustand und das Bewußtsein seiner eigenen Unfreiheit sein Leben lang, und hebt ihn doch zugleich darüber empor zu sich. Das Kreuz weckt in dem unfreien Menschen die Fähigkeit, seine eigene Unfreiheit zu verurteilen und sich Gottes Freiheit schenken zu lassen. So sind Buße und Glauben unter dem Kreuz untrennbar eins, und wo das Kreuz im Herzen steht, da wird jede Erkenntnis der eigenen Schuld unmittelbar zum Motiv des Glaubens, jede Unfreiheit zum Motiv, die Freiheit zu ergreifen. Je häufiger diese Freiheit ergriffen wird, desto mehr ergreift sie den ganzen Menschen (Paulus, Petrus). Je häufiger sie aber zurückgestoßen wird, desto tiefer stößt sie den Menschen in seine Unfreiheit hinein (Pharao). Gott zwingt den Menschen nicht zum Heil, wohl aber zum Gericht. Damit kommt die Frage, wie sich die persönliche Freiheit des Menschen zur absoluten Kausalität Gottes verhält, zu einer einfachen Lösung. Der Mensch, der absichtlich ohne Gott, also gottlos, handelt, muß wider seinen Willen Gottes Willen verwirklichen. Er mag sich darüber hinwegtäuschen oder dagegen auflehnen, Gottes Gericht ereilt ihn doch und richtet ihn und sein Werk schließlich zugrunde. Seine Freiheit ist nur Schein. Denn an der einzigen Stelle, wo sie ihm als Wirklichkeit geschenkt war, hat er sie selbst vernichtet: er hat die von Gott geschenkte Freiheit, zu glauben, in die selbsterwählte Knechtschaft der Sünde verwandelt; ihn trifft mit Fug und Recht der Sünde Sold durch Gottes absolute Kausalität. — Wo der Mensch dagegen das Gottesgeschenk, die Freiheit zu glauben, ergreift, da wird er mit Gottes Willen eins, und in dieser Gottesgemeinschaft bekommt er teil an Gottes absoluter Kausalität. Diese Kausalität ist nicht mit dem Naturzusammenhang identisch, sondern steht in absoluter Freiheit des Geistes über dem Naturzusammenhang und macht ihn den geistigen Zwecken dienstbar. „Das ist eine geistliche Herrschaft, die in der leiblichen Unterdrückung regiert, d. h. ich kann von allen Dingen absehen und mich nach der Seele bessern, so daß auch der Tod und die Leiden mir zur Seligkeit dienen und nützlich sein müssen. Das ist eine gar hohe, ehrenreiche Würdigkeit und eine rechte, allmächtige Herrschaft, ein geistliches Königreich, worin kein Ding so

gut, so böse ist, daß es mir nicht zugut dienen müsse, wenn ich glaube.
Und ich bedarf sein doch nicht, sondern mein Glaube ist mir genug.
Siehe, wie ist das eine köstliche Freiheit und Gewalt der Christen! ...

Siehe, das ist die rechte geistliche, christliche Freiheit, die das
Herz frei von allen Sünden, Gesetzen und Geboten macht. Diese
Freiheit übertrifft alle andre Freiheit, wie der Himmel die Erde."[1]

Diese Freiheit zu betätigen ohne den Glauben an das Kreuz,
d. h. ohne real verbürgte Verbindung mit Gott, ist eine Unmöglich=
keit. Es war der große Fehler des Idealismus zu meinen, im Reich
des Geistes seien Idee und Wirklichkeit eins. Es bleibt auch in
geistigem Sinne ein fundamentaler Unterschied, ob ich zu einem Ge=
bundenen nur sage: du bist frei, oder ob ich ihn frei mache. Die
Unfreiheit ist eine ebensolche Realität wie die Sünde, und sie kann
nur durch eine reale, objektive Befreiungstat, bei der jede Illusion
ausgeschlossen ist, aufgehoben werden. Ohne solche reale Tat von
dem Gebundenen zu verlangen, er solle an seine Freiheit glauben,
das ist eine unmögliche Forderung, ist Gesetz und nicht Evangelium.

Hier zeigt das griechische Neue Testament seine absolute Freiheit
gegenüber dem griechischen Geist. Nirgends erscheint der Versuch, den
Sohn Gottes durch die Idee des Sohnes, die christliche Freiheit durch
die Idee der Freiheit abzulösen. Die ungeheure Realität des Kreuzes
ließ das nicht zu. Selbst Paulus und Johannes, die in griechischer
Umgebung wirkten, sie konnten zwar gelegentlich an griechische
Ideen anknüpfen, aber sie bogen sie sofort derart um, daß sie den
Griechen zur μωρία wurden und nur durch μετάνοια hindurch bei
ihnen Aufnahme finden konnten. So wird dem Paulus in Athen,
wo man ihn als σπερμολόγος verhöhnt, die Gottesidee zum Gottes=
gericht, von dem es nur durch den auferstandenen ἀνήρ Christus
Befreiung gibt (Akt. 17, 30—31), und dem Johannes wird die
Logosidee zur σάρξ Christi, die am Kreuze endet! (Joh. 1, 14 vgl.
6, 51). Nur die Freiheit, die Christus, der Sohn, gibt, ist wahre
Befreiung: ἐὰν ὁ υἱὸς ὑμᾶς ἐλευθερώσῃ, ὄντως ἐλεύθεροι ἔσεσθε
(Joh. 8, 36), τῇ ἐλευθερίᾳ ὑμᾶς Χριστὸς ἠλευθέρωσεν (Gal. 5, 1).
Vor griechischer Ideenverflüchtigung blieb das Neue Testament be=
wahrt, weil es fest auf dem Grunde des Alten Testaments gegründet
war. Nicht Plato, sondern Jesajas ist der Prophet des
christlichen Geistes (vgl. 61, 1 ff.).

---

[1] Luther: Von der Freiheit eines Christenmenschen, § 15 Schluß und § 30
Schluß.

Die Schrift stellt überall das Geistesleben in enger Verbindung mit dem Leibesleben dar. Einen Geist, der über dem Leibe schwebt, kennt sie nicht. So ist auch die geistige Freiheit des Christen parallel der leiblichen Freiheit. Leibliche Glieder, welche nicht gebraucht oder am Gebrauch verhindert werden, erschlaffen und verkümmern. So ist es mit den geistigen Funktionen auch. Sie sind dazu da, daß sie gebraucht werden. Es kann also nicht der Sinn der Erlösung sein, ihnen ihre Tätigkeit abzunehmen, sondern durch die Erlösung wird ihnen ihre Tätigkeit erst recht ermöglicht. Sie werden aus der Gebundenheit an Sünde und Leid befreit. Indem Gottes Geist sie zu seinem Organ macht, bringt er sie in Bewegung und durch Übung zur Vollendung. Darum ist es ein Gnadengeschenk Gottes, wenn er das Versöhnungswerk so eingerichtet hat, daß es von unserm Geist angeeignet werden kann. Damit gibt er dem Geiste, was des Geistes ist. Es ist die größte Wohltat für den Geist, vorhandene geistige Güter und Werte sich anzueignen, zu benutzen, zu genießen. Es darf nur nicht das Mißverständnis entstehen, als ob die geistigen Güter vom sündigen, gebundenen Menschengeiste selbst produziert würden. Diese Forderung wäre für den gefesselten Geist nicht Wohltat, sondern erhöhte Qual. Wenn Christus ihm dagegen die Fesseln abnimmt, läßt der Geist sofort die freien Glieder spielen, und freut sich, daß er betätigen darf, was Gott in Christo ihm gibt. Indem er die geschenkte Freiheit im Glauben aneignet und benutzt, produziert er sie nicht erst, sondern er setzt ihr Vorhandensein voraus. Diese Voraussetzung ist keine Selbsttäuschung; sie ruht auf realen Garantien, auf der objektiven geschichtlichen Heilstat Gottes am Kreuz.

An sich betrachtet, ist das leibliche Dasein nicht Offenbarung Gottes. Denn die Gottesebenbildlichkeit ist durch die Sünde gestört. Das Leibliche hat durch die Sünde selbständige Bedeutung neben Gott bekommen und zieht unsern Geist fortgesetzt von Gott ab. Erst wenn unser Geist durch den Geist des Gekreuzigten von dieser leiblichen Gebundenheit befreit ist und die absolute Herrschaft über den Leib erhalten hat, kann er sie zu Gottes Dienst weihen.

Wie der Christ von der Herrschaft des Leiblichen frei wird, so wird er auch frei von der Herrschaft der Dinge. Die Dinge sind die große Last unseres Lebens. Sie hindern unsern Willen, sie durchkreuzen unsere Gedanken und vergrößern unsere Fehler ins Unerträgliche. Auch wenn wir Gott zu Hilfe nehmen und ihn als Mittel zur Beherrschung der Dinge benutzen, bleibt die Last. Denn unsre prinzipielle Stellung zu den Dingen bleibt ungebrochen, und der Widerwille gegen ihre Widerstände wird zum Widerwillen gegen Gott. Der Gott, der uns hilft, wird zum Gott, der uns hindert. Solange die Beherrschung der Dinge unser höchstes Ziel ist, sind wir verloren.

Das Kreuz weist uns einen andern Weg. Es gibt uns als einziges Ziel unseres Lebens die absolute Hingabe an Gott und ordnet alle Dinge diesem Ziele unter. Dadurch, daß dieses Ziel uns in Christi Kreuz gesichert und zum Gegenstand innersten Begehrens gemacht ist, wird den Dingen ihre absolute Bedeutung genommen, und sie werden zum Mittel für den höchsten Zweck. Die Wider= stände, die sie uns entgegensetzen, verlieren ihren aufreizenden Cha= rakter und werden nur zum Ansporn, daß wir uns immer völliger an Gott hingeben und diese Hingabe immer wieder an der Über= windung der Dinge erproben. Verhindertes Wollen, durchkreuzte Gedanken, bestrafte Fehler erscheinen nun nicht mehr als Wirkungen der Dinge, sondern als Wirkungen und Winke Gottes, der uns zu sich zieht. Wir erkennen unter dem Kreuz, daß wir, um in diesem leiblich=fleischlichen Leben Gottes Eigentum zu bleiben, dauernd der Erinnerung, des Antriebs und der Zucht bedürfen, und daß die Dinge von Gott geordnet sind, uns diesen Dienst zu leisten. Der wahrhaft geistige Charakter unseres Glaubens zeigt sich in dieser ständigen Erneuerung, die nicht mechanisch ein für allemal eingegossen wird, sondern so erfolgt, daß das in Christo geschaffene neue Verhältnis stets ein neues Verhalten aus sich erzeugt. Dadurch entsteht keine Unsicherheit, und wir werden nicht doch wieder von den schwankenden subjektiven Funktionen abhängig gemacht. Denn der tragende Grund unseres neuen Verhaltens ist der heilige Geist des Herrn, der allen Dingen prinzipiell überlegen ist. Der Gott, der Geist ist, tritt aus seiner unsichtbaren Geistigkeit nicht heraus, wenn er durch die sicht= baren Dinge wirkt. Er bleibt im Verborgenen und will, daß wir ihn immer wieder im Geiste suchen und finden. Wer ihn in den materiellen Dingen zu ergreifen sucht, behält schließlich nichts weiter als den entseelten Leichnam des Gekreuzigten in seinen Armen. Wer Gott aber im Geist und in der Wahrheit sucht, findet in ihm den einzig adäquaten Inhalt für sein auf Geist angelegtes Innenleben: den lebendigen Herrn, der im leiblichen Tode seine Geistesherrschaft über alle Dinge offenbart. Indem Jesus seinen Leib dem Tode gibt, offenbart er, daß alles Menschliche in sich und aus sich selbst nichts ist, als ein totes Ding. Indem er aber diesen Tod in Willens= und Wesenseinheit mit dem Geiste Gottes durchschreitet und siegreich über= windet, offenbart er, daß er selbst über alle Dinge erhaben ist und jeden, der an ihn glaubt, von der Last der Dinge erlöst.

Das Verhältnis des Christen zu den Dingen ist genau parallel seinem Verhältnis zur Vorbildlichkeit Christi. Diese Vorbildlichkeit ist ebensowenig Selbstzweck, wie die Herrschaft über die Dinge. Der Herr ist uns unendlich viel mehr, ja etwas qualitativ anderes, als das höchste Vorbild. So gewiß wir im Glauben nicht die Dinge, sondern Gott selber haben wollen, so gewiß suchen wir nicht Jesu Vorbild, sondern ihn selbst und in ihm Gott. Aber wie wir mit Gott auch die Dinge gewinnen, so gewinnen wir im persönlichen Glaubensverhältnis zu Christo auch sein Vorbild. Wie die Dinge den Christen oft bedrücken, so bedrückt ihn auch Christi Vorbildlich= keit oft. Aber in beiden Fällen hebt ihn der heilige Geist im Glauben zu einer Höhe, wo alle Bedrückung überwunden ist. Und in der Gewißheit dieses Geistes kann und soll der Christ sowohl die Dinge, wie das Vorbild Christi dauernd zu Kriterien seines Glaubens= standes machen.

Diese Erlösung von den Dingen wird aber erst dann in ihrer vollen Tiefe erfaßt, wenn die Last der Dinge von uns als unsere Schuld erkannt ist. Die Dinge selber haben keine Schuld. Das Kreuz Christi gibt uns die Gewißheit, daß wir durch eigne Schuld in die Dinge verstrickt sind; der für unsre Sünden mit dem Kreuz Beladene offenbart uns die ganze Größe unsrer Last und zugleich die ganze Größe seiner göttlichen Tragkraft. Er mutet uns nicht zu, die Last der Dinge selbst zu überwinden. Er stellt uns vor die voll= endete Tatsache der überwundenen Last und schenkt uns die Aus= söhnung mit den Dingen dadurch, daß er uns mit Gott versöhnt. Der seiner Schuld und Sünde ledige Mensch ist auch der Dinge ledig. Nur soweit er noch an seiner Sünde trägt, hat er an den Dingen noch zu tragen. Die zeitlichen Dinge, Hindernisse, Lasten, Strafen und Sünden treffen nur noch das, was zeitlich und sterblich an ihm ist. Der ewige Grund seiner am Kreuz versöhnten Seele ruht jenseits aller Last der Dinge frei in Gott.

## 5. Die Vollendung des Kreuzesglaubens.

Die Befreiung von der Last der Dinge erweitert sich zur abso=
luten Freiheit über die Welt. Der an das Kreuz gebundene Christus
ist im Geist der Freieste der Freien, weil er an nichts gebunden ist,
als allein an Gott. An dieser absoluten Freiheit gibt Gott uns teil
durch seinen Geist. Durch ihn wird die **Weltanschauung** zur
Kreuzesanschauung, zur Gottesanschauung. Vom Kreuze aus gesehen,
ist die ganze Welt für sich eine verlorene Welt. Aber zugleich ist sie
für Gott und durch Gott eine gerettete Welt, die bis in ihre höchsten
Höhen und tiefsten Tiefen durchstrahlt ist von der Sonne der gött=
lichen Gnade. Unter dem Kreuz stehen wir im leuchtenden Mittel=
punkt der Welt. Keine Weltanschauung, auch die idealste nicht,
vermag aus sich selbst zur Erlösung zu führen. Aber da die Er=
lösung im Kreuz Jesu Christi vorhanden und vollbracht ist, kann
jede Weltanschauung, auch die am tiefsten stehende, zu dieser Er=
lösung kommen. Wir wollen weder aus den Weltanschauungen das
Kreuz herleiten, noch wollen wir aus dem Kreuz die Weltanschauungen
ableiten. Sondern wir betrachten die Weltanschauungen auf der
einen und das Kreuz auf der andern Seite als gegebene Größen und
halten den Weg zwischen diesen Größen nach allen Seiten hin offen.
Auch Materialismus und Atheismus haben teil an der Versöhnung.
Sobald man dagegen das Christentum auf eine einzige Weltanschauung
festlegt, wie es viele Vertreter des Idealismus tun, um die Ge=
bildeten zu gewinnen, verbaut man damit den Weg zu den anderen
Weltanschauungen und besonders zu den Gedanken des ungebildeten
Volks. Trotzdem können und wollen wir die hohen sittlich-religiösen
Werte des deutschen Idealismus gern benutzen, aber nur so, daß wir
ihnen realen Grund und reale Kraft durch das Kreuz geben und auf
diesem Wege zugleich die Brücke schlagen, die zu den realistischen
Interessen des Volkes und zu den Bedürfnissen unsers eigenen, an
den Leib gebundenen Lebens hinüberführt. Andrerseits ist es unsere
Aufgabe, den Gebildeten zu zeigen, daß die Religion des Kreuzes
durchaus nicht so massiv und grob-materiell ist, wie sie in diesen
Kreisen vielfach angesehen wird. Ist doch das Kreuz die Verwirk=
lichung der größten Geistestat, und von einer Nachfolge im Geist und
in der Wahrheit gar nicht zu trennen. Wird doch Gott am Kreuze
sichtbar in einer Form, die sein unsichtbares, rein geistiges Wesen
nicht verdunkelt, sondern erst ins rechte Licht stellt.

Das Kreuz schmeichelt aber weder dem feinen Geist, noch den rohen Sinnen. Denn es ist die tatsächliche Vereinigung des Geistigen mit dem sinnlich Wahrnehmbaren. Es ist die Vereinigung des Sichtbaren mit dem Unsichtbaren. Solange es nur sichtbar auf Golgatha stand, brachte es denen, die es sahen, keinen Trost, sondern nur Trostlosigkeit. Erst als sein unsichtbares, geistig-göttliches Wesen durch den Geist den Jüngern klargemacht wurde, ward es das Zeichen des Trostes. Aber durch diese unsichtbare Bedeutung wurde das sichtbare Fundament des Kreuzes nicht eliminiert. Gerade der Apostel, der das sichtbare Kreuz nie gesehen hat, Paulus, ist der größte Prediger des Kreuzes geworden. Und der Jünger, der den Geist Christi am besten verstanden hat, Johannes, hat allen Versuchungen, das Kreuz in lauter Geist aufzulösen, widerstanden. Ihm blieb der ins Fleisch gekommene Christus um seines Kreuzes willen das A und O des Glaubens. „Was wir gesehen haben . . ., das verkündigen wir euch." Die Verkündigung setzt voraus, daß es sich um geistig weiterzugebende, unsichtbare Güter handelt. Aber der Inhalt der Verkündigung ist die sichtbar „erschienene" Gnade. Diese untrennbare Einheit von sichtbarem Geschehen und unsichtbarer Bedeutung des Geschehenen ist in der geschichtlichen Tatsache gegeben. Was in der Geschichte sichtbar ist, ist zugleich Träger unsichtbarer Werte. Bleibt man am Sichtbaren hängen, dann sieht man nur Materie und keine Geschichte. Will man aber nur das Unsichtbare, losgelöst vom Sichtbar-Tatsächlichen, haben, dann löst man die Geschichte auf und gelangt zur geschichtslosen Idee. Beides sind Extreme, die sich einseitig entweder an das sichtbare oder an das unsichtbare Wesen des Menschen wenden und ihn dadurch vergewaltigen. Gott dagegen nimmt den Menschen, wie er wirklich ist, in seiner sichtbar-unsichtbaren Geistleiblichkeit und gibt dem Heil dieselbe Form. Er verankert den Glauben in dem sichtbaren Kreuz. Aber indem das, was am Kreuze sichtbar ist, Widerspruch und Ärgernis erregt, wird es der Anstoß, über das Sichtbare hinaus zum Unsichtbaren vorzudringen. Im Kreuz wird die ganze sichtbare Welt, soweit sie nichts-als-sichtbar ist, sinnlos. Darum stellt uns das Kreuz ständig vor die Wahl: entweder fortgesetzt in einer sinnlosen Welt zu leben, oder den Sinn der sichtbaren Welt im Unsichtbaren zu finden. Der Sinn des Sichtbaren ist das Unsichtbare — das ist die Lösung, die beide in das rechte, von Gott geschaffene Verhältnis zueinander setzt. Daraus ergibt sich die einfache

Lebensregel des Kreuzes: der Sinn des irdischen Lebens ist das ewige Leben. Dies zu glauben ohne das Kreuz, ist unmöglich. Denn die Sünde hat dem Sichtbar=Irdischen solche selbständige Bedeutung gegeben, daß es immer wieder als sinnvoll auf die Sinne wirkt. Seine Sinnlosigkeit wird immer erst zu spät erkannt, wenn sich die verheerenden Folgen sinnlichen Sinnes bemerkbar machen. Das Kreuz ist das ein für allemal vollzogene Gericht über die Sinnlichkeit, die nur das Sichtbare begehrt. Dieses Gericht bleibt für immer bestehen, um das Begehren nach dem Unsichtbaren für immer wachzuhalten. Wie jenes niedere Begehren am Kreuze ein für allemal gerichtet ist, so ist dieses höhere Begehren am Kreuze ein für allemal befriedigt durch den Geist des Gekreuzigten, in dem das Sichtbare mit dem Unsichtbaren versöhnt ist durch eine neue Schöpfertat Gottes. Der Mensch, der nur im Diesseits lebt, gehört ans Kreuz. So gehört die ganze diesseitige Welt ans Kreuz. Aber der Mensch, der mitten in der Welt Gott hat, gewinnt eine neue ewige Welt, und das Kreuz wird ihm der Eingang dazu. Mitten in der zusammenbrechenden Diesseitswelt den ewigen Gott zu haben und festzuhalten, ist ohne das Kreuz eine übermenschliche Forderung. Durch das Kreuz wird es ein Geschenk Gottes. Seit Golgatha ist Gott tatsächlich in der gekreuzigten Welt lebendig gegenwärtig, so daß wir ihn haben und festhalten können; durch Golgatha wird die gekreuzigte Welt zu einem Triumphbogen für Gottes Herrlichkeit (s. u. Schriftbeweis, die δόξα im Johannesevangelium).

---

So bekommt das Kreuz schließlich den Charakter einer Weissagung für die Welt. Es schließt die ganze Zukunft der Welt mit ein, und diese Zukunft wird **Weltvollendung** sein. Ein neuer Himmel und eine neue Erde, ein neuer Leib und ein neues Leben werden aus den Trümmern des Alten erstehen, und selbst der Untergang wird der Vollendung dienen. Das wird geschehen, wenn der unsichtbare Herr sichtbar wiederkommt. Die Himmelfahrt Jesu hat für die Seinen die Bedeutung, daß der sichtbare Herr in die unsichtbare Welt Gottes entrückt ist. In der Wolke des Himmels ward er unsichtbar, und aus der Wolke des Himmels wird er einst wieder sichtbar werden (Matth. 26, 64; 24, 30). Daß der Träger der Sünde in Gottes unsichtbares Heiligtum gegangen, daß der in Gottverlassenheit Sterbende in die nächste Gottesnähe gerückt ist, ist nichts Selbstverständliches, sondern etwas so Ungeheures, daß es dazu einer ganz sinnenfälligen Offenbarung bedurfte, wie sie in Auferstehung und Himmelfahrt gegeben ist. Nachdem diese Tatsachen geschehen sind, werfen sie rückwärts auf die Kreuzestatsache das helle Licht von Gott und weisen vorwärts auf die letzte Offenbarung bei der Wiederkunft. So wissen wir gewiß, daß der für uns Gekreuzigte bei Gott weilt und uns dort fortgesetzt vertritt, bis er einst wieder= kommt. Das Kreuz, das sichtbar auf der Erde steht, steht zugleich unsichtbar im Himmel vor Gottes Angesicht, und daß letzteres tat= sächlich wahr ist, dafür bürgt uns die geschichtliche Tatsache des Todes Jesu. Aber zugleich ist der Gekreuzigte bei Gott der ewig Lebendige, der über dem Kreuze steht, der Kreuz, Leiden, Angst und Tod sieg= reich überwunden hat. Als solcher wird er einst wiederkommen und die Siegesmacht seines göttlichen Geistes vor aller Welt offenbaren. In dieser Gewißheit sieht die Gemeinde ihm entgegen.

Wenn der Herr sichtbar wiederkommt, wird er jeden richten nach seinen Werken. Die Werke sind das, wodurch unser Glaubens= leben vor der Welt sichtbar wird. Wer sich als Christ auf sich selbst zurückzieht, hat damit seinen Herrn verleugnet. Wer sich als Christ auf den Herrn zurückzieht, den weist der Herr an die Welt, damit er in ihr den Willen des Vaters tue. So entscheidet sich das Schicksal des Menschen im Gericht nicht an seinem Verhältnis zu Gott, sondern an seinem Verhältnis zur Welt, nicht an seinem Glauben, sondern an seinen Werken. Dadurch entsteht kein Widerspruch zur Rechtfertigung und Versöhnung. Denn die Rechtfertigung treibt zu den Werken, und die Versöhnung treibt in die Welt. Das Wirken in der Welt ist die Probe, ob Versöhnung und Rechtfertigung richtig verstanden und angenommen sind. Gerade weil die Werke des Christen völlig aus dem Werke Christi fließen, sind sie nicht eine Verneinung, son= dern eine Bejahung Christi. Darum ist auch ihre Unvollkommenheit kein Hindernis; sie treibt vielmehr um so tiefer in den bußfertigen Glauben und damit in das Werk Christi hinein. Der Christ wird es im Endgericht noch einmal entscheidend erfahren, daß er nichts aus sich selbst vermag, und er wird daher um so zuversichtlicher (παρρησία 1. Joh. 2, 28; 4, 17) seine ganze Hoffnung auf den Ge= kreuzigten setzen. Das ist aber dieselbe Erfahrung, die sein ganzes Christenleben durchzieht. Der Christ erlebt also im Endgericht nichts Neues, das er zu fürchten hätte. Wohl aber wird das Gericht denen etwas Neues und Furchtbares bringen, die Gottes Versöhnung ver=

worfen haben. Sie werden von Gott verworfen werden, so daß es
ihnen selbst sichtbar und fühlbar wird. Auch die, denen Sünde
und Strafe auf Erden nicht zum Bewußtsein gekommen sind, und die
deshalb die Versöhnung abgelehnt haben, werden im Endgericht
Gottes Hand über sich spüren. Die gerichtete Welt wird das voll=
kommene Organ Gottes sein, in welchem Gottes allbeherrschender Wille
allen offenbar geworden ist, den einen zu ewigem Verderben, den andern
zu ewiger Seligkeit. Der Gekreuzigte wird der für alle sicht=
bare Herr und Richter der Welt. Die Welt, in der jetzt noch das
Unheil seine Macht entfalten darf, wird einst durch eine Welt=Wieder=
geburt (Matth. 19, 28) völlig zur Welt des Heiles werden. Die jetzige
Welt ist für den Christen nur erträglich und verständlich im Blick auf
eine andere künftige Welt. Die Eschatologie ist nicht ein be=
deutungsloses Anhängsel, sondern die notwendige Entfaltung des am
Kreuz geschaffenen Heiles. Sie ragt schon jetzt in jede Strafe und
jedes Unheil, das der Gläubige erfährt, hinein. Der Leib, der jetzt
noch unter Strafen und Schlägen, unter Leiden und Tod zu seufzen
hat, wird einst ganz davon „erlöst" sein (Röm. 8, 18—23). Der Hei=
lige Geist wird sich den ihm adäquaten Leib, das σῶμα πνευματικόν,
erschaffen. Die tägliche geistliche Auferstehung der Christen wird ab=
gelöst und vollendet werden durch die endgültige Auferstehung
eines Leibes, welcher ganz das Organ des Geistes sein wird.

In diesem Leibe gehen die „Erlöseten des Herrn" zur ewigen
Seligkeit ein. Die getreuen Knechte, die klugen Jungfrauen und
die Schafe seiner Herde, die zu seiner Rechten stehen, ererben das
Reich der Herrlichkeit zu ihres Herrn Freude. Diese ewige Herrlich=
keit wird so groß sein, daß alle Leiden dieser Zeit ihrer nicht wert
sind. Aber die Erinnerung an Leid und Sünde wird in ihr nicht
untergehen, sondern als Unterpfand für die Größe der vollbrachten
Überwindung bestehen bleiben. Die größte Freude ist die, welche
von dem Bewußtsein überwundener Leiden und Sünden begleitet ist.
Ihr Siegeszeichen werden die hellen Kleider sein, die gewaschen sind
im Blut des Lammes (Offb. 7, 14). Ihr Siegeslied wird einst er=
schallen in den goldenen Gassen der ewigen Stadt (Offb. 12, 11).
Die ecclesia militans wird sich vollenden zur ecclesia triumphans.
Wer hier mit Christo im Leiden steht, steht dort in lauter Herrlich=
keit. Wer hier „ein Leben unter dem Kreuz" führt, genießt dort
ewiglich ein „Leben über dem Kreuz".

So schließt die Kreuzestheologie, wie sie begann: mit der Freude dessen, der überwunden hat. Die Freude Christi gießt sich aus über alle, die sein eigen sind. Aber das Entscheidende ist, daß diese Freude nicht rein zukünftigen Charakter trägt, sondern schon mitten in unsere gegenwärtige Zeit hineinragt, so gewiß das Kreuz des Heilandes in diese Zeit hineinragt. Der Geist des Gekreuzigten ist schon jetzt ein Geist der Freude (Joh. 17, 13) und will alle Tiefen und Abgründe der Erde uns verklären zu leuchtenden „Rändern der Ewigkeit".[1] Zeit und Ewigkeit sind im Kreuze eins. Wie der Gekreuzigte nicht zu trennen ist von dem Auferstandenen und Erhöhten, so ist auch unser irdisches Leben nicht zu trennen von der ewigen Freude. Was unter dem Gesichtspunkt von Raum und Zeit getrennt ist und uns, solange wir noch in Raum und Zeit leben, als getrennt im Bewußtsein bleibt, das kommt uns zugleich vom Gesichtspunkt der Ewigkeit aus als vereinigt zum Bewußtsein. Der ewige Gott, der am Kreuze in der Zeit offenbar wird, hebt uns durch den Geist des Gekreuzigten jederzeit empor aus dem Leid in die Freude, aus der Zeit in die Ewigkeit. So ist es ein Merkmal der Ewigkeit, daß auch das Zukünftige gegenwärtig wird. Wir brauchen nicht im Sinne der Sekten den Blick nur auf die Zukunft starren zu lassen und in weltschmerzlichem Pessimismus die Gegenwart zugunsten des Kommenden aufgeben. Sondern wir dürfen in der Gegenwart die Zukunft fest umfassen. Das Begehren nach neuem Geist hat noch immer ungesunde und unheilige Folgen gehabt. Der Heilige Geist dagegen wirkt in dem in Christo ein für allemal Gegebenen. Indem wir den Gekreuzigten haben, haben wir zugleich den, der „kommen wird". Indem wir den Unsichtbaren sehen, haben wir den, der einst sichtbar werden wird. Und das Band zwischen Gegenwart und Zukunft, zwischen Sichtbarem und Unsichtbarem ist der Geist, der an den Leib des Gekreuzigten gebunden ist. Wir warten auf keine neue Geistesoffenbarung. Unsere Freude ist, daß wir alles gegenwärtig „haben" im Glauben (2. Kor. 6, 10). Diese Gegenwärtigkeit des Heils kann man nur behalten, wenn man in einer Gemeinde des Heils steht. Diese Gemeinde ist immer im Warten, weil sie im Glauben ist. Aber ihr Warten ist der Erfüllung absolut gewiß. Die Zukunft ist ein Bestandteil ihrer Gegenwart. Diese Gewißheit

---

[1] Vgl. „Das andere Ufer". Predigt von Schloßpfarrer Konsistorialrat Würkert. Stettin 1919.

gibt der Kirche ihre sieghafte Weltüberlegenheit. Des Vertröstens auf die Zukunft ist die Welt satt und übersatt. Die Offenbarung wirklichen gegenwärtigen Besitzes ist das einzige, was sie noch locken kann. Diese Lockung dürfen wir freudig anwenden und die Welt für Gott gewinnen, weil Gott uns selbst gewonnen hat. Wir Christen haben die Gewißheit: Gott hat seine Welt nicht zu Strafe und Leid, sondern zur Freude geschaffen. Ein freudloses Christentum ist eine Lästerung Gottes und des Kreuzes Christi. Die reine kindliche Freude an den natürlichen Gaben und Genüssen dieser Erde ist echt christlich, wenn sie in Schranken gehalten wird durch die männliche Einsicht in die Vergänglichkeit alles Irdischen. Diese Einsicht ist keine Störung, sondern eine Vertiefung der Freude. Denn wenn der Vater des Gekreuzigten, der Macht und Recht hat, uns alles zu nehmen, uns alles schenkt (Röm. 8, 32), können wir seine Gaben um so freudiger mit Danksagung genießen. — Aber noch tiefer ist die Freude, die aus Leid und Dunkel quillt, die „aus Schmerzen geboren wird". Sie steht über den Schauern der Vergänglichkeit. Sie reicht bis an die Perlentore der Ewigkeit. „In dem allen überwinden wir weit um deswillen, der uns geliebet hat." Das ist die Überwinderfreude, die uns in unserm eigenen Kreuz den Vorschmack der ewigen Seligkeit vermittelt und deren Geist allzeit vom Kreuze ausgeht. Der Geist ist da! Die Freude ist da! Wir sollen sie nicht erst aus uns selbst produzieren, sondern sie uns ständig schenken lassen zu köstlichem Besitz. Wir wollen es den freudehungrigen Menschen unserer Zeit immer wieder zeigen und vorleben, daß wir mitten in einer verlorenen Welt eine Gemeinschaft der Freude sind. Auch die Leidens= und Sterbensgemeinschaft, zu der die Kirche des Kreuzes wieder werden wird, wird eine Gemeinschaft der Freude sein. Denn sie öffnet uns den Zugang zur ewigen Freude. Mag das Leid sich oft genug in die Einsamkeit zurückziehen, die Freude kann nicht einsam bleiben; die Freude mag und will sich nicht allein freuen; sie sucht stets Genossen der Freude. Diesen Sozialismus der Freude stellt die Kirche Christi dem öden, freudlosen Sozialismus des Hasses gegenüber, um ihn siegreich zu überwinden.

Wenn einst alle Bande, die die Menschen aneinander ketten, reißen, wird ein Band bleiben für Zeit und Ewigkeit: das Band der Liebe und Freude, das sich vom Kreuze aus um begnadigte Sünder schlingt.

**Literarische Anmerkung.** Zur weiteren Ausführung dieser „staurozentrischen Theologie" sei noch auf folgende Literatur verwiesen (Gesperrtes ist von mir gesperrt): Heinzelmann: „Das Wesen der Religion im Lichte des Kreuzes Christi" (N. kirchl. Ztschr. XXII, 1911, Heft 10, S. 797 ff.), wo der Verf. sich mehrfach auf Kähler beruft (S. 801. 802. 807. 808. 811. 816) und u. a. folgende bedeutungsvollen Sätze sagt: „Hier kann es nun kein Zweifel sein, daß für den Bekenner einer andern Religion, etwa des Buddhismus, das Kreuz als das spezifische Symbol des Christenglaubens gilt. Es ist die Religion des Kreuzes, die von Europa her die Erde durchwandert. . . . Hier wird immer wieder darauf hingewiesen werden müssen, daß der Glaube ans Kreuz in den entscheidenden Wendepunkten der Geschichte christlicher Frömmigkeit mit frischer Kraft durchgebrochen ist" (S. 800 f.) Der Christ „erkennt in dem Leiden Christi seine eigene Strafe", zugleich aber auch die rettende Gnade. „Das ‚Gott von Ewigkeit für uns' (Kähler) erfährt er nirgends so wie am Kreuz" (S. 811). „Das Kreuz mit seiner großen Paradoxie von Gnade und Gericht steht als einzigartige Tatsache in der Weltgeschichte da" (S. 813). Als solche ist sie „unerfindbar". An dieser Tatsache scheitern alle Versuche, „die Religion illusionistisch zu entwerten" (S. 815 f.). Nur das Kreuz befriedigt das „Sensorium für wirkliche Religion" (S. 818), und bringt alle andren Religionen zur Vollendung (S. 819 ff.). Zugleich ist es der notwendige Abschluß der israelitischen Religionsgeschichte. „Es wäre ganz undenkbar, daß das Kreuz auf einem der Berge Roms oder vor den Toren Pekings errichtet werden konnte und gleicherweise die Menschheit zur wahren Religion geführt hätte" (S. 821). Das Judentum entwickelt sich entweder zum Kreuze hinauf, oder es sinkt herab. Eine höhere Entwicklung gibt es nicht. „Die Gewißheit der mit dem Kreuzeserlebnis erreichten Gottesnähe und persönlichen Befreiung . . . . kann nicht entwickelt und überboten werden, weil ein Verhältnis überhaupt keine entwicklungs=, sondern nur eine veränderungsfähige Größe ist" (S. 823). Dies unüberbietbare und zugleich irrational tatsächliche Verhältnis besteht darin, „daß Gott einerseits in der Gebundenheit menschlichen Wesens, andrerseits zu dessen Erlösung mit uns in Beziehung tritt". Von dieser Kreuzestatsache aus wird das Phänomen der Religion und der Religionen verständlich (S. 824).

Für diese, aus den modernsten religionsgeschichtlichen Problemen erwachsenen Gedanken Heinzelmanns findet man reiches Material schon in dem alten, aber noch nicht veralteten Werk von Zöckler: „Das Kreuz Christi", Religionshistorische und kirchlich=archäologische Untersuchungen. Zugleich ein Beitrag zur Philosophie der Geschichte. Gütersloh 1875. Hier wird das Kreuz und die Kreuzigung vom alttestamentlichen תָּלָה (Esth. 7, 10 = σταυρόω) bis zu den Grausamkeiten der Punier zurückverfolgt und Ciceros Charakterisierung angeführt als: servitutis extremum summumque supplicium sive crudelissimum taeterrimumque supplicium. Die Form des Kreuzeszeichens wird religionsgeschichtlich bei fast allen Kulturvölkern nachgewiesen, und die Bedeutung des Kreuzes als Zentrum des Glaubens in großartigen kirchengeschichtlichen und praktisch=theologischen Quellenuntersuchungen dargestellt. Besonders eingehend wird Luthers Kreuzestheologie, Melanchthons Leidenstheologie und Calvins tiefgründiges Denken über Kreuz und Leiden zur Geltung gebracht. Dabei taucht unter dem Kreuz von einst das Kreuz der Gegenwart und Zukunft immer wieder empor. „Hinter den Kulturkämpfen von heute stehen hohnlachend und ingrimmig knirschend die der Zukunft. ... Die mehr als ingrimmige Kreuzesfeindschaft der nach Hunderttausenden zählenden Männer der Internationale ist ein Faktor, mit dem der christliche Politiker unsrer Tage notwendig zu rechnen hat" (S. 372 f.). Demgegenüber soll der Protestantismus die gloria crucis und ignominia crucis in eins erfassen und zur energischen Ziehung der im Rechtfertigungsprinzip unsrer Kirche beschlossenen praktischen Konsequenzen kommen (S. 385). Den Schluß der Zöcklerschen Gedanken bildet ein Abschnitt über „die irenische, einigende Bedeutung des Kreuzes und die Spenersche Hoffnung auf bessere Zeiten". Das Beste und Tiefste, was Zöckler über das Kreuz zu sagen hat, ist auf S. 95 u. 97 in folgenden Worten zusammengefaßt: „Aller Fluch und Segen, alles Todeselend und alle Lebensherrlichkeit, die durch die vorchristliche Menschheit ausgebreitet gewesen, erscheinen in dem Kreuze auf Golgatha konzentriert zum wundervollsten Gebilde der religiös-sittlichen Entwicklung unsres Geschlechtes. In dem hochragenden Panier des Heils, das den Juden ein Ärgernis ist, den Heiden aber eine Torheit, sehen wir die beiden während der vorhergehenden Jahrtausende in beharrlicher Trennung nebeneinander herlaufenden Linien des menschlichen Sündenverderbens und des göttlichen Gnadenrufs mit einem Male sich schneiden. Sie schneiden sich in schroffer, scharfer Gegeneinanderkehrung und mit solch gewaltiger Wirkung, daß die schwarze Linie des Sündenfluchs durch die leuchtende Linie des Heils ins Herz getroffen und tötend durchbohrt wird. Der heilspendende Lebensbaum, nach welchem die Sehnsucht aller Völker seit Jahrtausenden gestanden, und der unglückschwangere Giftbaum der Erkenntnis, vor dessen Pfeilen sie gezittert und unter dessen Todesschatten sie geseufzt hatten: sie erscheinen hier auf wunderbare Weise in eins gebildet, und über dem blätterlosen und kahlen, aber selige Hoffnung des Heils ausstrahlenden Gebilde steht mit Flammenschrift göttlicher Offenbarung geschrieben: Der Tod ist verschlungen in den Sieg!

... Aber in dem Kreuz auf Golgatha erscheinen allerdings Lebensbaum und Erkenntnisbaum zu einer tiefbedeutsamen urbildlichen Einheit zusammengefaßt; und auf dieser Einheit beruht es, daß die Religion des Kreuzes beides in absoluter Fülle und Vollkommenheit darbietet: einen theoretischen Wahrheitsgrund von der höchsten Festigkeit und eine sittlich erneuernde Wirkung von wunderbarerer Art und Kraft als jede andre Religion. Auch schon der allgemeingeschichtsphilosophischen oder ästhetisch-kulturgeschichtlichen Betrachtung erscheint deshalb das Kreuz des Heilands als „die Achse für die Geschichte der Welt wie für die Geschichte der Seele", und er selber als „die Kopula, die verbindende Mitte ..." Er „der Reinste unter den Mächtigen und der Mächtigste unter den Reinen, der mit seiner durchstochenen Hand Reiche aus der Angel, den Strom der Jahrhunderte aus dem Bette hob und noch fortgebietet der Zeit, er ist und bleibt der Mittelpunkt aller Geschichte und alles geschichtlichen Lebens und Erkennens."

Diese weltgeschichtliche Bedeutung des Kreuzes ist neuerdings von Bachmann geradezu auf unser gegenwärtiges Geschichtserlebnis angewandt worden. B. schreibt in der N.-K.-Ztschr. XXIX, 1918, 6, S. 287 ff.: „Kriegsgedanken zur Dogmatik". Folgendes sei daraus angeführt: „Immer also und überall sehen wir Natur und Menschheit am Werke, arbeitend, leidend, opfernd, um den Weg zum geschichtlichen End= und Hochziel zu wandern, in schwer errungenen Fortschritten sich ihm allmählich zu nähern.

... Wie verhält sich zu diesem Grundgesetze der Geschichte die frohe Botschaft, das Evangelium vom Reiche Gottes und der Erlösung durch Jesum Christum? Aus Gnaden, als reines Geschenk, ohne alle Bedingung menschlicher Leistungen und Werke wird hier eine Gabe dargeboten, in deren Erfassung jeder Mensch und das ganze Geschlecht das Höchste erreicht, seine geschichtliche und seine übergeschichtliche, seine ewige Bestimmung verwirklicht. Dort also das Gesetz eines langsamen Aufstiegs in eigenem Werk und Mühe, hier das Prinzip freier, schenkender Gnade, unter Verzicht auf alles Selbsterarbeitete, Selbsterkaufte. Vielleicht ist es dieser Gegensatz, aus dessen unbewußter Empfindung heraus so manchem das Christentum als etwas Unorganisches, Disparates am Leben der Menschheit erscheint. Was vor dem Verstande sich **kreuzt** und hemmt, ja aufhebt, das lebt in der Wirklichkeit ineinander und füreinander, das macht geradezu das Wesen der Wirklichkeit aus. Daß die Menschheit unter dem Gesetz der Arbeit, des Kampfes, des Opfers steht und doch dazwischen Großes, Größtes, Entscheidendes ohne alles eigene Zutun und umsonst empfängt, das kommt eben daher, daß sie nicht allein, sondern daß Gott bei ihr ist" (S. 290 ff.) Aus diesen Gedanken ergibt sich für B. eine Bedeutung des Leidens Christi, die im Anschluß an Paulus ganz auf die inklusive Stellvertretung hinauskommt: „Christi Leiden bleibt einzigartig heilsbegründend, und doch wird die Wirkung, auf die es mit ihm abgesehen ist, erreicht erst durch ein Gesamtleiden seiner Gemeinde und durch das Berufsleiden seiner Boten. Die Menschheit Gottes kommt zu ihrem Ziele und vollendet sich kraft des Heilandsleidens des Herrn und doch zugleich kraft und inmitten des Leidens derer, die an ihr wirken, und derer, die zu ihr gehören. Es entsteht vor uns das Bild eines Endertrags, der aus mannigfaltigem und schwerem, um das Leiden Christi konzentriertem, aber kirchen= und menschheitserfüllendem Leiden hervorwächst (S. 300). Unbeschadet der Einzigartigkeit des Einsatzes, den Christus selbst leistet! (S. 301). Für uns mag Liebe zum Sünder etwas Selbstverständliches oder Leichtes sein; wir lieben ja im Sünder uns selbst. Für den innerlich der Sünde entgegengesetzten aber ist die Liebe zum Sünder immer zugleich Selbstüberwindung, Auflösung und Abtuung eines Gegensatzes, Kraft und Tat und Energie. ... Größer noch als alles, was jetzt geschieht, bleibt uns seine Tat, energievoller, leidensschwerer, wirkungsvoller, zukunftssicherer. Vielleicht ahnen wir diese Größe mehr, als wir sie verstehen. Ihrer zeitlichen und äußeren Quantität nach ist Christi Lebenstat auch wirklich etwas Einzelnes und Begrenztes. Aber ihrer innersten Qualität nach ist sie doch das Unbegrenzte, Allumfassende, das weltgeschichtlich Entscheidende" (S. 302).

Daß gegenüber diesen weltgeschichtlichen Zusammenhängen die Einzigartigkeit der heilsgeschichtlichen Tatsache erst recht klar hervortritt, wird wie von Zöckler und Bachmann, so auch von Paul Althaus festgestellt in seinem Aufsatz: Unser Bekenntnis zu der Heilsbedeutung des Todes Jesu (N.=K.Ztschr. XXVI, 1915, 1, S. 22 ff.): „Diese unvergleichliche Geschichte ist so geartet, daß schließlich alle menschlichen Spekulationen und theologischen Formeln an ihr zuschanden werden.

... Andererseits wird es kaum einer näheren Darlegung bedürfen, daß der Tod Jesu recht eigentlich den Herzpunkt des Evangeliums betrifft und darum im Mittelpunkte des christlichen Bekenntnisses steht. Denn das Christentum ist seinem spezifischen Wesen nach Versöhnungsreligion. Darin liegt seine unterscheidende Eigentümlichkeit gegenüber allen anderen Religionen. So hat es einst Luther mit großem Nachdruck geltend gemacht: ‚Dem Texte (Christus hat unsere Sünde getragen) bin ich darum sonderlich hold, daß er so dürre und gewaltig diesen Artikel setzet, und damit das ganze Neue Testament einsetzt und bestätigt; ja der einige Grund und Hauptpfeiler ist, darauf das ganze Evangelium gesetzet und gebauet ist, daß, wo dieser Artikel stehet, da stehen sie alle . . . und dies ist der Artikel, welcher einen großen, ewigen Unterschied macht zwischen aller anderen Menschen Religion auf Erden und zwischen der unsern. Denn allein die Christen glauben diesen Spruch und heißen allein daher Christen.‘ Damit spricht Luther ein einfaches und unbestreitbares historisches Urteil aus" (S. 22 f.)

Nachdem A. die modernen Einreden gegen die Versöhnungslehre abgewiesen und Jesu göttliche Sündenvergebung, die keine einfache Annullierung der Sünde ist (S. 41), als die entscheidende Grundlage der Versöhnung herausgestellt hat, kommt er zu dem Resultat: „Daß Jesus allenthalben, in allen Lebenslagen, dem Willen des Vaters sich unterstellte, daß er in voller Beugung unter Gottes richtende Gerechtigkeit sich in den Gerichtszusammenhang begab, welcher zwischen Schuld und Strafe für die adamitische Menschheit zu Recht bestand, daß er selbst dann in seinem unbedingten Gehorsam nicht wankte und in seinem Vertrauen zum Vater nicht erschüttert wurde, als die Fluten des Schmach= und Fluchtodes über ihn hereinbrachen, das macht sein Sterben zum Sühnemittel. Aber dieser Tod ist für seine Person nicht widerwillig erlittenes Strafverhängnis, sondern freiwilliges Erleiden des Menschheitsgerichts in gehorsamer Hingabe an den Vater. Nicht also Jesus wird von Gott gerichtet, sondern die Menschheitssünde, die er auf sich geladen hat, wird in ihm gerichtet, indem sie an ihm nichts vermag" (S. 49 f.). In Christi Tat sind alle zu einer „Einheit zusammengefaßt, welche einst durch ihn zu Gott kommen und Glieder seines Reiches werden. Darin liegt für Gott die Möglichkeit, sie auch wirklich in Christus zu be=handeln und den Gehorsam des einen ihnen aus Gnaden zuzurechnen." Die Heilstat „ist nach Gottes Heilswillen allen vermeint. Aber in ihrem Erfolge ist sie durch die sittliche Tat des persönlichen Zusammenschlusses mit Christus, dem Gekreuzigten und Auferstandenen, bedingt. Nur die, welche im bußfertigen Glauben durch das Kreuz Christi sich überwinden lassen; nur die, welche gewillt sind, in die Nachfolge seines heiligen Gehorsams einzutreten und forthin in ihm Gotte zu leben, empfangen Anteil an dem Versöhnungsopfer Christi. . . So=lange es noch heilsverlangende Menschenherzen gibt, die unter der Last ihrer Schuld und der harten Wirklichkeit der Sündenmacht nach Vergebung und Er=lösung schreien, so lange wird auch das Kreuz Christi die Zufluchtsstätte für sie bleiben. . . . Fürwahr, wir würden dem Evangelium das Herzblatt ausbrechen, wollten wir das Bekenntnis von dem Versöhnungstode Christi fahren lassen. . . . Die Versöhnung durch den Tod Jesu Christi ist der Quellpunkt aller evangelischen Heilserfahrung, darum bleibt sie auch der Mittelpunkt alles evangelischen Heilsbekenntnisses" (S. 50 f.).

Das Bekenntnis zu diesem Versöhnungsopfer Christi ist aber auch der Einigungspunkt der beiden getrennten christlichen Konfessionen. Die katholische Schrift Anselms (Anselmi Cantuariensis archiepiscopi Libri duo: Cur Deus Homo. Recensuit O. Fridolinus Fritzsche Ed. tertia Turici MDCCCXCIII vgl. bes. II, 6, S. 63 f.: Quod satisfactionem per quam salvatur homo non possit facere nisi homo deus) und das katholische Erbauungsbuch „Die Nachfolge Christi" von Thomas a Kempis (mit Zugrundelegung der Goßnerschen Übersetzung herausgegeben von Dr. W. Ebert. 6. Aufl. Hannover 1894, vgl. besonders das 12. Hauptstück, S. 88: Das Kreuz — der Königsweg zum Himmel) — beide Bücher gehören zu den unveräußerlichen Schätzen auch der evangelischen Kirche. Außerdem lassen sich aus der Gegenwart mehrere literarische Beispiele dafür anführen, daß das Kreuz die beiden Konfessionen über alle Gegensätze hinweg vereint: die Vorträge des Straßburger Professors Albert Ehrhard über „Das Christusproblem der Gegenwart", Mainz 1914, vgl. besonders Nr. 5, S. 92 ff.: Christus der Welterlöser, wo der Verf. sich mit uns in dem „Haupt voll Blut und Wunden" vereinigt und im Kreuz die entscheidende Frage gelöst findet, „ob die Menschheit dazu verurteilt ist, für das religiöse Leben, das sie nicht von sich werfen kann, ohne sich selbst wegzuwerfen, immer neue Orientierungen zu suchen und immer wieder zu verbrennen, was sie angebetet hatte.... Wir verneinen diese Frage und halten fest an dem Glauben, daß das wahre religiöse Leben der Menschheit untrennbar an Christus gebunden ist" (S. 115). Noch mehr Berührungspunkte zwischen beiden Konfessionen finden sich in dem Buch von Dr. Engelbert Krebs: Heiland und Erlösung, 6 Vorträge über die Erlösungsidee im Heidentum und Christentum, Freiburg 1914, besonders unter Nr. 5: Die Erlösungstat Christi: „Nicht mehr der wonnetrunkene Liebesakt des ewigen Sohnes, der von keinem Hindernis weiß und kein Dazwischen kennt, ist jetzt Vorbild für die neue Hinkehr der abgeirrten Menschenseele zu Gott; sondern der blutschwitzende Menschensohn im Ölgarten, der mit der Schwäche seiner Natur ringende, vor dem Leiden und Tod schauernde und dennoch in der Liebe und im Gehorsam aushaltende Schmerzensmann ist der neue Typus für die Menschheit: „Vater, nicht mein Wille, sondern der deine geschehe!" (Luk. 27, 42.)

... „In diesem unter tausend Qualen übers Herz gebrachten Worte liegt Gott gegenüber jene Sühne ausgesprochen, die all unsere Sünde aufwiegt und uns Gottes Gnade und Kraft wieder zuströmen läßt; in diesem selben schmerzensreichen und doch so erhebenden Worte liegt für uns die Erlösung aus aller Not, aus Sünde und Leid und Unglück und Tod. Denn wenn der mit Christus vereinigte Mensch aus liebendem und gehorsamem Herzen seinem Erlöser dieses Wort nachspricht, so fällt durch diese seine Vereinigung mit dem sühnenden Erlöser alle Sünde in ihm dahin, sein Wille wird gottförmig und gut; die sittliche Not ist gehoben, und zugleich wird ihm in diesem Worte das Tragen der Folgen der Sünde leicht: er nimmt die übrigen Notstände alle, wie immer sie heißen mögen, gerne als Buße für begangene Sünden oder als Prüfsteine für die Liebe hin" (S. 106 f.).

„Nun ist das Himmelreich ihm wieder geöffnet, d. h. keine Buße und Strafzeit trennt ihn mehr vom Eintritt in den Himmel" (S. 119). Daß wir diese Gedanken nur in dem Sinne bejahen, der jede eigne Werkgerechtigkeit ausschließt und die ganze Rechtfertigungsgnade zur Entfaltung kommen läßt, sei allerdings noch besonders betont. Das Hinfallen der Sünde, die Gottförmigkeit und Güte unsers Willens, sofern er in Christo ist, bleibt für uns stets verbunden mit dem Bewußtsein eigener Unfähigkeit, Unwürdigkeit und Verlorenheit. Aber das hindert uns nicht, jenen Gedanken so weit zuzustimmen, wie sie schriftgemäß sind.

Diese Zustimmung geht am weitesten dort, wo es sich nicht um theologische Formulierungen, sondern um erbauliche Umschreibungen der Kreuzesgnade handelt, wie in den weithin auch bei uns wirksam gewordenen Büchern des Bischofs Keppler: „Mehr Freude" (neue Ausgabe, Freiburg 1914), „Leidensschule" (Freiburg 1916): „Gewiß, das Kreuz mit seinen scharfen Linien, der kahle, entlaubte, entästete Baum mit den zwei abgehackten Armstümpfen ist auf den ersten Blick gar freudlos und trostlos anzusehen. ... Der Anblick des am Kreuze hängenden Schmerzensmannes weckt ja freilich zunächst keine Freudengefühle. Aber doch ist ein Urquell und Grundquell der Freude der Glaube und die Glaubensgewißheit: der Gottesheld, der am Kreuze verblutet, stirbt kämpfend gegen die grimmigsten Feinde des Heiles und der Freude, stirbt kämpfend und siegt sterbend. Das Kreuz wird zum Siegeszeichen, also zum Freudenzeichen. .. Der harte Stamm trägt Blüten und Früchte, aus der Dornenkrone sprießen Rosen" (Mehr Freude, S. 90 f.). „Christus erlöst durch Leiden und erlöst das Leiden. Er legt ... eine Erlösungskraft ins Leiden hinein. ... Für die Seinigen hat er das Leiden nicht abgeschafft, aber er hat es umgeschaffen in eine wirkliche Kraft, in eine lebenbejahende, lebenvermittelnde Macht. ... Die Nachfolge Christi ... ist nach der ausdrücklichen Erklärung des Heilandes (Matth. 10, 38) hauptsächlich Kreuzesnachfolge. ... ‚Einmal im Leben muß jeder rechte Mensch zu den Übeltätern gezählt werden', sagt Hilty. Es wäre kein gutes Zeichen, bliebe man ganz unbehelligt. ... Nimm jedes Leid zum Anlaß, einen recht tiefen Blick in dein Inneres zu werfen. Entdeckst du hier den unterirdischen Zusammenhang zwischen eigner Schuld und diesem Leiden...., dann hat das Leiden dir schon einen großen Gewinn gebracht. ... Als Schuldleiden hat Christus seine Passion auf sich genommen, und aus der Folge der Schuld die Sühne für die Sünde bereitet. Wir sollen uns auch hierin ihm anschließen. ... Was tun in solchen herben Seelenleiden, ... die selbst euch Leidgewohnte an den Rand der Verzweiflung treiben? .... Auch dieses Leiden findet Anschluß und Trost in Jesu Passion. Sein Verlassenheitsruf am Kreuze läßt erkennen, daß er, Gottes eingeborner Sohn, auch den brennenden Schmerz der Gottesferne selbst vorkosten wollte, zum Vorbild und zum Trost für alle, die ähnliches zu leiden haben. ... Große Heilige haben oft furchtbar und lange gelitten unter diesem Seelenleiden; aber sie bezeugen auch, daß sie gewöhnlich die Vorboten großer Gnaden und Tröstungen gewesen seien... Das Kreuz beherrscht seit der Stunde von Golgatha die ganze Leidenswelt" (Leidensschule §§ 142 ff. 215 ff. 229).

Evangelische Schriften über Kreuz und Leiden sind neben dem oben erwähnten Hilty („Glück", „Für schlaflose Nächte" usw.) noch von folgenden Verfassern zu nennen: Johannes Eger: „Das Leid als Offenbarung Gottes", Leipzig 1913 (Das Leid als Strafe, als Erziehung, als Stellvertretung, Das Leiden der Natur, Das Ziel des Leides, Lieber mit Gott im Unglück, als ohne Gott im Glück); Dr. Bertling: „Das Leiden in der Welt", Berlin 1903; Roozemeyer=Disselhoff: „Die Wolke mit dem Silbersaum oder der Christ gegenüber dem Leiden auf Erden", Kaiserswerth 1910; Dr. Justus Köberle: „Das Rätsel des Leidens", eine Einführung in das Buch Hiob, 2. Aufl. 1914 (Bibl. Zeit= und Streitfragen I, 1); D. Mahling: „Unter dem Kreuz", Gedanken aus der Leidensgeschichte Jesu für stille Augenblicke in der Passionszeit des Kriegsjahres 1916; W. Michaelis: „Was uns Jesus zum Jammer des Krieges sagt" (Vier Vorträge: Jesus als Kämpfer, Jesus und die kommenden Weltkatastrophen, Gottes Schweigen zum Leiden Jesu, Jesus und sein eigenes Leiden), Bielefeld 1918; Karl Dunkmann: „Kreuz und Krieg" (Das Kreuz Christi im Licht des Krieges, das Kreuz Christi unsere Kraft im Kriege, das Kreuz Christi unsere Bewahrung nach dem Kriege), Herborn 1915; Gerhard Hilbert: „Krieg und Kreuz" (Der Krieg im Lichte des Kreuzes — das Kreuz im Lichte des Krieges), 2. Aufl., Schwerin 1915; Werner Picht: „Kreuz und Krieg", Furche=Verlag 1917, besonders hervor=zuheben die drei letzten Abschnitte: Der Kreuzweg der Leidenschaft, Das Herz der Welt, Friedefürst; E. Dowinckel: „Die Sittlichkeit des Schwertes und des Kreuzes", Reformation 1915, 6; Karl Dunkmann: „Das stellvertretende Leiden des Gerechten", Betrachtungen zur Kriegszeit, Reformation 1915, 7 ff.; P. Tribu=kait: „Ist Leid Strafe?" Eine Bußtagsbetrachtung im Kriegsheft der Evang. Freiheit, Januar 1915, 1, S. 5 ff. (Die Anschauung: „Leid ist Strafe" liegt aller Frömmigkeit im Blut, ist aber der Ausdruck der natürlichen Religion, wie sie ihre ernsteste Form in der alttestamentlichrn Frömmigkeit gefunden hat. Aber auf der Höhe des Neuen Testaments muß es heißen: Das Leid ist letzten Endes doch nicht Strafe, sondern Gnade. — Zu dieser kurzen und klaren Formu=lierung des Problems ist zu sagen: Auch für den Christen bleibt der sinnwidrige unnatürliche Charakter des Leidens bestehen, ja er wird gerade in Jesu Passion besonders offenbar. Insofern ist es ein Widerspruch gegen die Wirklichkeit, das Leiden als lauter Segen und Gnade anzusehen. Im Leiden liegt vielmehr Gottes strafende Reaktion gegen Sünde und Schuld. Auch die „Läuterung", die zur Verhütung künftiger Schuld dienen soll, ist verwachsen mit der vergangenen Schuld und darum von dem Strafbegriff nicht vollständig zu trennen. Aber unter dem Kreuz wird die Strafe allzeit überwunden durch die Gnade, das Unheil überwunden durch das Heil. Auf der wahren Höhe des christlichen Glaubens erfährt man Strafe und Gnade nicht als exklusive Gegensätze, sondern kommt durch die Strafe zur Gnade, durch die Buße zum Glauben.)

Abseits vom Kriegsleid liegen zwei Schriften, die in die Tiefe der theologischen Probleme hineinführen: 1. „Lohn und Strafe in ihrem Verhältnis zu Religion und Sittlichkeit nach neutest. Anschauung", von Friedrich Mahling, Bibl. Zeit= u. Streitfr. IX, 2/3, 1913. Hier wird der spezielle Strafbegriff nur auf die von außen „kriminell über den Schuldigen ausgesprochene Strafe" (S. 50), die nichts als Furcht auslöst (S. 7), eingeschränkt und in diesem Sinne für Reli=gion und Sittlichkeit abgelehnt. Dagegen wird ein anderer erweiterter und vertiefter Strafbegriff formuliert, „die Strafe besteht in dem Sich=Auswirken des Giftes, welches in der Willensuneinheit mit Gott, in der Herrschaft des Leibes über den Geist . . . liegt. Die Sache selbst trägt den Fluch, das Gericht, in sich" (S. 49 f.).

„Seligkeit — Verdammnis! Himmel — Hölle! Der dadurch bezeichnete Gegen=
satz ist nur der eine: Gottverbundenheit — Gottesferne! Die Willenseinheit mit
Gott trägt den Lohn in sich selbst, denn sie ist die Gottverbundenheit; die Willens=
uneinheit mit Gott trägt die Strafe in sich selbst, denn sie ist die Gottesferne.

Nicht um in den Genuß der Seligkeit zu kommen, soll der Mensch fromm
sein, und nicht um der Verdammnis zu entgehen, soll er das Böse lassen. Das
einzige Motiv des sittlichen Handelns ist die Ehrfurcht vor Gott. Aus ihr ergibt
sich alles andere" (S. 51).

Beide Strafbegriffe sind nicht so scharf zu trennen, wie sie von M. getrennt
werden, sondern sie sind eins in der Bezogenheit auf Gott. Gott straft teils von
außen, teils von innen heraus, und beides ist uns nötig. Denn der sündige
Mensch steht eben nicht auf der „Höhe sittlicher Reife", die M. voraussetzt, son=
dern er bleibt Gott gegenüber auf dem „Standpunkt des Kindes, das der Er=
ziehung bedarf" (S. 74), wie es M. selbst aus dem Hebräerbrief heraus ent=
wickelt. Außerdem aber muß im Sinne des Neuen Testaments klar ausgesprochen
werden, daß der Gott, der in dem Gekreuzigten den S ü n d e r begnadigt, zugleich
die S ü n d e mit dem Tode b e s t r a f t. Diese Strafe ist wirkliche Vergeltungs=
strafe, vor der sich auch der Christ im Sinne Luthers zu f ü r c h t e n hat: „darum
sollen wir uns fürchten vor seinem Zorn . . .". Dadurch wird nicht ausgeschlossen,
daß Gott einerseits in die Dinge selbst den Kausalzusammenhang von Sünde und
Sündenfolge = Strafe hineingelegt hat, und daß sich andrerseits die Strafe in
der subjektiven Gottesferne und Gottlosigkeit vollendet. Mandels Ausführungen
über den immanenten Gotteszorn (s. o.) gehören in diesen Zusammenhang. Daß
alle Schuld sich auf Erden rächt, ist ein ewiges, allgemeines Gottesgesetz und doch
zugleich im einzelnen Falle der Ausdruck einer b e s o n d e r e n göttlichen Straf=
wirkung, welche auf die einzelne persönliche Verschuldung auch persönlich reagiert.
Es liegt hier dasselbe Problem vor, wie im Vorsehungsglauben: Kann in dem
ein für allemal festgelegten Naturlauf der lebendige persönliche Gott wirksam
werden und sogar dem einzelnen durch Gebetserhörung und väterlichen Schutz
nahe sein? Muß diese Frage vom Standpunkt des christlichen Gottesglaubens
aus bejaht werden, so ist auch die nach der Vereinigung allgemeiner und be=
sonderer Strafen Gottes zu bejahen, und es wäre eine Verkürzung des Evan=
geliums, wenn man die göttliche Gebetserhörung oder die göttliche Strafe ledig=
lich auf subjektive Seelenvorgänge reduzieren würde. In einer „s t a u r o =
z e n t r i s c h e n Dogmatik" wären die Zusammenhänge zwischen diesen beiden
Kausalitätsproblemen zu prüfen und zu begründen.

2. „Die Predigt von Schuld und Sünde im Zusammenhang modernen Den=
kens und Wertens", von Th. Steinmann, Niebergalls prakt.=theol. Hand=
bibliothek, Bd. 15, Göttingen 1913. St. geht in der Ablehnung der „Strafe"
noch weiter als Mahling, besonders in der Beziehung auf den T o d: „Die Vor=
stellungen des Paulus aber von dem Tode als der unmittelbar selbst die
Schuldenlast noch bedrückender gestaltenden, von Gott gewollten und verhängten
Straffolge der Schuld werden wir nicht verwerten können. Der physische Tod
erscheint uns ja im Unterschied von den metaphysischen Theorien des Paulus über
seinen Einzug in die Menschenwelt als etwas mit der organischen Leibesexistenz
ganz und ohne weiteres natürlich Gegebenes. Daher ist es uns nicht mehr
möglich, das physische Sterbenmüssen unter diesem Gesichtspunkt zu betrachten

und in dieser Weise als eine Straffolge zu empfinden. Überhaupt vermögen wir nicht das physische Übel rein als solches — in diesen Zusammenhang aber gehört doch auch das Sterbenmüssen —, mechanisch und ganz äußerlich als Strafe der zürnenden Gottheit zu fassen, auch nicht das allerschwerste. Das alles wird Strafe erst durch die Art und Weise, wie es auf den schuldigen Menschen innerlich wirkt und wie er sich innerlich dazu stellt. Was sonst mit der physischen Existenz des Menschen Schweres und Niederdrückendes gegeben ist, bleibt ja auch für den Frommen, rein äußerlich betrachtet, wie es war, wird aber, ohne daß es deshalb aufhörte, eine Last zu sein, aus Fluch Segen" (S. 43 f.).

Diese geistvollen Worte über das Sterben halten aber an vielen Sterbebetten, an denen die ganze Unnatur und Gewaltsamkeit des Sterbens zutage tritt, nicht stand. Das von St. so nebenher gewertete Physische hat in Wirklichkeit eine viel furchtbarere Bedeutung, die von Paulus besser gewürdigt worden ist. Andererseits aber weiß St. „die Widerstände gegen die Predigt von Schuld und Sünde" sehr wohl zu würdigen und gibt darüber folgende wichtige Ausführungen (S. 82 ff.): 1. Der Widerstand des „Fleisches wider den Geist". 2. Widerstände auf seiten der geltenden Tradition. 3. Widerstände im modernen Bewußtsein, a) Das moderne Kulturbewußtsein, b) Das moderne Persönlichkeitsideal, c) Die Hinwendung zur materiellen Kultur und ihre Folgeerscheinungen, d) Das Bewußtsein der sozialen Gebundenheit und der naturwissenschaftliche Determinismus, e) Die Gottesunsicherheit unserer Tage. Über Art und Geltung der alten Sünden= und Versöhnungslehre gibt St. Gedanken, die zu ernster Selbstkritik des Glaubens nötigen: „Es gibt ein Armesündertum, das in der Tat sehr geeignet ist, die christliche Predigt von der Schuld mit Recht in Mißkredit zu bringen. . . . hierbei ist nicht etwa nur an die großen und auffälligen Heuchler zu denken, die auch diesem Stück des Geistigen nicht fehlen. Auch die vielen bloßen Mitläufer der überlieferten Wahrheit gehören hierher, die wohl in unbestimmter Stimmungshaftigkeit irgendwie so empfinden mögen, eben darin aber nur eine ganz äußerliche bloße Affektation von der Sache haben. . . . Derselben klaren Abgrenzung bedarf es aber auch vor einer in dieser Sache überlieferungstreuen Zuhörerschaft. Je mehr hier diese tatsächlich ja gar nicht selbstverständlichen und leichten Dinge in offizieller Geltung stehen, um so größer ist die Gefahr einer solchen stimmungshaften Scheinaneignung" (S. 85 f.). . . . „Hier hat das Aufdringerische sehr seine Gefahr, namentlich wenn es auf Gefühl und Stimmung geht. . . Es hat etwas ähnlich Ansteckendes wie andere sentimentale Stimmung. Es nimmt gar nicht den Weg durch alle Anstrengung des Willens und tiefe Erschütterung des ganzen innersten Wesens hindurch, sondern ganz von obenher kann ein Mensch da hineinkommen, wie einen wohl auch sonst allerlei Stimmungen so oder so überkommen mögen. Es ist eben anstatt eines wirklich sittlich begründeten ein allgemeiner Stimmungspessimismus. Selbst eine Frucht sittlichen Ernstes, sittlicher Verinnerlichung und sittlicher Wahrhaftigkeit, kann die Erkenntnis des fehlhaften und verschuldeten Ungenügens des eigenen Willens zum Guten unmöglich irgendwo zu allererst ganz vorne am Wege stehn, wie wir ihr denn auch tatsächlich gerade erst dort begegnen, wo ein lauterer und ernster Wille seine lange Arbeit getan hatte. So doch war es bei Paulus, Augustinus, Luther. Eben darum kann die innere Zustimmung dazu auch nicht ohne weiteres jeder=

mann zugemutet werden als eine Sache, die sozusagen auf der Hand liegt und mit raschem Besinnen zu finden ist" (S. 59 ff).

Trotzdem muß St. zugeben: „Es soll aber keineswegs geleugnet werden, daß auch die moderne Gedankenlosigkeit . . . gelegentlich durch jene alten Töne, wenn nicht unmittelbar zur eigentlichen Tiefe des dahinter stehenden Erlebens geführt, so doch wenigstens zu weiterem Suchen aufgeschreckt werden kann. Doch darf dazu jener Ton nicht allzu gewöhnlich werden" (S. 111, A. 1). Die von St. kritisierten Mängel der alten Sündentheorie werden überwunden, wenn man von der Allgemeinheit des Leidens ausgeht und zeigt, wie am Leiden tatsächlich jeder zum Sünder wird. Durch unsern Widerwillen gegen das Leiden wird auch das, was ursprünglich nur Prüfungs= und Bewährungsleiden ist, fortgesetzt zum Strafleiden, zur selbstverschuldeten Sünde. An der Unfähigkeit, Leid und Strafe zu tragen, scheitert gerade der sensible, nervöse Mensch der Gegenwart. Auch für ihn gibt es nur ein Heil: das Kreuz des Heilandes!

Ferner sind noch folgende neuere Schriften über das Kreuz erwähnenswert: „Das Kreuz von Golgatha", Passionsbetrachtungen von H. Dannert, 3. Aufl., Neukirchen 1909; „Christentum und Kreuz", ein Vortrag von Hermann Bezzel, Berlin 1912; „Das Kreuz Christi in Weissagung und Erfüllung", eine Auslegung von Psalm 22 und Jesajas 53 von Paul Ebert, Schwerin 1914; die Schrift von Metzger: „Das Kreuz Christi und das moderne Denken" war leider weder in der Greifswalder Bibliothek, noch im Buchhandel zu bekommen. Eine ausführliche Bibliographie der älteren Literatur über das Kreuz gibt Zöckler in seiner Monographie.

Aus der unübersehbaren Fülle der neueren Literatur sei noch herausgehoben der Vortrag von Reinhold Seeberg: „Die Person Christi der feste Punkt im fließenden Strom der Gegenwart" (gehalten auf der Achten kirchlichsozialen Konferenz 1903, veröffentlicht in der N.=K.=Zeitschrift XIV, 1903, Heft 6, S. 437 ff.): „Jesus Christus ist der feste Mittelpunkt der christlichen Religion, und die christliche Religion ist der Mittelpunkt unsres Lebens. Christus ist das Zentrum im Zentrum unseres Daseins. Als dies Zentrum hat er sich selbst hingestellt, so haben seine Apostel ihn verstanden, sei es, daß sie vom Kreuz Christi redeten, sei es, daß sie den Herrn im Himmel, der doch in unseren Herzen ist, priesen. Das eigene Leben wurde ihnen zum Abbild Christi: gekreuzigt und gestorben mit ihm und erstanden mit ihm" (S. 437 f.) Das hat die Kirchenlehre leider bald vergessen. Jedoch für Luther „war der persönliche Christus wieder der ‚feste Punkt'. Aber ... die Dogmatik vermochte nicht die von Luther erreichte Stellung einzuhalten. Wieder wurde Christus ... in die Schweißtücher von allerhand Theorien ... eingehüllt" (S. 441 f.). Seit Schleiermacher ist „der christozentrische Zug in der Theologie immer stärker geworden", und „jene von Schl. angeregten christozentrischen Tendenzen sind zusammengetroffen mit dem gekräftigten historischen Bewußtsein unserer Zeit" (S. 445). Der Realismus des historischen Christusbildes vermag auch die „Tendenzen, die der geistigen Herrschaft Christi widerstreben", zu überwinden (S. 447). Die moderne Persönlichkeitskultur hat nicht einmal „die Formel der Persönlichkeit zu finden" vermocht und reibt sich auf an ihrer eigenen Gegensätzlichkeit.

„Welche Gegensätze sind doch in dieser unserer Zeit vereinigt. Wir sind strenge Empiriker, und wir sind leichtgläubig bis zum äußersten. Wir sind Histo=

rizisten, aber wir lassen uns von den leersten Schlagwörtern imponieren, wenn sie
nur „modern" sind. Wir verachten alle Autorität, und wir schreien nach Autorität.
Wir sind durch und durch Individualisten, und wir sind ganz Sozialisten. Wir
sind hyperkritisch und lauschen doch auf die Stimme der Okkultisten und Spiri=
tisten. Wir seufzen unter dem Schuldbewußtsein, aber der heilige Ernst gegen
die Sünde fehlt uns." „In dieser Zeit soll Christus sich als den einzigen
festen Punkt bewähren" (S. 449 f.).

„In Christus vergibt Gott die Sünde, und nur in Christus. Dies grund=
legende Faktum muß uns irgendwie verständlich gemacht werden. Dies geschieht
aber, indem der Gehorsam Christi bis zum Kreuze als die von Gott geordnete
und anerkannte Sühne für unsere Sünde verstanden wird. Man kann über die
Fragen nach der Stellvertretung Christi, der Heilsbedeutung seines Leidens, dem
Opfer seines Todes, dem Sinn seiner Sühneleistung mancherlei und verschiedene
Theorien aufstellen. Schon die neutestamentlichen Schriftsteller haben hiermit
einen Anfang gemacht. Die Hauptsache, daß das Kreuz Christi erkannt wird als
das Mittel, durch das Gott uns der Vergebung unserer Sünden gewiß macht,
wird davon nicht berührt. . . . Uns handelt es sich darum, zu zeigen, wie
Christus der „feste Punkt" auch in dem Leben der Gegenwart werden könne.
Das wird geschehen, sofern er erkannt und verkündigt wird als Herr der Geister,
der uns alles Gute gibt und alles Böse vergibt. Dies ist aber nicht anders
möglich, als so, daß die persönliche Gottheit Christi, seine fortdauernde geistige
Gegenwart und Wirksamkeit und die Wirklichkeit seines Sühnewerks anerkannt
werden" (S. 455).

„Er ist Leben, Macht, Kraft, Autorität. Er gibt der Zeit und ihren müden
und nervösen Kindern, was sie brauchen. Darum zurück zu dem Christus Luthers,
des Athanasius, der Apostel! Dieser Christus selbst wird uns helfen, nicht aller=
hand vermeintlich „biblische" Theorien und theologische Gedankenketten, mit
denen man ihn umgibt oder fesselt. Er ist der Erretter auch unserer Zeit.

Mit dieser Gewißheit im Herzen wollen wir schließen mit dem herrlichen
Bekenntnis des Paulus: Ich schäme mich des Evangeliums von Christus nicht.
Warum denn nicht? Etwa weil es so gedankenreich, so tiefsinnig, so rationell,
so sozial ist? Nein, nicht deshalb, sondern weil es eine Kraft Gottes ist
zur Errettung für jeden, der glaubt. Das Evangelium, das wir meinen, ist die
allmächtige Liebesenergie Jesu Christi" (S. 457).

Diese Seebergschen Worte sind in dem Sinne zu bejahen, daß das Kreuz
der Träger der allmächtigen Liebesenergie Jesu Christi ist. Es gibt keine
Energie, ohne einen Träger der Energie. Das Kreuz ist das Energiezentrum
des Glaubens, die Kreuzestat das Energiezentrum des Geistes. So wird die
reale Energie der Sünde und Gottesfeindschaft durch eine reale stärkere Energie
überwunden, die nicht aus dem sündigen Menschengeist stammt, sondern ganz
Gottes schöpferische, königliche Tat ist. In ihr hat der neue heilige Geist inner=
halb der Menschheit Wohnung gemacht und ihr das wahre Zentrum gegeben.
Der menschliche Geist bewegt sich innerhalb der Gegensätze Leben und Tod, Gut
und Böse, Wahr und Falsch, Freude und Leid. Dem haltlosen Schwanken
zwischen diesen Gegenpolen macht das Kreuz ein Ende und schafft durch der
Menschheit Sünde Gottes Heil, durch den Tod das Leben, durch Böses Gutes,
durch Falsches die Wahrheit, durch Leid die Freude. So sieht der auf sich selbst

gestellte Menschengeist am Kreuz immer wieder die Verurteilung seines eigenen Wesens und erfährt zugleich das Auferstehen eines neuen Wesens aus Gott. Gottes Handeln — vorausgesetzt, daß es wirklich Gottes Handeln ist — ist nie **bloße Vergangenheit**, sondern schließt die ganze Zukunft ein. Aber Ziel, Sieg und Vollendung des göttlichen Handelns sind für alle Zukunft sichergestellt und „vollbracht" in der Kreuzestat des geschichtlichen Christus, die der Mittelpunkt der Weltgeschichte ist. **Wird die Person Jesu Christi vom Kreuze getrennt, dann geht sie unter im fließenden Strom des Menschengeistes.** Wird die Person Jesu dagegen mit aller Energie auf das **Kreuz konzentriert, dann ist und bleibt sie wirklich „der feste Punkt im fließenden Strom der Gegenwart".**

Die Gedanken der Seebergschen Geisttheologie berühren sich vielfach mit der modernen christozentrischen Predigt, die in **Rittelmeyer** ihren Hauptvertreter hat. Die tiefen Worte, die R. in seinen **Vaterunser-Predigten,** besonders zur 2., 3., 5.—7. Bitte, über das Leiden und Sterben Jesu sagt, können von der „Kreuzestheologie" ohne weiteres angeeignet werden. Aber allerdings gilt dabei die oben S. 92 gemachte Einschränkung. Die Lehre von der Person Jesu erhebt sich über eine bloße Anthroposophie zur wirklichen göttlichen Weisheit nur dann, wenn sie in Seebergs und Schaeders Sinn vom Geiste Gottes erfüllt, und in Kählers Sinn an die vollendete geschichtliche Tatsache des Kreuzes gebunden ist.

Darauf kommt schließlich auch die neueste Dogmatik hinaus, die oben in der Auseinandersetzung nicht mehr berücksichtigt werden konnte, und aus der hier noch nachträglich folgende Sätze zitiert seien: Ludwig Lemme, Christliche Glaubenslehre. II. Bd. Lichterfelde 1920. „**Nicht Aufhebung des Gerichts oder Beseitigung der Strafe bedeutet die Versöhnung,** sondern Beseitigung des göttlichen Mißfallens am Sünder und ihre Ersetzung durch das Wohlgefallen am bußfertigen Sünder (Luk. 15). Hat Gott nach 2. Kor. 5, 19 durch seine **Immanenz in Christo** die Versöhnung der Welt mit sich vollzogen, so ist es eine unberechtigte Einseitigkeit, die Versöhnung (2. Kor. 5, 18) ausschließlich vom Tode Jesu Christi herzuleiten (S. 45). Indem Jesus in Darangabe der **ganzen irdischen Existenz,** also in Selbstverzicht auf das irdische Ich als solches die Selbsthingebung an den Vater in Form des Verzichts auf das Leben vollzieht, bringt er die Idee des Opfers auf seinen reinen, nicht mehr partiellen und symbolischen, sondern real-religiösen Inhalt. . . . Und indem in diesem im Vollsinne einigen Opfer Jesu Selbsthingebung nicht nur eine persönliche Tat ist, sondern die **Zentralpersönlichkeit,** welche die ganze zu erlösende Menschheit in sich befaßt, vollzieht er als einiger Hohepriester für diese das Sühnopfer, demgegenüber alle alttestamentlichen Sühnopfer zu schattenhafter Unwesentlichkeit herabsinken (S. 46). . . . Die Anselmsche Vorstellung von der Versöhnung als einem transzendenten Vorgang im Bewußtsein Gottes ist zu ersetzen durch die biblische Vorstellung eines geschichtlichen Heilsvorganges" (S. 48).

Daß in diesem geschichtlichen Heilsvorgang Gott selbst offenbar wird, ist das Entscheidende. Das hat endlich **Lütgert** mit besonderer Deutlichkeit herausgestellt in seinem Aufsatz: „Die Anbetung Jesu" (Beitr. z. Förd. chr. Theol. VIII, 1904, 4, S. 49 ff.), wo er zu dem Resultat kommt: „Die Anbetung Jesu . . . ist das Ergebnis seines **Kreuzes.** . . . Nur der Gekreuzigte bringt zu Gott" (S. 65).

# Vierter Hauptteil:
# Der Schriftbeweis des Kreuzes.

Die bisherige Untersuchung hat sich fortgesetzt von der Schrift leiten lassen. Aber es sind nun noch die wichtigsten Hauptgedanken der einzelnen biblischen Schriftkreise zusammenzustellen, ohne daß dabei der Anspruch auf erschöpfende Wiedergabe des unerschöpflichen Schriftinhalts gemacht wird.

### a) Hebräerbrief, 1. Petrusbrief und Jakobusbrief.

Der **Hebräerbrief** wird vorangestellt, weil hier das Opfer am deutlichsten im Mittelpunkt steht. Das Opfer Jesu läßt sich nach dem Hebräerbrief auf die einfache Formel bringen: Jesus hat seinen Leib (10, 5—10) durch den ewigen Geist (9, 14) Gott geopfert. Damit wird sein Tod aus dem Gebiet des sachlichen Tieropfers (9, 13) in die Sphäre persönlicher Geistestat erhoben, an der auch das Fleisch seinen Anteil behält (5, 7—9; 2, 10). So bekommt es die Wirkung auf unsere geistige Persönlichkeit, zur Abwehr der Versuchung (2, 17 u. 18; 4, 15 vgl. 7, 26; 5, 2), zur Reinigung des Gewissens (9, 14. 22; 13, 18), zur Vergewisserung des Glaubens (10, 35—12, 2), zum Ertragen der göttlichen Strafen (12, 4—17), zur Weckung der Hoffnung, die über den sichtbaren Schmachzustand hinaus das himmlische Jerusalem schaut (12, 18—13, 14 vgl. 10, 23). Unser Tun wird dadurch selbst zum Opfer (13, 15 f.), während alle andern Opfer abgeschafft sind (10, 1—18). Der Neue Bund (8, 8 ff.) löst den Alten ab, und die ganze Offenbarungsgeschichte kommt zu ihrem Ziel (1, 1—2; 3, 2—6; 4, 1 ff.; 7, 1—28; 11, 1—12, 2). So ergibt sich das Opfer als persönliche und geschichtliche Heilstat, mit inklusiver Wirkung auf uns und übergeschichtlicher Wirkung auf Gott.

Auch im **1. Petrusbrief** liegt die Vereinigung des Opfers Christi (1, 19; 2, 24; 3, 18) mit der persönlichen Vollendung der

Gläubigen vor (2, 21—25; 4, 1. 13. 14). Die Schmach Christi wird hier zum Fluch des Gehenkten. Aber der verworfene Stein wird zum Eckstein (2, 6 ff.; 2, 24). Das Leiden wird zum freudigen Mitleiden mit Christo durch seinen Geist (4, 13. 14; 3, 17. 18), Die Christen werden selbst zu königlichen Priestern (2, 9), ihr Leben wird zum Opfer (2, 5). Aber das Gericht Gottes bleibt über ihnen (4, 17).

Petrus und der Hebräerbrief kennen beide eine doppelseitige Bedeutung des Todes Jesu. Bei Petrus ist Jesus zugleich das passive Lamm und der aktive Hirte, im Hebräerbrief zugleich das passive Opfer und der opfernde Hohepriester. Alfred Seeberg[1]) ordnet jedesmal die passive Bedeutung der aktiven unter und findet, daß der passive Tod Jesu nichts weiter ist, als das Mittel zum Zweck der Erhöhung und des aktiven Wirkens in der Erhöhung: „Die Sündentilgung geht nach petrinischer Auffassung nicht auf den Tod Christi als solchen zurück, sondern . . . auf den Erhöhten, der den Tod erlitten hat" (S. 294). In gleichem Sinne heißt es zusammenfassend von der Lehre des Hebräerbriefs: „Der Tod Christi für sich hat überhaupt keine Heilsbedeutung, sondern er ist nur das Mittel, dessen sich der Erhöhte bedient, um die Menschen des Heiles teilhaftig zu machen" (S. 116). Auch Hebr. 2, 17 ist nach A. Seeberg nicht auf die einstmalige Sühnung der Sünden im Tode, sondern auf die „fortgehende Sündenbedeckung seitens des himmlischen Hohenpriesters" zu beziehen (S. 102 f.).

Diese Auslegung wird für beide Briefe begründet durch die Beziehung auf das neue Leben des Christen, und in diesem Zusammenhange wird die alte Strafstellvertretung abgelehnt (S. 289 f.). Wenn Christi Leiden die Bedeutung hat, daß er die Strafe für die Sünden der Menschen gebüßt und die Menschen dadurch von der Strafe frei gemacht hat, dann kann diese einzigartige und einzig dastehende Sühne nicht zum Vorbild und zur Nachahmung (1. Petr. 2, 18—4, 4; Hebr. 12, 2 ff.), ja nicht einmal zur sittlichen Hilfe in den Versuchungen (Hebr. 2, 18; 4, 15 f.), dienen. Da aber dieser vorbildliche und helfende Charakter für die Verfasser beider Briefe an den angeführten Stellen gerade das Entscheidende ist, ist damit die Schriftwidrigkeit der alten Versöhnungslehre auch in dieser Beziehung erwiesen. Dies eingehend ausgeführt und begründet zu haben, ist das große Ver-

---

[1]) Der Tod Christi in seiner Bedeutung für die Erlösung. Leipzig 1895, S. 116.

dienst Alfred Seebergs, und wir schließen uns hierin seinem Resultat rückhaltlos an.

Aber eine andere Frage ist nun die, ob die von Seeberg selbst gegebene Auslegung als schriftgemäß befriedigt. Wenn die eigent= liche Bedeutung des Todes Jesu in seiner Erhöhung liegt, muß dann nicht derselbe Einwand geltend gemacht werden, den Seeberg gegen die alte Lehre geltend macht? Wird dadurch nicht auch der vorbild= liche Charakter des Leidens Christi aufgehoben? Als der Erhöhte ist er ja gerade nicht Vorbild, sondern über die Gleichsetzung mit uns hinausgehoben. Der Nachweis, daß die passiven Bezeichnungen wirklich den aktiven untergeordnet sind und geradezu von diesen aufgesogen werden, ist Alfred Seeberg nicht gelungen. In Wahrheit liegt der Sachverhalt so, daß das geopferte Lamm für die Menschen bei Gott, der opfernde Hirt und Hohepriester für Gott bei den Men= schen wirkt. Diese Doppelseitigkeit der Versöhnung ist ihr eigent= liches Wesen. Durch die aktive Betätigung des Hirten und des Hohenpriesters wird die passive Bedeutung des Opfers nicht auf= gehoben, sondern durch sie wird das Opfer vollendet. Der ent= scheidende Ton liegt auf dem Wirken Christi für Gott (1. Petr. 1, 3. 18—21; 2, 5. 19; 3, 15. 18; Hebr. 9, 14; 10, 7 ff.; 5, 7 ff.). Das einmal auf Golgatha vollendete Opfer des Leibes Christi ist unsre tatsächliche, über menschliche Erfahrung hinaus in Gott gegründete Versöhnung, die nichts weiter fordert, als Annahme im Glauben (Hebr. 10, 1—11, 6; 1. Petr. 1, 18—19). Das Anschauen des Ge= kreuzigten wirkt Kampfkraft und Leidenswilligkeit (Hebr. 12, 2—3; 1. Petr. 2, 21—4, 1). Dieser Glaube wird bewahrt allein durch Gottes Macht (1. Petr. 1, 5), die Christum aus dem Tode auferweckt hat (1. Petr. 1, 3; Hebr. 13, 20). Also die in Gott feststehenden voll= endeten Heilstatsachen des Todes und der Auferstehung Jesu sind es allein, die den Glauben und die Erfahrung begründen.

Im **Jakobusbrief** tritt die objektive Heilstat ganz zurück; aber um so deutlicher treten die gleichen subjektiven Wirkungen, wie im Hebräer= und 1. Petrusbrief hervor: das Leiden wird zum Lobgesang (5, 13); die Versuchung, sonst die große Not der frommen Israeliten, wird zur Freude (1, 2 ff.), zur Seligkeit (1, 12). Der Glaube wird als Lebensmacht erwiesen; er erzeugt die Werke (2, 17ff.), wie Gott den Christenstand erzeugt hat (1, 18). Auch der Christ wird gerichtet durch das neue Gesetz der Freiheit (2, 12). Aber dies Gesetz macht ihn zugleich selig (1, 25). Aus diesen gleichen Wir=

kungen kann mit Recht auf die gleiche Ursache, also auf das Werk des „Herrn der Herrlichkeit" (2, 1) zurückgeschlossen werden.

## b) Paulus.

Auch bei Paulus ist der Glaube Lebensmacht. Aber Pauli ganzes Interesse hängt daran, zu beweisen, daß diese Lebensmacht allein von dem Objekt des Glaubens ausgeht, nicht subjektives Verdienst ist. Das ist der Sinn seiner Kreuzes= und Rechtfertigungslehre. Die absolute Hingabe an Gott als das Geschenk der freien Gnade Jesu Christi füllt sein ganzes Leben aus. Nur der moderne Personalismus, der für absolute Hingabe keinen Sinn hat, konnte diese Tatsache verdunkeln und bei Paulus aus dem lebendigen Lebensinhalt des Kreuzes ein totes dogmatisches Denkprinzip machen, durch welches dann natürlich die quellende Lebensfülle der Evangelien erdrückt werden mußte. So entstand das Dogma von dem Gegensatz zwischen Jesus und Paulus, dem Gegensatz zwischen dem Wort des Lebens und dem Wort vom Kreuz. Dabei blieb es absolut unerklärlich, wie der Vertreter des toten, einseitigen Kreuzesdogmas zugleich das lebendigste und reichste Leben hat führen können, das je in dieser Welt gelebt worden ist.

Wenn man dagegen dieses Paulusleben sieht, wie es wirklich ist, dann erkennt man deutlich, daß es nichts ist aus sich selbst, aber alles aus der Kreuzes=Gnade Jesu Christi. Das Kreuz ist für den Apostel der Brennpunkt, in welchem alle Strahlen der in den Evangelien leuchtenden Sonne sich sammeln und zur Wirkung kommen. Er fühlt sich ganz und gar als ein Geschöpf dieser Kreuzesgnade. Der Gekreuzigte ist in allem der Gebende, Paulus in allem der Empfangende. Weil Jesus sich ihm gab, ist er ganz an Jesus hingegeben, und diese Hingabe ist kein Gebundensein an ein totes Prinzip, sondern schließt die beglückende Erfahrung lebendiger persönlicher Gemeinschaft ein. Doch es ist eine Gemeinschaft, die von dem modernen Persönlichkeitskultus weit entfernt ist. Ihr Inhalt ist weder die Vergötterung der Person Jesu, noch die Pflege des eigenen persönlichen Lebens. Ihr Inhalt ist allein: Gott! Das ist die Wirkung des Kreuzes.

Es wäre rein psychologisch nicht zu erklären, daß einer, der sich innerlich schon auf das Bekehrungserlebnis vorbereitet hätte, als entscheidendes Wort hören sollte, er sei ein Verfolger, ein Feind, nicht ein heimlicher Freund. Dagegen erklärt dies Wort sich

14*

sofort, wenn wir dem biblischen Bericht glauben, daß Jesus als objektive reale Persönlichkeit dem Paulus entgegengetreten ist und auf ihn eingewirkt hat, wie eben nur eine lebendige Person wirken kann. Paulus hat sich vor dem lebendigen Herrn bis in den tiefsten Grund seiner Seele geschämt. Die Beschämung war so tief, daß sie noch nach Jahren als lebendiger Eindruck in seiner Seele haftet (1. Kor. 15, 8—9; Phil. 3, 6; 1. Tim. 1, 15), und Röm. 5, 10 von ihm sogar zur Grundlage der Versöhnungslehre gemacht wird: $\grave{\varepsilon}\chi\vartheta\varrho o\grave{\iota}$ $\check{o}\nu\tau\varepsilon\varsigma$ $\varkappa\alpha\tau\eta\lambda\lambda\acute{\alpha}\gamma\eta\mu\varepsilon\nu$ $\tau\tilde{\omega}$ $\vartheta\varepsilon\tilde{\omega}$. Aber sie trübt nicht seine Freudigkeit, sondern wird ihm immer wieder zum Erkenntnisgrund für die beseligende Wahrheit: $\chi\acute{\alpha}\varrho\iota\tau\iota$ $\delta\grave{\varepsilon}$ $\vartheta\varepsilon o\tilde{v}$ $\varepsilon\grave{\iota}\mu\iota$ $\check{o}$ $\varepsilon\grave{\iota}\mu\iota$ (1. Kor. 15, 10). Das Entscheidende am Damaskuserlebnis des Paulus ist dies, daß es ihn und uns vor den objektiven lebendigen Herrn führt, der die Spuren des Kreuzes an sich trägt, der die Verfolgungen des Christentums persönlich als der Verfolgte auf sich bezieht,[1]) und vor dem man sich heute noch schämen kann. Als solcher hat er die Bekehrung des Paulus gewirkt. Indem der Herr sich ihm als der Verfolgte offenbart, erweist er seine Identität mit dem historischen Jesus. Ein himmlisches Geistwesen wäre über die Verfolgung erhaben und hätte überhaupt kein Interesse an dem Streiten der Menschen. Der erhöhte Christus aber steht mitten in seiner streitenden Gemeinde als siegverbürgender Mitstreiter, der fortgesetzt die Welt überwindet, weil er sie schon überwunden hat. Er macht es mit Paulus, wie er es mit seinem Kreuz gemacht hat: er macht aus dem Zeichen des Widerspruchs sein Siegeszeichen! Wenn man bei Paulus nach den Spuren des historischen Jesus sucht, dann findet man als leuchtendste Spur das Leben Pauli selbst. Paulus fühlt sich selbst als Siegeszeichen seines Herrn! Er erobert die Welt für den Gekreuzigten, weil er als die lebendige Verkörperung des Kreuzes durch die Welt geht: $X\varrho\iota\sigma\tau\tilde{\omega}$ $\sigma\upsilon\nu\varepsilon\sigma\tau\alpha\acute{\upsilon}\varrho\omega\mu\alpha\iota$ Gal. 2, 19 vgl. 6, 14. 17; Röm. 6, 3—6; 8, 17; 1. Kor. 15, 31; Phil. 3, 10; Kol. 1, 24; 2. Tim. 2, 8 f.

Aber trotz dieser starken Ausdrücke, mit denen Paulus den vollen Kelch seiner Kreuzesleiden (Erfüllung des Herrenwortes vom Kelch der Jünger) bezeichnet, ist kein Gedanke daran, daß er damit das

---

[1]) Vgl. Acta Johannis 103: „Laßt uns wachen, weil er auch jetzt um unsertwillen in Kerkern und Gräbern zugegen ist, in Banden und Gefängnissen, bei Beschimpfungen und Mißhandlungen, im Meer und auf dem Trockenen, bei Züchtigungen, Verurteilungen, Nachstellungen und Strafen. Kurz, er ist mit uns allen, und wenn wir leiden, leidet er auch mit uns.“

Kreuz Christi aus seiner einzigartigen Bedeutung verdrängen will: μὴ Παῦλος ἐσταυρώθη ὑπὲρ ὑμῶν (1. Kor. 1, 13). Vielmehr ist Sinn und Zweck aller Worte von Pauli Leiden die Verherrlichung des Gekreuzigten. Wenn er ἐν ἀσθενείᾳ καὶ ἐν φόβῳ καὶ ἐν τρόμῳ πολλῷ zu den Korinthern kommt, ist der Inhalt seiner Botschaft: οὐ γὰρ ἔκρινά τι εἰδέναι ἐν ὑμῖν εἰ μὴ Ἰησοῦν Χριστὸν καὶ τοῦτον ἐσταυρωμένον (1. Kor. 2, 2). Seine ganze Predigt faßt sich zusammen in den λόγος τοῦ σταυροῦ (1. Kor. 1, 18). ἡμεῖς δὲ κηρύσσομεν Χριστὸν ἐσταυρωμένον (1. Kor. 1, 23). Den Galatern κατ' ὀφθαλμοὺς Ἰησοῦς Χριστὸς προεγράφη ἐσταυρωμένος (Gal. 3, 1). Der Satz ἡμεῖς ἀσθενοῦμεν wird 2. Kor. 13, 4 damit begründet, daß Christus ἐσταυρώθη ἐξ ἀσθενείας. Die, welche Christo angehören, τὴν σάρκα ἐσταύρωσαν σὺν τοῖς παθήμασιν καὶ ταῖς ἐπιθυμίαις (Gal. 5, 24). Diejenigen aber, die den Wunsch haben, ἵνα τῷ σταυρῷ τοῦ Χριστοῦ μὴ διώκωνται (Gal. 6, 12), oder daß κατήργηται τὸ σκάνδαλον τοῦ σταυροῦ, sollen sich an das Beispiel des verfolgten Paulus erinnern (Gal. 5, 11), dessen ganzes Streben dahin geht, μὴ κενωθῇ ὁ σταυρὸς τοῦ Χριστοῦ (1. Kor. 1, 17). Ihm und allen σωζομένοις bleibt das Kreuz der Inbegriff der δύναμις θεοῦ (1. Kor. 1, 18).[1]

---

[1] Vgl. D. Adolf Deißmann: Die Kraft des Kreuzes. Altchristliche Enkomien (Chrysostomos). (Aus: „Die Hilfe", 1. April 1915).

„Und willst du wissen, Geliebter, die Kraft des Kreuzes,
Und welches die Worte sind zum Lobpreis des Kreuzes,
So höre:

Das Kreuz ist

Der Kirche Grundstein, der Apostel Botschaft,
Der Propheten Verkündigung, der Märtyrer Ruhm,
Der Einsiedler fromme Übung, der Jungfrauen Sittsamkeit,
Der Priester Freude.
Der Könige Majestät, der Welt Sicherheit,
Teufels Besiegung, Siegesmal wider die Dämonen,
Der Tempel Zerstörung,
Der Altäre Umsturz, des Opferduftes Verschwinden.
Der Juden Anstoß, der Unfrommen Verderben,
Der Ungerechten Richter, der Reichen Zügel,
Der Hoffärtigen Vernichtung,
Licht denen, die in Finsternis sitzen, der Gesetzlosen Gesetz,
Der Barbaren Menschlichkeit, der Sklaven Freiheit,
Der Ungelehrten Weisheit, der Liederlichen Bekehrung,
Der unrecht Leidenden Rächer, der Gerechten Pfeiler,

Diese Doppelseitigkeit des Kreuzes, daß es einerseits zum eigenen Erlebnis des Paulus wird und doch zugleich die eine objektive Heils=tat Christi bleibt, wird am besten durch den Opferbegriff aus=gedrückt. Allerdings darf dann das Opfer nicht in das enge rituelle Schema des Alten Testaments gepreßt werden, sondern wir kommen dadurch vielmehr zu einer Erweiterung und Verallgemeinerung des Opferbegriffs, wie sie durch Jesu Kreuz als persönliche, gottentstammte Willenstat geschaffen ist. Damit ergibt sich derselbe Opferbegriff, wie im Hebräerbrief (vgl. bes. 10, 7—10). So wird das Opfer Christi die absolute, von Gott selbst geschenkte Hingabe der Menschheit an den heiligen Gott. Es wird einmalige vollbrachte Tat Christi für Gott und zugleich gegenwärtiger Lebensinhalt mit inklusiver Be=deutung für den Christen. Die in der historischen Tatsache des Kreuzes vollzogene Hingabe wirkt und lebt fort in einem dauernden Hingegebensein, und die köstlichste Frucht davon ist Paulus selbst. Seine Hingabe fließt aus der Tatsache, daß Christus ihn an Gott hingegeben hat. Sein ganzes Leben ist ein Opfer, weil Christus in seinem Opfer auch ihn mitgeopfert hat. Unter diesen Zentralgedanken lassen sich tatsächlich alle seine Aussagen über das Heil in Christo zusammenfassen.

Wie der Glaube Israels und seiner Propheten immer und immer wieder auf die geschichtliche Tatsache der Erlösung aus Ägypten zurückkommt und darauf die Gottesgewißheit gründet, so kommt Paulus immer wieder auf die geschichtlich vollbrachte Versöhnung am Kreuz zurück und findet in ihr seinen Gott. Seine Theologie ist durch und durch Tatsachentheologie. Die Tatsache der von Gott

---

Der Seefahrer Steuermann, der Sturmumtobten Hafen,
Der Kriegsbedrängten Mauer,
Der Verirrten Weg, der Gedrückten Ausspannung,
Der Ratlosen Wohlergehen, der Verzweifelten Hoffnung,
Der Kraftlosen Kraft, der Kranken Arzt,
Der Blinden Wegweiser, der Lahmen Stab,
Der Gichtbrüchigen Schnürung, der Aussätzigen Reinigung,
Der Armen Trost, der Hungernden Brot,
Der Dürstenden Quell, der Nackten Decke,
Der Unmündigen Hüter, der Unmündigen Erzieher,
Vater der Waisen, Beistand der Witwen,
Der Männer Haupt, der Alten Vollendung,
Der Christen Hoffnung,
Der Toten Auferstehung."

trennenden Sünde (= Gottesfeindschaft) wird überwunden durch die Tatsache der Weltversöhnung. In 2. Kor. 5 kommt „für den Begriff *καταλλάσσειν* als entscheidend in Betracht, daß ihm zum Objekte die Welt gegeben und daß die Versöhnungswirksamkeit Gottes durch *ἦν* in den **historischen Christus** verlegt, mithin als eine in seiner Erscheinung abgeschlossene und also beendigte bezeichnet wird."[1]) Diese objektive wirkliche Herstellung der Gemeinschaft ist eben dadurch Tatsache geworden, daß das Hindernis, das zwischen Gott und der Menschheit stand: die Sünde, durch den Tod Christi (2. Kor. 5, 15 u. 21) beseitigt ist. Der Tod ist der Sünde Sold (Röm. 6, 23). Indem der Versöhner den Tod erlitt, hat er den Sold der Sünde erlitten. Dieser Sold der Sünde ist nach Röm. 5. 16 u. 18 gleichbedeutend mit *κατάκριμα* Verdammnis, und nach Gal. 3, 13 gleichbedeutend mit *κατάρα* Fluch. Die in diesen Stellen ausgesprochenen Gedanken werden zusammengefaßt und in ihrem Sinn sichergestellt durch den Satz: *ὁ θεὸς τὸν ἑαυτοῦ υἱὸν πέμψας ἐν ὁμοιώματι σαρκὸς ἁμαρτίας καὶ περὶ ἁμαρτίας κατέκρινεν τὴν ἁμαρτίαν ἐν τῇ σαρκί* (Röm. 8, 3). Es ist undenkbar, daß die Sendung des Sohnes ins Fleisch an sich eine Verurteilung der Sünde darstellt; sie sähe eher wie eine Verherrlichung des Sündenfleisches aus. Paulus kann also nur einen auf die Sendung folgenden, besonderen Akt Gottes meinen, durch den er an dem Sohn die Sünde im Fleisch verdammt hat. Nach den oben angeführten Stellen ist dieser Akt Gottes das Todeskreuz. Am Kreuz hat Gott seinen Sohn zur Sünde, zum Fluch, zur Verdammnis der Sünde und damit zur Versöhnung mit Gott gemacht.

Bei den starken Worten, die Paulus hiermit sagt, ist aber wohl zu beachten, was er **nicht** sagt. Er sagt nicht, daß Jesus zum **Sünder** gemacht ist, und er sagt ebensowenig, daß er zur **Verdammnis des Sünders** wurde. Die Verdammnis, die ihn trifft, ist lediglich die Verdammnis der Sünde, die die Verdammnis des Sünders **aufhebt**. Jesus hat also nach der Lehre des Paulus wirklich die Verdammnis erduldet, aber nicht die, welche den Sünder, sondern die, welche die Sünde trifft und vielmehr mit der Seligkeit des Sünders verbunden ist. In Jesu hat Gott den Sünder nicht verdammt, sondern gerettet. Jesus hat also die Verdammnis der Sünde und die dadurch bewirkte Seligkeit des geretteten Sünders an sich stellvertretend erfahren. Wenn Paulus Röm. 8, 1 von den ge=

---

[1]) Bachmann, Kommentar zum 2. Korintherbrief. S. 267.

retteten Sündern sagt: *Οὐδὲν ἄρα νῦν κατάκριμα τοῖς ἐν Χριστῷ Ἰησοῦ*, sollte dann in dem Christus, in dem sie sind, *κατάκριμα* sein? Nein, sondern: weil in Christo nichts Verdammliches ist, darum ist auch in den Christen nichts Verdammliches. Die verdammungs= würdige Sünde liegt zwar auf ihm, aber nicht in ihm; er ist selig, während sie verdammt wird!

Somit ergibt sich aus diesen paulinischen Stellen eine genaue Parallele zu Jesu Gottverlassenheit in der ältesten Evangelientradition. Wie Jesus die zeitliche Gottverlassenheit mit der Seligkeit des betenden Gotteskindes umschlossen hat, so hat er die in seinem geschichtlichen Tode vollzogene Verdammnis der Sünde mit der Rettung des Sünders umschlossen. Für den Sünder kann es keine größere Seligkeit geben als die, daß Gott seine Sünde tötet. Er kann sich ihrer Verdammnis freuen, auch wenn er darunter mit zu leiden hat.

In den zitierten Stellen ist die Strafstellvertretung Jesu deutlich ausgesprochen. Aber das Strafgericht über die Sünde ist nicht Selbst= zweck, sondern Mittel zur Überwindung der Sünde. Diese Tatsache wird durch den Opferbegriff gesichert. Indem unser gestrafter Stell= vertreter durch sein Blut Inhalt des Opfers wird, hat Gott die Menschheit mit ihrer Sünde und Strafe an sich gezogen und die Sünde tatsächlich überwunden. So offenbart sich gerade in der Recht= fertigung des Sünders, dessen Sünde in Christo stirbt, die göttliche Gerechtigkeit, die nichts als Gnade ist (Röm. 3, 21—28 s. o. S. 219). Den Tod der Sünde bezeichnet das Blut Christi. Nach Cremer ist *αἷμα* die „den neutestamentlichen Schriftstellern gemeinsame Bezeichnung für das vollzogene, vollbrachte Opfer", und in Röm. 3, 25 entspricht . . . „der ganze Gedanke vollständig der Tatsache, daß das Opfer= blut des großen Versöhnungstages erst an der Kapporeth ist, was es sein soll, und daß Christus, was er ist, *ἐν τῷ ἰδίῳ αἵματι* ist".[1] Also liegt auch hier der Opferbegriff vor. Aber weder hier, noch in den berühmten „Blutstellen" (wie 1. Kor. 10, 16; Kol. 1, 20; Eph. 1,7; 2, 13 usw.) darf das Opferblut im materiell=dinglichen Sinne des alttestamentlichen Ritualismus gefaßt werden.[2] Jedoch andrerseits darf es auch nicht durch die mystische Deutung von Deißmann[3] bei= seite gedrängt und in lauter Geist verflüchtigt werden. Vielmehr ist

---

[1] Bibl.=theol. Wörterbuch der neutest. Gräzität. 9. Aufl. S. 90 u. 511.
[2] Vgl. dazu Otto Schmitz „Opferanschauung . . ." S. 213 ff.
[3] Paulus. Tübingen 1911. S. 110 ff. bes. S. 118.

es im Sinne Kählers[1]) als Ausdruck für die persönliche geschichtliche
Heilstat Jesu und deren übergeschichtlichen göttlichen Hintergrund zu
verstehen. Es bezeichnet also das, was wir den „erweiterten Opfer=
begriff" genannt haben. Dieser Begriff wird besonders deutlich durch
Eph. 5, 2: $\pi\alpha\varrho\acute{\epsilon}\delta\omega\varkappa\epsilon\nu$ $\acute{\epsilon}\alpha\nu\tau\grave{o}\nu$ $\acute{\nu}\pi\grave{\epsilon}\varrho$ $\acute{\eta}\mu\tilde{\omega}\nu$ $\pi\varrho o\sigma\varphi o\varrho\grave{\alpha}\nu$ $\varkappa\alpha\grave{\iota}$ $\vartheta\nu\sigma\acute{\iota}\alpha\nu$
$\tau\tilde{\omega}$ $\vartheta\epsilon\tilde{\omega}$ $\epsilon\acute{\iota}\varsigma$ $\acute{o}\sigma\mu\grave{\eta}\nu$ $\epsilon\acute{\nu}\omega\delta\acute{\iota}\alpha\varsigma$. Es ist

$\acute{o}\sigma\mu\grave{\eta}$ $\epsilon\acute{\nu}\omega\delta\acute{\iota}\alpha\varsigma$ = עֹלָה Brandopfer

$\vartheta\nu\sigma\acute{\iota}\alpha$ = זֶבַח Schlachtopfer

$\pi\varrho o\sigma\varphi o\varrho\acute{\alpha}$ = מִנְחָה und קָרְבָּן Opfergabe

($\pi\varrho o\sigma\varphi\acute{\epsilon}\varrho\epsilon\iota\nu$ = הִקְרִיב).

Also handelt es sich hier um den erweiterten allgemeinen Opfer=
begriff, der das Gemeinsame der verschiedenen alttestamentlichen Opfer
heraushebt und in Jesu Hingabe erfüllt sein läßt. „In der Religion
Israels oder in der Offenbarungsreligion stehen alle Opfer in Be=
ziehung zur Sünde."[2]) So ist das Opfer Hingabe an den Gott, der
die Sünde vergibt und sie durch diese Vergebung vernichtet. Der
Heilswille Gottes ist zugleich ein Vernichtungswille für die Sünde.
Eine Hingabe an Gott, die nicht eine Verdammung der von Gott
trennenden Sünde wäre, kennt die ganze Schrift Alten und Neuen
Testaments nicht. Darum ist die biblische Hingabe an Gott zugleich
eine Hingabe an Leiden und Tod. So ist es ganz verständlich, daß
Paulus, als er um die Osterzeit an die Korinther schreibt, den Herrn
das Osterlamm nennt: $\tau\grave{o}$ $\pi\acute{\alpha}\sigma\chi\alpha$ $\acute{\eta}\mu\tilde{\omega}\nu$ $\acute{\epsilon}\tau\acute{\nu}\vartheta\eta$ $X\varrho\iota\sigma\tau\acute{o}\varsigma$. Selbst wenn
man $\vartheta\acute{\nu}\omega$ nur mit „schlachten" übersetzen würde, bliebe die nächst=
liegende Erklärung die, daß das geschlachtete Lamm als Opferlamm
gedacht ist (1. Kor. 5, 7—8).

Dieses Opfer Christi ragt so unmittelbar in das Leben der
Christen hinein, daß es ihr Tun auch zu einem Opfer macht. Im
Gedankenkreise des alttestamentlichen Opfers ist es ausgeschlossen, daß
etwas, das außerhalb der Opferhandlung liegt, zum Opfer wird.
Aber das Opfer des Neuen Bundes hat diese umfassende schon Ezech. 20, 41
geweissagte Kraft. Paulus bekommt es fertig, die Liebesgabe der Philipper
zu der Hingabe des Herrn in Parallele zu stellen, indem er ihr dieselben
Attribute $\acute{o}\sigma\mu\grave{\eta}$ $\epsilon\acute{\nu}\omega\delta\acute{\iota}\alpha\varsigma$ und $\vartheta\nu\sigma\acute{\iota}\alpha$ gibt (Phil. 4, 18). Röm. 12, 1
werden die Christen selbst ein Opfer genannt. Paulus kann sogar
sagen: $\epsilon\acute{\iota}$ $\varkappa\alpha\grave{\iota}$ $\sigma\pi\acute{\epsilon}\nu\delta o\mu\alpha\iota$ $\acute{\epsilon}\pi\grave{\iota}$ $\tau\tilde{\eta}$ $\vartheta\nu\sigma\acute{\iota}\alpha$ $\varkappa\alpha\grave{\iota}$ $\lambda\epsilon\iota\tau o\nu\varrho\gamma\acute{\iota}\alpha$ . . . $\chi\alpha\acute{\iota}\varrho\omega$

---

[1]) Vgl. Versöhnung S. 247 ff.
[2]) Cremer, Wörterbuch S. 492.

(Phil. 2, 17), ἐγὼ γὰρ ἤδη σπένδομαι (2. Tim. 4, 6). Durch diese Vorbildlichkeit des Opfers Christi wird seine allwirksame Urbildlichkeit erst recht bestätigt. Zusammen mit dem großen Leidenskatalog des Paulus (2. Kor. 11, 23 ff.; 4, 7 ff.) ist dieses Lebensopfer die von Jesus verheißene Leidenstaufe und der von ihm bereitete Leidenskelch, durch den er seine Jünger zur Würde seines eigenen priesterlichen Leidens emporhebt, ohne doch dadurch die zentrale Bedeutung seiner Heilstat herabzusetzen. Wir gewinnen durch diesen Abschluß der paulinischen Lehre vom Opfer die volle Übereinstimmung mit unserem aus dem Kreuz geschöpften Opferbegriff: Jesus hat durch seine Hingabe an den heiligen Gott die sündige Menschheit an Gott hingegeben. Jesu Opfer ist nicht die Tat eines einzelnen für sich, sondern die Tat des für alle bestellten Priesters, der im Versöhnungs- und Bundesopfer für die Gesamtheit handelt. Die Gesamtheit, der es gilt, geht über Israel hinaus auf die ganze Menschheit. Der Zaun ist niedergerissen (Eph. 2, 14), die ganze Welt ist versöhnt (2. Kor. 5), die Menschheit gerechtfertigt (Röm. 5), Jesu Hingabe ist der Ausdruck des für alle geltenden Rettungswillens Gottes 1. Tim. 2, 4—6, vgl. Tit. 2, 4.

Auf diese Weise schlägt sich die Brücke von Jesu Hingabe im Opfer zu seiner Hingabe im menschlichen G e h o r s a m am Kreuz. So ist die ausführlichste Aussage des Paulus über Jesu Kreuzestod Phil. 2, 1—18 zugleich eine Mahnung zur Nachfolge im gleichen „Sinn". Hier steht nichts vom Opfer im alttestamentlichen Sinn. Aber die Selbstentäußerung, Erniedrigung und Gehorsamstat des Kreuzes ist absolute Hingabe an Gott und trifft darin mit dem erweiterten Opferbegriff zusammen. Daher kann sie V. 17 zwanglos in die eigne Opfertat des Paulus übergehen. Und zwischen V. 11 u. V. 17 steht die stärkste Paränese zu eigener Gehorsamsbetätigung und doch zugleich das Wort: ϑεὸς γάρ ἐστιν ὁ ἐνεργῶν ἐν ὑμῖν καὶ τὸ ϑέλειν καὶ τὸ ἐνεργεῖν ὑπὲρ τῆς εὐδοκίας V. 13. Dieses γάρ als Begründung für die Selbsttätigkeit findet seine Erklärung in Gottes Kreuzestat. Im Kreuzesgehorsam des Gottessohnes hat Gott den Gehorsam der Seinen schon geschaffen, und darum hat die Aufforderung zum Gehorsam den schwerwiegenden Sinn: macht Gottes Wirken in euch nicht zuschanden, laßt's euch gefallen, daß Gottes Geist in Christo an euch schafft! Der neue Gehorsam des Christen ist nichts anderes, als ein Bleiben im G e h o r s a m und G e i s t Christi, des n e u e n A d a m, der den alten überwunden hat (Röm, 5, 19 ff.; 1. Kor. 15, 45). Dieser Zusammenhang zwischen Christi Tat und dem neuen Leben des Christen liegt auch Kol. 1, 22 deutlich vor: der Versöhner selbst hat die Kolosser dargestellt als *ἁγίους καὶ ἀμώμους καὶ ἀνεγκλήτους κατενώπιον αὐτοῦ*, und die An= geredeten haben nichts weiter zu tun, als zu bleiben in diesem Glauben: *εἴγε ἐπιμένετε τῇ πίστει τεθεμελιωμένοι κτλ.* (V. 23). Jesus Christus als einziges *θεμέλιον* (1. Kor. 3, 11) oder als Eckstein (Eph. 2, 20 ff.) begründet den Bau der Seinen, der zugleich der Tempel Gottes ist (1. Kor. 3, 11 ff.). Wir sind sein Werk, in Christo Jesu zu guten Werken geschaffen. Die Werke wachsen aus der Gnade, aber die Gnade wächst nicht aus den Werken. *τῇ χάριτί ἐστε σεσωσ= μένοι διὰ πίστεως· αὐτοῦ γάρ ἐσμεν ποίημα, κτισθέντες ἐν Χριστῷ Ἰησοῦ ἐπὶ ἔργοις ἀγαθοῖς* (Eph. 2, 8—10).[1] Stärker als in diesen Worten läßt sich überhaupt nicht sagen, daß all unser Tun Gnade Gottes, all unsre Hingabe Gottes Gabe ist. So treffen Versöhnung und Rechtfertigung, die aus derselben Quelle der Kreuzesgnade stammen, auch in demselben Ziel: der „Heiligung aus Gnaden", zusammen, und es wird nun ganz deutlich, wie Gott seine Gerechtigkeit beweisen kann, indem er den Ungerechten rechtfertigt. Er kann es, indem er ihm Christi Gerechtigkeit schenkt. Er tut nicht nur so, als ob der Ungerechte gerecht sei, er gibt ihm keine fingierte Gerechtigkeit, son= dern den tatsächlichen realen Gehorsam Christi, indem er ihm den Geist Christi gibt (Phil. 2, 1; Eph. 4, 3 ff.; Gal. 5, 22 ff.; Röm. 8 usw.). Wenn ich durch den Geist glaube, daß Christi Gehorsam mein ist, dann bin ich gehorsam, und in dem Maße, wie dieser Glaube in mir wächst, wächst auch mein tatsächlicher Gehorsam. Aber dieser mein Gehorsam wird nie mein Eigentum in dem Sinne, daß ich mich auf ihn verlassen oder seiner rühmen könnte. Er bleibt, auch wenn er in mir ist, Jesu Eigentum. Denn in mir selbst wohnt, auch wenn ich Christ bin, nichts Gutes. In meinem Fleisch bleibt *ἡ ἐνοικοῦσα ἐν ἐμοὶ ἁμαρτία* (Röm. 7, 18. 20). Darum bleibt der Leib ein *σῶμα τοῦ θανάτου τούτου* (Röm. 7, 24), und wir erwarten *τὴν ἀπολύτρωσιν τοῦ σώματος ἡμῶν*, das unsichtbare Ziel unsrer Hoff= nung; dagegen enden diejenigen, die durch ihren Wandel Feinde des Kreuzes Christi sind, in der Verdammnis (Röm. 8, 23 f.; Phil. 3, 17—19). So läuft die Versöhnungs= und Rechtfertigungslehre auf die Eschatologie hinaus, und was 2. Kor. 5, 24 von der Welt= versöhnung steht, wird Röm. 8, 18—24 zur Weltverklärung, an der

---

[1] Auch Eph. 5, 22—28 u. Tit. 2, 14 gehört hierher.

die ganze Kreatur teilhaben wird, deren köstlichstes Ziel aber die Herrlichkeit der Kinder Gottes in Christo Jesu ist. Dem entspricht andrerseits, daß der Heilsmittler als Gottes Sohn auch der Mittler der Weltschöpfung ist,[1]) und die Weltversöhnung steht somit in der Mitte zwischen Weltschöpfung und Weltverklärung als wahres Zentrum der Welt.

Anhang: Die Reden der Apostelgeschichte dürfen als wichtiges Übergangsstadium in der apostolischen Lehrentwicklung nicht übersehen werden. Wären sie von dem Paulusschüler Lukas frei erfunden worden, dann würde auch der ausgeprägte paulinische Lehrtypos darin nachklingen. Da dieser aber vollständig fehlt, so spricht dies dafür, daß diese Missionspredigten von Petrus und Paulus wirklich so gehalten sind, ehe die Apostel zu festen dogmatischen Formulierungen kamen. Wenn man in ihnen die Heilsbedeutung des Todes Jesu vermißt, dann muß man auch zugestehen, daß von der modernen Theorie der Berufserfüllung und des Heldenhaften im Sterben Jesu nichts darin enthalten ist. Es bleibt bei der Paradoxie: den Fürsten des Lebens habt ihr getötet (3, 15), und so erscheint Jesu Sterben als dunkles Verhängnis und schwere Verschuldung, die durch das Licht der Auferstehung überwunden werden. Indem der Tod den Menschen den ewig lebendigen Herrn bringt, ist er heilschaffend.[1]) In welchem Sinne das zu denken ist, wird durch zwei wichtige Aussagen klargestellt. Nach 20, 28 ist die Gemeinde durch das Blut Gottes erworben. Das ist der Gedanke des Lösegeldwortes Jesu. Nach 8, 33 ff. vgl. 17, 31 liegt auf dem Heilsmittler das Gericht im Sinne der Weissagung von Jes. 53, 7 f. Weil er das Gericht selbst überwunden hat, ist er zum Richter des Erdkreises geworden (17, 31). Diese Beziehung auf Jes. 53 ist nicht vereinzelt, sondern wird durch die Bezeichnung Jesu als des Knechtes Gottes (3, 13. 26; 4, 27. 30) verstärkt. Dadurch ist die Bezeichnung Jesu als Opfer in dem durch Jes. 53 geweissagten erweiterten Sinne vorbereitet. Das apostolische Verständnis des Kreuzes ist darauf zurückzuführen, daß Jesus selber sein Kreuz verstanden hat. Weder Paulus, noch sonst ein Apostel hat die Heilsbedeutung des Todes Jesu „geschaffen". Sondern Jesus allein ist der Schöpfer des Heils.

---

[1]) Eph. 1, 10—11; 3, 9; Kol. 1, 14—18.
[2]) 2, 23 ff.; 3, 13 ff.; 4, 27 f.; 7, 52; 13, 27 ff.; 17, 3. 31 usw.

### c) Jesu Leiden nach seiner Selbstdarstellung.

Die alte Lehre stellt in den Mittelpunkt der Versöhnung die Leidenstiefen Jesu im Kampf von Gethsemane (Matth. 26, 36 ff. u. Parall.) und in der Gottverlassenheit (nur Matth. 27, 46 u. Mark. 15, 34),[1] zusammen mit dem bei Johannes bezeugten Zittern und Zagen Jesu im Angesichte des Gerichts über die Welt (Joh. 12, 27 vgl. V. 24 u. 31). Darin schließen wir uns der Tradition vollkommen an. Daß Jesus diese tiefsten Erfahrungen der von Gott trennenden Sünde machen und überwinden mußte, ist auch für uns das Herzstück der Versöhnung. Er zitterte nicht vor dem Leiden oder dem Tode als solchem, sondern davor, daß ihn darin des Vaters Zorn gegen die Sünde traf. Nach dem deutlichen Zeugnis des Alten Testaments ist die Gottverlassenheit das Erleiden des göttlichen Zorns (Pf. 27, 9; 88, 15—17; Deut. 31, 17. 18; Klagel. 3, 43 und besonders Jes. 54, 8). Aber der Zorn, der den Frommen trifft, ist nicht ewige Verdammnis, sondern ein „Augenblick" (Jes. 54, 7 u. 8) des Zorns, welcher ewige Gnade im Gefolge hat (Jes. 54, 8 u. 10). Er wird auch in der abgeklärten Anschauung des Deuterojesajas nicht als verrauchender Affekt gedacht, sondern sein Sinn wird am besten getroffen, wenn man ihn mit dem Straf- und Gerichtsbegriff aus Kap. 53, 5 u. 8 in Parallele setzt. Der Heilsmittler leidet vorübergehend Gottes Zorn gegen die Sünde mit. Aber seine Person als solche bleibt dabei unter ewiger Gnade, nicht unter ewiger Verdammnis.

So ist also die Gottverlassenheit des alttestamentlichen Frommen ein Gericht, dem die Gnade auf dem Fuße folgt. So gewiß Gott den Frommen verläßt, so gewiß weiß der Fromme, daß dies kein endgültiger Zustand ist, sondern mit Gottes Gnadengegenwart enden wird. So hofft der Israelit selbst noch in des Todes Rachen auf Rettung vom Tode (Pf. 22, 14 ff). Aber im Neuen Testament tritt nun insofern eine Vertiefung des Psalm-Erlebnisses ein, als Jesus das Psalmwort tatsächlich sterbend betet. Nicht die Rettung vom Tode, sondern der Blick über den Tod hinaus ist nun das Entscheidende. Man kann nicht einfach, wie es die Ausleger mehrfach tun, die irdischen Hoffnungen des Psalmisten (22, 12. 20. 21. 22. 25) zum Beweis für

---

[1] Was dieses Zeugnis der beiden ältesten Quellen bedeutet, die die Gottverlassenheit als einziges Kreuzeswort Jesu, also als letztes Wort des Sterbenden, berichten, wird in einer besonderen Untersuchung veröffentlicht werden, welche die Tatsache der Gottverlassenheit zur Begründung unserer Gewißheit benutzt („Die Gewißheit des Kreuzes").

Jesu eigenes Empfinden anführen. Von seinem Sterbenswillen aus kann Jesus gar nicht beten: Errette meine Seele vom Schwert . . ., hilf mir aus dem Rachen des Löwen! (V. 21 f.) Jesus will nicht vom Kreuze losgebunden sein, weil Gottes Wille ihn ans Kreuz bindet. Aber zugleich geht dieser Gotteswille über Kreuz und Tod hinaus. Jesus schmeckt im Tode das Gericht über die Sünde, aber er überwindet zugleich das Gericht über den Sünder durch sein ewiges Leben. Er stirbt als der, der auferstehen wird. So ergibt sich im Tode Jesu dasselbe Ineinander von Todesgericht und gött=lichem Leben, wie wir es in Jes. 53 vorgebildet fanden. Das willige persönliche Dulden des Gerichts ist schon der Anfang zur Überwindung des Gerichts, wie die Buße der Anfang des Glaubens ist. Nur so ist es möglich, daß der, auf dem Gottes Zorn, Gottverlassenheit, Strafe und Gericht liegt, mit dem hochheiligen Opfer, das ein Unterpfand der Gottesnähe ist, gleichgesetzt werden kann (Jes. 53, 4 f.; 8. u. 10).

Von ewiger Strafe und Verdammnis ist weder in Jes. 53—54, noch in den Zeugnissen der Passionsgeschichte die geringste Spur, son=dern selbst die Strafworte zeugen von ewiger Gnade. Aber dadurch wird von der Unendlichkeit der Schuld und dem ewigen Tode der Sünde nichts abgeschwächt. An dem zeitlichen Sterben Jesu inner=halb der Menschheitsgeschichte entscheidet sich beides: die ewige Ver=lorenheit der Sünde und die ewige Seligkeit des Sünders. Durch die geschichtlich vollendete Tatsache wird die Sünde als solche vollendet und von Gott verworfen. Dieses Verdammungsurteil ist endgültig und ewig. Aber durch dieselbe Tatsache wird der Sünder von dieser Sünde erlöst und ewig selig. Der Unglaube, der ein ewiges Leben leugnet, spricht sich unter dem Kreuz Christi selbst das Urteil. Für ihn wird der Tod des Sündensoldes, in den die Sünde Jesum bringt, zum letzten endgültigen Gottesurteil. Der Glaube aber, der das ewige Leben ergreift und in Jesu Namen seinen Geist in Gottes Hände gibt, schaut über den zeitlichen Tod und die zeitliche Strafe hinaus den ewigen Gott, ewige Gnade, ewige Seligkeit, und alles Zeitliche vergeht ihm wie ein „Augenblick".

So liegt auf dem Kreuz Gottes Segen und Gottes Fluch zu gleicher Zeit. Dieselbe Tatsache trägt in sich die doppelte Bedeutung. Gottes Segen erweckt die Sünder zum Leben, und Gottes Fluch ver=dammt die Sünde zum Tode. Beides ist eine Tat. Indem die Sünde verdammt ist, ist die Menschheit von ihr erlöst und gerettet. Wie das möglich ist, dafür gibt es keine Erklärung, als den Ge=

kreuzigten selbst. Er hat sich zu gleicher Zeit unter Gottes Zorn und Liebe gefühlt. Aber er hat auch erfahren, daß der Zorn verschlungen ist in die Liebe, die Strafe verschlungen in das Heil! Er hat die Tiefen göttlicher Zorngerichte mit den noch größeren Tiefen göttlicher Gnadenerweise umschlungen. Er, der in Gethsemane und am Kreuz den ganzen Sündenfluch der Gottverlassenheit über sich kommen sah, hat es vollbracht, sogar in dieser Gottverlassenheit den göttlichen Liebeswillen zu finden.

Wie es möglich ist, daß jemand zugleich die Gottesferne und die Gottesnähe, zugleich die Verdammnis der Sünde und die Rettung der Sünder erleben und in seiner Person vereinigen kann, darüber hat sich die Urchristenheit keine Gedanken gemacht. Denn sie besaß über den Gedanken hinaus die lebendige Anschauung der Tatsache, wie sie im Kreuz vor aller Augen lag. Das Kreuz war ihr kein neues Rätsel, sondern vielmehr die Lösung des Rätsels, das ihr in der Erscheinung Jesu aufgegeben war. Erst spätere, vom Kreuz ab= irrende Zeiten haben in der Zweinaturenlehre eine gedankenmäßige Lösung des christologischen Rätsels gesucht. Die Urchristenheit hatte das nicht nötig. Sie stand zu lebendig unter dem überwältigenden Eindruck, daß im Kreuz tatsächlich Gottheit und Menschheit vereinigt war, da Gott seinen Sohn zum Träger der göttlichen Gnade und zu= gleich zum Träger der menschlichen Sünde machte, da Gott selbst die Rettung der Sünder schuf und doch zugleich die Sünde verdammte, da er der ganzen Menschheit nahe trat und doch zugleich sich von ihrer Sünde trennte.

Jesu Schlußreden sprechen nicht nur im Johannesevangelium, sondern auch bei den Synoptikern von Verfolgung, Haß und Sterben und deren Überwindung durch Gott.[1]) Die **Leidensweissagungen** steigern sich bis zum Ende in grandioser Weise (vgl. darüber Bardt: Jesu Selbstlehre von seinem Sühnewerk). Sogar Gleichnis und Weis= sagung gehen dabei ineinander über, wie im Gleichnis von den bösen Weingärtnern (Matth. 21, 33—46; Mark. 12, 1—12; Luk. 20, 9—19). Das Schicksal, das danach dem Sohn bereitet, und die Strafe, die an den Mördern vollzogen wird, gehören zu dem Furchtbarsten, was Jesus je geredet hat.[2]) In Jesu Tode ist diese Weissagung und zu=

---

[1]) Matth. 22; 23, 29—39; 24, 1—14; Mark. 13; Luk. 18—21; Joh. 16—17.
[2]) Vgl. auch das Gleichnis von den anvertrauten Pfunden, wo gerade Lukas, der sonst die mildesten Züge Jesu überliefert hat, das härteste Wort berichtet: 19, 27 jene meine Feinde . . . bringet her und erwürget sie vor mir!

gleich damit auch die der Propheten erfüllt. Im Anschluß an dies Gleichnis nennt Jesus sich den verworfenen Eckstein des Jesajas (28, 16) = Matth. 21, 42, mit der furchtbaren Drohung des Zerschmetterns Matth. 21, 44. Auch sonst hat Jesus in seinem Sterben die prophetische Weissagung erfüllt gesehen: er ist der von Gott geschlagene Hirte aus Sach. 13, 7 = Matth. 26, 31; Joh. 16, 32 und 10, 15. Er ist der unter die Übeltäter Gerechnete aus Jes. 53, 12 = Luk. 22, 37. Er ist der, dessen Geschick durch den zweiten Elias (Mark. 9, 12 f.; Matth. 17, 12 ff.) vorgebildet ist = 1. Kön. 19, 2—10. Er ist der, der dem Jonas gleichen wird: Jon. 2, 1. 2 = Matth. 12, 39 f.; 16, 4. Er gleicht der ehernen Schlange des Moses, welche nicht vor dem Schlangenbiß bewahrte, wohl aber die Gebissenen rettete 4. Mos. 21, 8 f. — Joh. 3, 14 (analog bewahrt Jesus uns nicht vor der Sündenstrafe, sondern er rettet die Gestraften). So gewiß er sich als Prophet fühlt, so gewiß sieht er auch dem Prophetenschicksal entgegen (Luk. 13, 33 ff. = Matth. 23, 37 ff.). An ihm erfüllt sich, was über den Knecht Gottes nicht nur im Jesajas, sondern auch in den Psalmen gesagt ist: Sie hassen mich ohne Ursache Ps. 35, 19 u. 27; 69, 5 u. 18 = Joh. 15, 25. All die dort genannte Schmach, Schande und Gottesferne bezieht Jesus durch dies Zitat auf sich selbst.

Sein Leben fängt schon mit Leidensgedanken an (Matth. 1, 3.5.6.19: Schmach und Schande; 2, 13: Verfolgung; Luk. 2, 34 ff.: Fall und Widerspruch; 2, 48: mangelndes Verständnis bei der eigenen Mutter). So fällt schon in seine Kindheit der Schatten des Kreuzes, und es ist völlig aussichtslos, in Jesu Leidenswillen irgendwelche „Entwicklung" hineinzubringen. Wir müssen uns damit bescheiden, daß dieser Wille von Anfang an da ist. Sobald man dies nicht zugibt und eine Entwicklung konstruiert, verwickelt man sich völlig; man wirft den ganzen Bestand der Synoptiker über den Haufen und bleibt schließlich über Jesu eigenes Leidensbewußtsein im Dunkeln. Wenn man sich dagegen streng an die Überlieferung der Evangelien hält, wird es ganz deutlich, daß der Leidenswille nicht erst am Ende, sondern gleich am Anfang des Lebens Jesu steht.[1]

Meint man, erst das feindselige Verhalten des Volks und seiner Führer habe in ihm den Kreuzeswillen erzeugt, dann könnte man ebensogut das Gegenteil behaupten: dies Verhalten trieb ihn zu immer stärkeren Gegenmitteln, zu immer größerer Entfaltung seiner

---

[1] Vgl. dazu Kähler, Versöhnung S. 156 ff.

Wundermacht und damit immer weiter vom Kreuze ab! Weil das ganze Judentum seiner Zeit von dem Messias die große Machttat erwartete, und sein Leiden nicht begriff, ja nicht einmal Jes. 53 messianisch verstand,[1]) konnte Jesus selbst von sich auch um so größere Machttaten erwarten, je mehr das Volk sich ihm verschloß. Ja sogar noch am Kreuz hätte er darauf hoffen können, daß Gott den Spott der Enttäuschten niederschlug und endlich in letzter Stunde noch das große Wunder tat, das ihn vom Kreuz erlöste. Woher nahm er die Bestätigung seiner Gewißheit, daß Gott es anders wollte? Er nahm sie allein aus der Schrift. Immer wieder taucht in seinen Leidens= weissagungen und in seinen Ostergesprächen die Schrift als Quelle der Gewißheit, als Grund für das „Muß" seines Kreuzes auf. Nur deshalb, weil die Schrift ihm den Kreuzeswillen verbürgte, wurden die trüben Erfahrungen mit dem Volk ihm zu Bestätigungen des= selben, und beides ging von seinem ersten Auftreten an Hand in Hand. So weist sein Tod auf seine gesamte Lebenserfahrung, wie auf das Geschick des Prophetismus überhaupt zurück (Matth. 17, 12; 23, 37) und zugleich auch vorwärts auf das Kreuz der Jünger (Matth. 10, 38; 16, 24 ff.; Joh. 16, 1). Durch diese inklusive Stellvertretung wird aber die heilige Einzigartigkeit seines Opfertodes nicht auf= gehoben. Tod und Heilstod sind bei ihm nicht zu trennen. Denn er fühlt sich so offenbar als Mittler des Heils, daß alles, was mit ihm geschieht, Heilsbedeutung hat. Wenn Gott seinen Tod bestimmt hat, dann ist er eben dadurch Heilstod. In ihm verbindet sich das stell= vertretende Leiden des Propheten mit dem priesterlichen Opfer zu untrennbarer Einheit, und zwar in einer Weise, die unsere Nachfolge nicht aus=, sondern einschließt. Das Kreuz im Sinne Jesu ist nicht das düstere freudlose Unheilszeichen, wofür die Welt es hält, sondern es ist das wahre Heil, das auch die Kreuzesnachfolge zu lauter Heil macht. Selbst da, wo es so klingt, als wolle Jesus die Nachfolge erschweren und durch das Kreuz abschrecken, ist seine Absicht nur das Heil. Er will dadurch vor törichten Illusionen und trügerischen Hoff= nungen warnen (Matth. 16, 24 ff., vgl. 8, 19—22; 24, 9; Luk. 18, 22—26; Joh. 16, 2—4) und dem Ärgernis wehren (Matth. 11, 6; 13, 21; Joh. 16, 1). Allen, die sich seine Kreuzesnachfolge zu leicht vorstellen und den gewaltigen Gottesernst, der dahinter steht, nicht

---

[1]) Vgl. Dalman: Der leidende Messias nach der Lehre der Synagoge. Karls= ruhe 1887. Dissertation.

ernst genug nehmen, tut Jesus einen Dienst, wenn er ihnen das
Kreuz schwer macht. Aber allen, die mühselig und beladen unter
ihrer Last seufzen, macht er die Nachfolge zur Erquickung der Seele:
sein Joch ist sanft und seine Last ist leicht (Matth. 11, 29); sein Weg
ist nicht Finsternis des Todes, sondern Licht des Lebens (Joh. 8, 12).
Sogar das abstoßendste Wort, das Jesus wohl je gesprochen hat und
das absolut unerfindbar ist: vom Hassen des Liebsten, was man hat
(Luk. 14, 26 f. vgl. Matth. 10, 37 ff.; Joh. 12, 25), es verwandelt
sich unter dem göttlichen Gesichtspunkt in Segen, und es wird allen,
die es wirklich ernst nehmen, zur strahlenden Verheißung vielfältiger
Wiedererstattung, schon hier in der Zeit und einst in Ewigkeit (Luk.
18, 29 f.) Jesus hat dies Wort durch sein Kreuz vollständig erfüllt
und verklärt, und allgemein muß gesagt werden: Die Beziehung,
in der Jesus ganz und gar vorbildlich wird, ist das Kreuz.
Zur Kreuzesnachfolge ruft er auf. Niemals sagt er: folget meinem
Glauben nach, wohl aber: folget meinem Kreuze nach! Dem Kreuze
gegenüber zeigt er nicht jene kampflos heitere Überlegenheit, die man
ihm so gerne nachsagt, sondern ein tiefes, in alle menschlichen Tiefen
tauchendes Ringen, das ihm zur ernsthaften Versuchung wird. So
hat also die moderne Theologie, ohne sich dessen bewußt zu sein,
ihren Begriff der Vorbildlichkeit Jesu nicht aus seinem Leben, sondern
aus seinem Sterben geschöpft, und wird dadurch wider ihren Willen
zum Zeugen für das Kreuz. Gott aber bleibt im Leben und im
Sterben des Menschen, wie des Menschensohns, derselbe. Gottes Wille
ist unteilbar. Also muß das ganze Leben Jesu und des Menschen
überhaupt unter den einheitlichen Gesichtspunkt des Kreuzeswillens
gestellt werden.

Jesu Leben war gewiß ein Sonnentag. Er kostete die ganze
Wonne des hellen, frohen Lebensmorgens aus; aber auch die Schauer
der sonnenlosen Nacht waren ihm nicht fremd. Wie jeder Mensch, so
wußte auch er von Anfang an, daß die Sonne am Tagesende unter=
gehen wird. Er hat das alles ganz natürlich durchlebt, ohne Grübe-
leien und ohne Sorgen um die Zukunft. Denn er hat keinen
Augenblick gezweifelt, daß alles, ob Morgen, ob Abend, ob Sonne
oder Nacht, aus seines Vaters Händen quoll. Sein Tag steht von
Anfang an unter dem Zeichen der überwundenen Nacht.

„Ich muß wirken, solange es Tag ist; es kommt die Nacht,
da niemand wirken kann" (Joh. 9, 4). Dies Jesuswort zeigt uns,
daß Jesus all sein Wirken als Gabe empfindet. Schaffen können,

predigen können, heilen können, kämpfen können — alles ist Gottes
Gabe, und dieser Gabencharakter wird gerade im Blick auf das
Aufhören recht offenbar. Jesus weiß, und jeder sinkende Tag sagt's
ihm von neuem: einst kommt die Zeit, wo er nicht mehr schaffen,
heilen, reden und kämpfen kann, sondern wo er leiden, verwundet
werden, schweigen und unterliegen muß. Aber das stimmt ihn nicht
zur Klage oder Resignation; es erhöht vielmehr seine Tatkraft und
Schaffensfreudigkeit, es vertieft seinen Dank gegen den Vater, der
ihm jeden neuen Tag zum Wirken schenkt.

Wenn die feindselige Gottwidrigkeit der Sünde ihm nicht gleich
bei der ersten Begegnung offenbar geworden wäre, dann wäre er
nicht der Sündlose geblieben. Und wenn die Liebe zur sündigen
Menschheit nicht schon am Anfang seines persönlichen Lebens begonnen
hätte, wäre er nie der Heiland der Menschheit geworden. Die Vereinigung dieser beiden widerspruchsvollen Lebensinhalte ist schon bei
seinem ersten Auftreten klar und sicher in seinem Bewußtsein vollzogen. Das Prinzip dieser Vereinigung ist Gott, und die Konsequenz
dieser Vereinigung ist das Kreuz. Damit soll nicht behauptet werden,
daß schon das Kind Jesus eine deutliche Vorstellung von seinem
Kreuz gehabt habe. Aber die Gesinnung, aus der sein Kreuzeswille
erwuchs, war in ihm von Anfang an vorhanden. Das Entscheidende
dabei ist, daß seine Jugend ebensowenig wie sein Mannesalter
durch das Kreuz getrübt wurde. Er fühlte sich wohl im Schatten
des Kreuzes, weil es der Schatten des Vaters war. Absoluter
Gehorsam, Opferwilligkeit, Liebe zu den irrenden, ihn oft ver-
letzenden Menschen seiner Umgebung und unzerstörbare, hoffnungs-
frohe Zuversicht zum Vater, dieser Lebensinhalt machte sein Leben
nicht dunkel, sondern vertiefte seine Freude.

So war es möglich, daß die Freude seiner Liebe bis in die Tiefen
des Todes und des Sündensoldes hineintauchte, und daß er selbst
durch das Grauen der Gottverlassenheit hindurch die Vaterhände
fand. Sein Tod kommt nicht als ein unvermeidliches Verhängnis
über ihn, sondern er ist der von ihm selbst gewollte und herbei-
geführte Vollzug der Versöhnung.

Der unwiderlegliche Beweis für diese Tatsache ist die **Abendmahlsstiftung.** Jesus hat in freier Gestaltung seines Geschicks sich selbst
das Passahfest für seinen Opfergang ausgewählt.[1] Dadurch legt er

[1] Matth. 26, 2. 17. 18; Mark. 14, 14; Luk. 22, 15 ff.; Joh. 10, 18.

15*

die bei Paulus vorkommende Deutung seines Todes als des wahren
Passahopfers nahe. Zugleich aber hat er in seiner eigenen Deutung
seines Todes auf das alttestamentliche Bundesopfer zurück=
gegriffen (Exod. 24, 8 ff.). In beiden Anlehnungen nimmt Jesus
Bezug auf die entscheidenden Tatsachen der Geschichte Israels und
kennzeichnet damit seine Tat als ein geschichtlich bedeutsames Er=
eignis. Im Vollbewußtsein seiner messianischen Sendung stellt er
dem Alten Bunde den Neuen Bund Gottes gegenüber (Jeremias
31, 31; Matth. 26, 28 u. Parall.). Jesus hat das Verständnis
seines Todes nicht an das Passahopfer binden wollen; das geht
aus seinem Abendmahlswort deutlich hervor. Es wäre für ihn das
Nächstliegende gewesen, sich als Passahlamm zu bezeichnen. Er tut
es nicht. Die Worte τοῦτό ἐστιν τὸ σῶμά μου sprach er nicht, als
das Lamm gegessen wurde, sondern als er das Brot austeilte.
Dagegen weist Jesus in den Kelchworten deutlich auf das Bundes=
opfer. Er sagt Mark. 14, 24 vgl. Matth. 26, 28: τοῦτό ἐστιν τὸ
αἷμά μου τῆς διαθήκης τὸ ἐκχυννόμενον ὑπὲρ πολλῶν, während
es LXX Ex. 24, 6 ff. heißt: ἔθυσαν θυσίαν σωτηρίου . . . λαβὼν
δὲ Μωυσῆς τὸ αἷμα κατεσκέδασε τοῦ λαοῦ καὶ εἶπεν · Ἰδοὺ τὸ
αἷμα τῆς διαθήκης ἧς διέθετο κύριος πρὸς ὑμᾶς . . .
καὶ ὤφθησαν ἐν τῷ τόπῳ τοῦ θεοῦ καὶ ἔφαγον καὶ ἔπιον. In
dieser Parallele zum Abendmahl sind Opfer, Blutvergießen, Bund=
schließung, Gottestat, Gottesoffenbarung und heiliges Mahl enthalten,
und der Ausdruck αἷμα τῆς διαθήκης ist wörtlich übereinstimmend.
διαθήκη = בְּרִית erscheint zum ersten Male Gen. 9, 9 beim Bund
mit Noah. Es ist das Zeichen dafür, daß Gott die Erde, solange sie
steht, nicht mehr verderben will 9, 11 vgl. 8, 21 f., daß aber das
Verderben des menschlichen Herzens bestehen bleibt (8, 21). Blut wird
bei dieser Bundschließung nicht vergossen, vielmehr wird unmittelbar
vorher 9, 6 die Warnung erhoben: Wer Menschenblut vergießt, des
Blut soll auch durch Menschen vergossen werden; denn Gott hat den
Menschen zu seinem Bilde gemacht.

Zum zweiten Male tritt die Bundesschließung bei Abraham auf,
zum Zeichen, daß Abraham das Land besitzen soll (Gen. 15, 7 LXX:
τὴν γῆν κληρονομῆσαι). Abraham muß Opfertiere in Stücke zer=
teilen, und das Feuer des Herrn geht zwischen den Stücken hin
(15, 9 f.; 15, 17). Auf diesen Vorgang wird Jer. 34, 18 zurück=
gegriffen: Ich will die Leute, so meinen Bund übertreten, und die
Worte des Bundes, den sie vor mir gemacht haben, nicht halten, so

machen wie das Kalb, das sie in zwei Stücke geteilet haben, und zwischen den Teilen hingegangen sind.

Hier wird also denen, die den Bund brechen, die Strafe ange=droht, daß Gott es mit ihnen ebenso machen will, wie mit dem Opfer=tier. Daraus geht hervor, daß der Gedanke der Strafstellvertretung (in welchem Sinne, bleibt noch dahingestellt) in das Bundesopfer nichts Fremdes hineinträgt.

Wenn aber Israel den Bund hält, dann soll es das Volk des Eigentums, das priesterliche Königreich ($\beta\alpha\sigma\iota\lambda\epsilon\iota\sigma\nu$ $\iota\epsilon\varrho\acute\alpha\tau\epsilon\upsilon\mu\alpha$), das heilige Volk ($\check\epsilon\vartheta\nu\sigma\varsigma$ $\ddot\alpha\gamma\iota\sigma\nu$) sein (Exod. 19, 5 LXX = 1. Petr. 2, 9 vgl. Apok. 1, 6 u. 5, 10).

Träger dieses Bundesgedankens ist in Israel das Priestergeschlecht Aarons. Ihm ist der Bund des Friedens ($\delta\iota\alpha\vartheta\acute\eta\varkappa\eta$ $\epsilon\iota\varrho\acute\eta\nu\eta\varsigma$), der Bund eines ewigen Priestertums $\delta\iota\alpha\vartheta\acute\eta\varkappa\eta$ $\iota\epsilon\varrho\alpha\tau\epsilon\iota\alpha\varsigma$ $\alpha\iota\omega\nu\iota\alpha$ zur Ver=söhnung des Volkes anvertraut (Num. 25, 12 f.). Zugleich ist das blutige Bundesopfer ein Mittel zur Verhütung künftiger Sünden. Das wird bei der Stiftung des Sinaibundes Exod. 24 ganz deut=lich. Hier ist nicht von den Sünden der Vergangenheit die Rede, sondern das Opfer ist die Bestätigung des Gelübdes, daß das Volk alles, was im Bundesbuch vom Herrn vorgeschrieben ist, halten will. In der Folgezeit stellt sich dann immer mehr die Unmöglichkeit, dies Gelübde zu erfüllen, heraus, und der von Aarons Priestergeschlecht verwaltete Bund nimmt immer mehr die Formen des Sühnekultes an. Aber dabei ist der Gedanke doch nicht verloren gegangen, daß eigentlich Gottes Bund mit dem Volke auf eine wirkliche Herzens=erneuerung abzielt, die des unaufhörlichen Blutvergießens nicht mehr bedarf. Das beweist die große Verheißung des Jeremias von dem Neuen Bund, der $\varkappa\alpha\iota\nu\grave\eta$ $\delta\iota\alpha\vartheta\acute\eta\varkappa\eta$ 31, 31 ff. Dort ist gar nicht mehr vom Opfer die Rede, wie es überhaupt größte Beachtung verdient, daß in den Verheißungen der messianischen Zukunft das Opfer ganz zurücktritt; an die Stelle des Unpersönlichen tritt der persönliche Mittler; an die Stelle des Opfers tritt der prophetische königliche Priester.

Aber auch das rituelle Opfer selber drängt auf eine Vollendung durch den persönlichen Mittler hin. Das wird an dem Ritus des großen Versöhnungstages deutlich. Hier wird, statt daß den Schul=digen die blutige Strafe trifft, das Blut des Sündopfers zur Ver=söhnung genommen (Lev. 16; Num. 29). Als Sündopfer dient dabei der Farren und der eine Bock, während der andere Bock lebendig für Asasel in die Wüste getrieben wird. Dadurch wird offenbar, wie unbiblisch es ist zu sagen, daß das Opfer die Sünden des Sünders „trägt". Vielmehr ist es der unheilige Bock des bösen Geistes, der die Sünden, die Aaron auf sein Haupt gelegt hat, „auf sich in die Wildnis trage" (Lev. 16, 22). Durch die Sünden, die auf ihm liegen, wird er ἀνάθεμα. Dagegen der als Sündopfer dienende Bock trägt nicht die Sünden, sondern er bleibt als Opfer hochheilig; sein Blut hat reinigende, sühnende Kraft, weil in ihm das Leben ist (Lev. 17, 11). Die sühnende Darbringung des Lebensblutes und das Tragen der Sünde an den Ort des Fluches sind also zwei ge-trennte Gedanken, die parallel laufen. Jeder von beiden zeigt, daß der andere ungenügend ist. Erst im Neuen Bunde, wo an die Stelle des Tieres der persönliche Heilsmittler tritt, geschieht die Vereinigung beider Gedanken. Der Mittler trägt die Sünde, aber er bleibt zugleich als der Heilige der Träger der Gnade. Er trägt die Sünde auf das Fluch-holz, aber er bleibt zugleich das hochheilige Opfer, das uns vom Un-heiligen für immer befreit. Diese Erfüllung des Opfers durch den persön-lichen Mittler ist durch den Prophetismus weiter vorbereitet. So lenkt der Gedanke wieder zu Jeremias zurück. Der Heilsmittler trägt nach Jer. 23,6 den Namen: der Herr unsere Gerechtigkeit. Das ist derselbe Name, den Jer. 33, 16 das neue Jerusalem trägt. Zwischen diesen beiden Verheißungen steht die des Neuen Bundes 31, 31 ff. In ihr wird ausdrücklich festgestellt, daß die Väter den Alten Bund nicht gehalten haben (V. 32), und daß der Neue in dieser Beziehung besser sein wird. In ihm wird das äußere Gesetz durch das innere Herzensgesetz abgelöst, das jeder durch eigene Erkenntnis des Herrn haben wird, und der Quellpunkt des neuen Lebens wird die Vergebung der Sünden sein (V. 34). Daß diese Vergebung des Neuen Bundes von dem er-warteten Zemach abzuleiten ist, wird indirekt gesagt, indem die Ver-heißung den oben bezeichneten Rahmen erhält: „Der Herr unsere Gerechtigkeit".

Diese indirekte Verbindung wird aber weiterhin zur direkten durch die Weissagung des Deuterojesaja. Die nationalen Schranken fallen, und der prophetische Gottesknecht, der die Sünden des Volkes trägt, wird zur διαθήκη ἐθνῶν bis an die Enden der Erde (49, 8 LXX vgl. V. 6). Damit ist aber für Israel selbst die absolute Voll-endung des Bundesverhältnisses gegeben. All das Zürnen Jahwes seit den Tagen Noahs, sogar der Kelch mit den Hefen seines Grimms (51, 17), wird zum „kleinen Augenblick" im Vergleich mit der ewigen

Gnade des neuen Friedensbundes (54, 8 f.). Und wie schon Noah die Verheißung empfing, daß der Zorn überwunden sein solle, so wird in bedeutungsvollem Zurückgreifen auf diesen Noah=Bund die neue διαθήκη τῆς εἰρήνης (54, 10 LXX) gegen alles Wanken und Weichen gesichert (54, 9 f.). Endlich wird 55, 3 f. noch einmal verheißen: διαθήσομαι ὑμῖν διαθήκην αἰώνιον, τὰ ὅσια Δαυὶδ τὰ πιστά, ἰδοὺ μαρτύριον ἐν ἔθνεσιν δέδωκα αὐτόν, ἄρχοντα καὶ προστάσσοντα ἔθνεσιν (LXX). So konzentriert sich die Verheißung der neuen διαθήκη immer mehr auf den Einen, in dem Gottes allmächtiges Wort (55, 10 f.) und Gottes heiliger Geist (59, 21 u. 61, 1)[1]) wirksam ist und durch dessen Wirken das Dorngestrüpp der Sünden sich in Zypressen verwandelt (55, 13 vgl. Gen. 3, 18): aus dem düsteren Blutopfer des Alten Bundes wachsen die lieblichen Bilder eines neuen gottgeschenkten Bundes voll Leben und Seligkeit.

Das war es, was Jesu vor Augen stand, als er den Abschied von seinen Jüngern zu einem Freudenmahl verklärte und ihnen den Kelch mit seinem αἷμα τῆς διαθήκης reichte. Im „Testament" des Neuen Bundes werden die, welche von Natur nicht Kinder und Erben sind, von Gott selbst zu Kindern und Erben gemacht, indem Christus sie an Gott hingibt, durch Hingabe seines Leibes und Hingeben seines Bluts. Diese alles übersteigende Gabe des „Für euch" verwandelt die ganze gottfeindliche Menschheit in ein großes „Für Gott". In ihr liegt die absolute kindliche Hingabe des einzelnen an Gott beschlossen. Wer Jesu Leib ißt und sein Blut trinkt, der „bleibet" in ihm (Joh. 6, 56). Die Frage, ob Jesus an dieser Stelle ausdrücklich seinen Tod im Auge gehabt hat, wird durch 6, 51 wahrscheinlich, ist aber von untergeordneter Bedeutung gegenüber der Tatsache, daß das Wort durch den Begriff der absoluten Hingabe den einheitlichen Grundzug seines ganzen Lebens und Sterbens aufdeckt. Wie Jesus zu Gott, so stehen die Gläubigen zu Jesus im Verhältnis absoluter Hingabe, die Gott selber gibt. Das Zeugnis für diese Hingabe ist das Wort Gottes in Jesu Munde, und das Siegel für die Wahrheit dieses Zeugnisses ist die Tat Gottes in Jesu Kreuz. Das Wort vom Kreuz und die Tat des Kreuzes werden im Sakrament des Neuen Bundes den Jüngern zugeeignet. All die unvollkommenen und disparaten, z. T. sogar sich widersprechenden Gedanken der alttestamentlichen Heilsveranstaltung und Heilsweissagung sind im Heilandsbewußtsein des sterbenden Jesus zu einer grandiosen Offenbarung

---

[1]) 59, 21 sind W o r t und G e i st geradezu Erkennungszeichen des Neuen Bundes.

vereinigt und vollendet, und der von ihm selbst geprägte Ausdruck für diese Offenbarung ist die καινὴ διαθήκη.

Das αἷμα τῆς διαθήκης weist aber zugleich auch zurück auf das andere Wort, das Jesus über seinen Tod gesprochen hat: das Wort vom **Lösegeld.** Sach. 9, 11 heißt es: Auch lasse ich durchs Blut deines Bundes los deine Gefangenen (LXX: ἐν αἵματι δια-θήκης). Diese Stelle steht im Zusammenhang mit der Verheißung des Friedensfürsten für die Tochter Zion (9, 9 f.), welche Jesus in absichtlicher Anlehnung an das Prophetenwort durch seinen Einzug in Jerusalem erfüllt hat. Von einem blutigen Ende des Mittlers ist außerdem im Sacharja bei 12, 10 und 13, 7 die Rede. Das Schwert, das den Hirten schlägt (13, 7), hat Jesus selbst auf sich bezogen (Matth. 26, 31; Mark. 14, 27; Joh. 16, 32). Er spricht davon un= mittelbar nach der Einsetzung des heiligen Abendmahls und stellt dadurch die Verbindung her zwischen dem Bundesblut und dem Löse= geld.[1]) Jes. 52, 3 heißt es: οὐ μετὰ ἀργυρίου λυτρωθήσεσθε, und 55, 1 ff. steht die Wendung: ἄνευ ἀργυρίου im Zusammenhang mit der Verheißung der διαθήκη αἰώνιος. Zwischen Kap. 51 und 55 aber steht 53 die Weissagung von dem, der sein Leben zum Schuld= opfer gegeben hat (53, 10), und durch dessen Wunden wir geheilet sind (53, 5). Daß Jesus selber dies Kapitel auf sich bezogen hat, ist durch Luk. 22, 37 belegt. Hält man damit die oben genannten Sacharjastellen zusammen, dann liegt ohne weiteres der Gedanke nahe, daß das nach Gottes Verheißung zu vergießende Blut an Stelle des Geldes zum Mittel der Loskaufung wird. Von Rechts wegen ist kein Mensch, auch nicht der eigene Bruder, imstande, den andern loszukaufen aus der Schuldhaft: Pf. 49, 8 f. Was kein Mensch für den andern tun kann, das kann allein Gott selbst für den Menschen tun: ὁ θεὸς λυτρώσεται τὴν ψυχήν μου ἐκ χειρὸς ᾅδου, ὅταν λαμβάνῃ με (Pf. 49, 16). Diese Tat Gottes für die Menschen ist Jesus sich bewußt zu tun. Er nimmt zwar von vornherein die Menschen in Gottes Namen an, indem er sich fortgesetzt an Gott hin= gibt. Aber diese tägliche Hingabe seines Lebens an Gott und die Menschen schöpft ihr Recht und ihre Kraft aus dem Blick auf die eine große Erlösungstat, zu der ihn Gott berufen hat. Sein Heilands=

---

[1]) Die Zusammengehörigkeit von Lösegeld und Opfer wird noch besonders durch das hebräische כֹּפֶר gesichert. Dieses bedeutet sowohl Lösegeld λύτρον, wie Sühnmittel ἐξίλασμα (Pf. 49, 8). Vgl. auch bei Paulus ἀπολύτρωσις Eph. 1, 7, ἀντίλυτρον 1. Tim. 2, 6, λυτρώσηται Tit. 2, 14.

bewußtsein ist mit der einen abschließenden Heilandstat so untrennbar verwachsen, daß bei einer ganz gelegentlichen Anweisung für das Verhalten der Jünger diese einzigartige Heilandstat wie etwas Selbstverständliches emportaucht: . . . διακονῆσαι καὶ δοῦναι τὴν ψυχὴν αὐτοῦ λύτρον ἀντὶ πολλῶν Matth. 20, 28 = Mark. 10, 45. Die Parallelstelle bei Luk. 22, 26 ff. hat merkwürdigerweise hier anstatt des λύτρον ein Zurückgreifen auf das Bundesmahl. Das kurz zuvor von Jesus gestiftete Abendmahl verbürgt also noch ein zukünftiges Mahl in der Herrlichkeit. Auch Johannes berichtet das Wort vom Dienen im Anschluß an das letzte Mahl (13, 16). Und bei ihm wiederum tritt an die Stelle der Abendmahlseinsetzung der konkrete Dienst der Fußwaschung. Dabei wird das Sakramentsmahl durch 13, 18 als vorhanden vorausgesetzt. Hier gibt Johannes den von Jesus zitierten Ps. 41, 1 in einer Form wieder, die unmittelbar auf das heilige Mahl zugeschnitten ist. Während in der Septuaginta steht: ὁ ἐσθίων ἄρτους μου, schreibt Johannes ὁ τρώγων μου τὸν ἄρτον. Damit greift Johannes in der Sache zurück auf das bestimmte Brot, das Jesus als „sein" Brot ausgeteilt hat, im Ausdruck aber wiederholt er zugleich, was Jesus 6, 58 von seinem Fleisch gesagt hat: ὁ τρώγων τοῦτον τὸν ἄρτον.

Aus dieser mannigfaltigen Zusammenstellung von Abendmahl, Liebesdienst und Lösegeld ergibt sich, daß die drei Begriffe etwas Gemeinsames haben. Dieses Gemeinsame ist wiederum die vollkommene Hingabe. Aus dem Abendmahl ist dieser Begriff oben schon entwickelt. Aus dem Liebesdienst ergibt er sich von selbst. Nur für das Lösegeld muß er noch klargestellt werden. Das Lösegeld ist nach Jesu eignen Worten das hingegebene Leben, also die Hingabe selbst. Diese Hingabe Jesu in seinem Blute wirkt erlösend, weil das Blut der Preis ist, für den Jesus die Menschen, denen er dient, zum Eigentum gewinnt. Die Gefangenen[1]) werden losgekauft durch das Bundesblut (Sach. 9, 11). Das Blut des Neuen Testaments macht

---

[1]) Deißmann, Paulus S. 100 f., setzt an die Stelle der Gefangenen die Sklaven und gewinnt dadurch eine Beziehung zu der antiken „sakralen Sklavenbefreiung": „Der seitherige Herr kommt mit dem Sklaven in den Tempel, verkauft ihn dort dem Gotte und erhält aus der Tempelkasse den Kaufpreis, den der Sklave dort vorher aus seinen Ersparnissen niedergelegt hat. Dadurch wird der Sklave Eigentum des Gottes, den Menschen gegenüber aber ist er ein Freier." Dieses Gleichnis besagt an der entscheidenden Stelle gerade das Gegenteil der christlichen Heilslehre. Hier wird der Sklave durch selbstverdientes Geld losgekauft, während der Christ weiß, daß allein Christi Verdienst ihn losgekauft hat. Mag Paulus sich

die in Sünde Gefangenen zu Gottes Kindern (f. o.). Vgl. die Er=
klärung des zweiten Artikels: „Ich glaube, daß Jesus Christus ...
mich erlöset hat . . . mit seinem heiligen, teuern Blute . . ., auf daß
ich sein eigen sei." Eine Person ist freies Eigentum der andern
nur durch freie Hingabe, durch die Liebe. Diese wird schon im Alten
Testament gefordert als absolute Liebe „von ganzem Herzen, von
ganzer Seele, von allem Vermögen" (Deut. 6, 5; 11, 13). Sie besteht
darin, daß man Gott gehorcht und ihm anhanget (Deut. 30, 20),
und sie kann ohne weiteres gleichgesetzt werden mit dem Dienen
(Deut. 10, 12; 11, 13).

Im Liebesdienst gibt Jesus sich selbst. „Die vollkommene
Äußerung der Liebe Jesu besteht darin, daß er sich selber gibt.
Das ist einer der Grundgedanken des Evangeliums. Jesus gibt nicht
sachliche Gaben, auch nicht Kräfte oder Ideen, sondern er gibt sich
selber. . . . Jesus ist das Leben, der Weg, die Wahrheit, die Auf=
erstehung, das Licht, das Wort. Das alles sind nicht Gaben, die
Jesus an die Seinigen abtritt, um dann zurückzutreten, vielmehr gibt
er das alles, indem er sich selber gibt. . . . Er kann sich selbst nur
dadurch hingeben, daß er stirbt. Sein Tod wird damit als Voll=
endung seiner Selbsthingabe und also als Vollendung seiner Liebe
beschrieben."[1]

Diese Liebe wird von Jesus als Inbegriff der göttlichen For=
derung bestätigt.[2] Jesus hat das Siegel seines Todes unter das
Liebesgebot gedrückt und es damit zur absoluten Erfüllung gebracht.
Was Gott eigentlich mit dem uralten Liebesgebot meint, hat er erst
in der absoluten Hingabe des Gekreuzigten ganz enthüllt. Eine
größere Liebe als die des für uns Hingegebenen gibt es nicht. Dessen
ist Jesus sich selber wohl bewußt gewesen.[3]

Aber man würde dem Bewußtsein Jesu ganz und gar nicht
gerecht, wenn man sein ganzes Werk auf diese Herausstellung des
Liebesgebotes reduzieren wollte. Denn die Abendmahlsstiftung und
das Wort vom Lösegeld gehen darüber ebenso hinaus, wie überhaupt
das Selbstbewußtsein Jesu über das eines menschlichen Vorbilds

im Ausdruck an den geläufigen Vorgang anlehnen — in der Sache sagt er etwas
ganz Neues. Und zur Erklärung der Sache genügt durchaus das alttestamentliche
Bild der israelitischen Gefangenen.

[1] Lütgert, Die Liebe im Neuen Testament. Leipzig 1905. S. 153.
[2] Matth. 22, 36—40; Mark. 12, 28—34; Luk. 10, 25 ff.
[3] Joh. 15, 13.

hinausgeht. Jesus ist sich bewußt gewesen, durch sein Sterben etwas absolut Neues, für die Welt Unersetzliches zu geben. Er wollte ihr Gott selber geben, indem er sie an Gott gab. Wie er selbst ganz und gar in Gott ist und dadurch Gottes Gabe an die Welt wird, so macht er seine ganze Hingabe an Gott zur Gottesgabe für die Welt. Weil sein Opfer an Gott gegeben wird, kommt es der Welt zugute. Er gibt der Welt nicht nur ein Vorbild und einen subjektiven Anreiz zur Liebe, sondern durch die einzigartige Tat seines gottgeweihten Sterbens stiftet er die Liebe objektiv ins Herz der Welt hinein. In seiner Hingabe ist die Welt an Gott hingegeben (Joh. 3). In seinem Sterben stirbt die lieblose sündige Welt und steht mit ihm ohne Sünde auf. Von dem engen Kreise des „Für euch" geht der Blick des scheidenden Jesus auf den Neuen Bund mit allen Völkern (Jes. 49), von der Erlösung der „vielen" geht er zum „Leben der Welt" (Joh. 6). Von dem Alten Bunde mit Israel schreitet die Geschichte durch Jesu Tod weiter zum Neuen Bunde mit der sündigen Welt. Das in der Geschichte Israels verankerte Bundesopfer wird zum Darstellungs= mittel für das in der Weltgeschichte verankerte Opfer Jesu Christi. So hat Jesus selbst in seinem Tode die jüdisch=kultische Opfertat ver= wandelt in die weltgeschichtliche Heilstatsache.

Die Weltversöhnung steht schon im Gesichtskreise des syn= optischen Jesus, noch ehe er auferstanden ist. Dafür berufen wir uns nicht auf die wenigen kritisch angefochtenen Stellen, in denen er von der Verstoßung Israels und dem Kommen der Heiden redet, sondern wir berufen uns auf das Kreuz. Das Kreuz bedeutet für Jesus den Bruch mit seinem Volk. „Das hat Jesus von Anfang an gewußt."[1] Wenn sein Heilandsbewußtsein an dieser Tatsache nicht zerbrochen ist, sondern sie sogar zum beabsichtigten Heilsmittel hat machen können, dann war das nur möglich durch den Gedanken an das Heil der ganzen Welt. Diese Gedankenverbindung Jesu ist auch durchaus nichts Neues. Sie stammt schon von den Propheten. Auch sie haben im Angesicht des ihr Wort verwerfenden Volkes sich an der Gewiß= heit aufrecht gehalten, daß Israels Unheil zum Heil für alle Völker wird. Das tritt besonders in dem Leidenspropheten Jesu, im Deutero= jesajas, deutlich hervor. Man drückt also Jesum unter die Propheten herab, wenn man ihm das Bewußtsein seiner universalen Sendung nimmt. Daß man ihn dadurch vergewaltigt, zeigt schon seine Selbst=

---

[1] Vgl. Kähler, Versöhnung S. 87 ff.

bezeichnung: der Menschensohn. Scheidet man aus ihr das universale Moment aus, dann wird das deutliche Wort zu einem unverständlichen Geheimnamen, der jeder willkürlichen Erklärung preisgegeben ist. In Wirklichkeit gibt Jesus in diesem Namen seine Sendung an die Menschheit kund.[1]) Der Menschensohn ist der Messias, der die nationalen Schranken abgestreift hat und „als Mensch zu den Menschen" kommt. Darin liegt das Kreuz als Bruch mit der jüdischen Nation beschlossen. Der Menschensohn wird von den Seinen verkannt, verworfen und erniedrigt bis zur tiefsten Schmach (Luk. 19, 31 f.). Aber das ist zugleich seine „Erhöhung" zum Heiland der Welt (Joh. 3, 13—17). Andrerseits sind die Juden, die ihn verwerfen, typische Vertreter der ganzen Menschheit, und indem der Menschensohn von den Menschen verworfen wird, hat die Welt sich selbst gerichtet (Joh. 3, 18—19).

Alle diese Gedanken konnten aber von Jesus nur angedeutet werden. Ihre klare Herausstellung hätte sein Wirken in Israel unmöglich gemacht. Israel war der einzige Ort in der Welt, von dem aus er die Welt gewinnen konnte. Außerhalb Israels wäre er, von einzelnen Ausnahmen abgesehen, noch viel weniger verstanden worden. So mußte er dem nationalsten Volk der Welt ein übernationales Heil bringen und in dem kreuzesfeindlichsten Volk der Erde das Kreuz aufrichten. Man denke sich einmal ohne vorgefaßte Meinungen rein menschlich in diese Situation des Menschensohnes hinein, und man wird begreifen, daß Jesus nur mit größter Zurückhaltung, mit Schlangenklugheit und äußerster Vorsicht sein eigentliches Ziel offenbaren konnte, wenn er nicht alles verderben wollte. Und der Erfolg hat ihm recht gegeben. Sein Ziel ist tatsächlich verstanden worden, in Israel sowohl, wie in der ganzen Menschenwelt. Und daß es verstanden wurde, das ist die Frucht seiner Kreuzestat. Nicht Worte und Belehrungen waren dazu imstande. Nur das wirkliche, persönliche Lebensopfer, die tatsächliche, der ganzen Welt vor Augen gemalte absolute Hingabe an Gott vermochte dies Ungeheure zu vollbringen.

Daß Gott selbst im Zentrum der Kreuzestat Jesu steht, wird von **Johannes** noch ganz besonders betont. Das Kreuz ist die δόξα Jesu, weil er in ihm dem Vater die δόξα gibt. So steht es allerdings in schärfstem Kontrast zu aller Herrlichkeit, die Jesus selber

---

[1]) Kähler, Versöhnung S. 75 ff.

hat. Es vernichtet alle seine eigene δόξα und läßt nur zwei Möglich=
keiten offen: entweder ist es tatsächlich die Vernichtung des Lebens=
werkes Jesu, oder es ist von vornherein in dies Lebenswerk mit
aufgenommen als gewolltes höchstes Ziel des Lebens. In letzterem
Fall drückt es schon dem ganzen Leben seinen Stempel auf und stellt
es unter das Zeichen der Vernichtung aller eigenen δόξα. So ist es
in der Tat bei Jesus gewesen: ἐὰν ἐγὼ δοξάζω ἐμαυτόν, ἡ δόξα
μου οὐδέν ἐστιν. ἔστιν ὁ πατήρ μου ὁ δοξάζων με, sagt Jesus
Joh. 8, 54, nachdem er 8, 28 seine Erhöhung bezeichnet hat als das
Zeichen dafür, ὅτι ἐγώ εἰμι καὶ ἀπ᾽ ἐμαυτοῦ ποιῶ οὐδέν. Dieses
Zunichtemachen des Eigenen ist aber mit keiner pessimistischen Resig=
nation verbunden, sondern mit triumphierender Siegesfreude. Denn
dadurch gießt sich die ganze δόξα des Vaters über ihn aus. Sterbend
bringt das Weizenkorn seine Frucht durch Gottes Kraft (12, 24). Der
Verzicht auf die eigene δόξα, der bis zum Hassen des eigenen Lebens
(12, 25), bis zur Todbetrübnis der Seele (12, 27) geht, führt zur δόξα
Gottes (12, 28; 17, 1). Indem der Sohn seine δόξα an Gott hin=
gibt, gibt ihm Gott die seinige. So vollendet sich die Gemeinschaft
in gegenseitiger Hingabe, deren Grund und Ziel allein Gott ist.

Dieses Verhältnis zwischen Jesus und Gott ist aber zugleich ein
Verhältnis beider zur sündigen Welt. Gott liebt im Sohne die Welt
(3, 16 ff.). Indem der Sohn sich sterbend an Gott hingibt, gibt er
sich den Seinen; der Hirt läßt sein Leben für die Schafe (10, 12. 15.
17), der Freund stirbt für die Freunde (14, 13). Der Spender des
Lebens (6, 48; 14, 6) gibt sein Fleisch für das Leben der Welt (6, 51).
Geben und sich geben lassen ist der Lebensinhalt Jesu (3, 16. 27. 35;
5, 36; 6, 37. 65; 10, 29; 11, 22; 14, 27; 17, 2. 6. 7. 8. 9. 24; 18, 9);
er lebt von der Hingabe und stirbt in ihr. Die Größe dieser Tat
Jesu sei durch einen Vergleich mit unserm Verhalten beleuchtet. Wir
suchen bei unsern Mitmenschen beständig nach der Schranke ihres
Wesens. Auch da, wo wir bewundern, sind wir doch bewußt oder
unbewußt auf der Lauer, ob wir nicht irgendwo den Punkt finden,
wo unsere Bewunderung aufhört. Hier kommt schließlich alle Helden=
verehrung zum Scheitern. Jesus hat für sich keine Heldenverehrung,
ja nicht einmal Bewunderung beansprucht. Er hat die Schranke
seines Wesens nicht versteckt, sondern offen vor aller Welt gezeigt.
Seine Schranke ist das Kreuz. „Der Sohn kann nichts von sich
selber tun, sondern was er siehet den Vater tun" (Joh. 5, 19). Daß
Jesus sein Leben lang durch den Willen des Vaters beschränkt war,

das offenbart er im Tode. Aber hierin wird zugleich die ganze Größe des Kreuzes offenbar. Die Schranke selber wird zum Mittel der Unbeschränktheit, der Verzicht auf Macht zum Werkzeug der Allmacht. Der Gekreuzigte ist der Allmächtige, der die Macht über alle (Joh. 12, 32) hat, weil in ihm Gott für alle mächtig ist. Der Dorngekrönte ist der wahre, überweltliche König (19, 19 vgl. 18, 36 f.).

Die Fülle der Liebestat begründet die Fülle der Freude. Wie schon bei den Synoptikern das Abendmahl ein Freudenmahl ist, werden bei Johannes die ganzen Abschiedsreden das Zeugnis heiliger Freude. Die Freudenstellvertretung leuchtet bis in die Tiefen der Gerichts= stellvertretung (Joh. 12, 31; 14, 30 vgl. 16, 8; Matth. 27, 46; Mark. 15, 34) hinab und verklärt so den dunkeln Todesweg in den hellen „Gang zum Vater“ (Joh. 12—17). Doch bleibt dabei die Not als reale Not bestehen (Joh. 12, 27; 16, 6. 32. 33; Matth. 26, 36—46; Mark. 14, 32—42; Luk. 22, 39—46; Matth. 27, 46; Mark. 15, 34 Gethsemane und Gottverlassenheit). Aber der Blick geht über die Not hinaus auf die Auferstehung (vgl. die sämtlichen Leidensweis= sagungen).

Auch im ersten Johannesbrief ist der Gekreuzigte der, der ewig leben wird, und er bleibt für immer der lebendige Fürsprecher beim Vater als Versöhner der ganzen Welt (1. Joh. 2, 1 f.). Sein Blut hat reinigende Kraft (1, 7; 5, 6) in dem Sinne, daß die Sünde wirklich weggenommen ist für den, der in Christo bleibt (3, 5 f.); er kann nicht sündigen, weil er in Christo von Gott geboren ist (3, 9; 5, 4 f.). Sofern aber der versöhnte Christ sich selbst und sein natür= liches Wesen ansieht, bleibt er ein Sünder (1, 8 ff.; 5, 16 ff.). Auch die versöhnte Welt bleibt zugleich eine Welt, die im argen liegt (5, 19 vgl. 2, 2). So verdammt uns zwar unser Herz, aber Gott in Christo ist größer als unser Herz (3, 20). Das Subjektiv=Menschliche wird überwunden durch Gottes objektives Heil. Aber dieses Heil umschließt nun auch unsere subjektiven Betätigungen und schafft in uns das neue Leben des Gehorsams, der Liebe und der Gerechtigkeit (1, 5; 2, 17; 3, 29; 4, 16; 5, 3). Der Ausdruck für dieses objektive Heil, welches das Subjekt einschließt, ist auch bei Johannes das Opfer Christi in dem erweiterten Sinne, welcher die ganze Fülle der Person Christi und seiner Liebe einschließt, und welcher dem oben entwickelten Begriff der δόξα analog ist. So bezieht sich Joh. 19, 36 sowohl auf das Passahlamm (Exod. 12, 46), wie auch auf den lei= denden Gerechten nach Ps. 34, 21. Damit wird ohne weiteres der

Übergang zu Sach. 12, 10 = Joh. 19, 37 und zu Jes. 53 gewonnen.
Der leidende Gottesknecht, der mit dem Lamm verglichen wird, ist
auch der Träger der Sünde (53, 4. 6. 8. 10. 11. 12). Trotzdem liegt
kein deutliches Zitat aus Jes. 53 vor, wenn es Joh. 1, 29 heißt:
ἰδὲ ὁ ἀμνὸς τοῦ θεοῦ ὁ αἴρων τὴν ἁμαρτίαν τοῦ κόσμου. Denn
im Jesajas trägt nicht das Opferlamm, sondern der wie ein Lamm
geduldige Mittler die Sünden, und das entscheidende Prädikat αἴρων
kommt Jes. 53 nicht vor; dort steht φέρω (V. 4) und ἀναφέρω
(V. 11. 12). Auch von dem Passahlamm ist der Ausdruck, daß es die
Sünden trägt, nicht nachweisbar, sein Blut ist vielmehr das Kennzeichen
der Unschuld Israels. Es fließen Joh. 1, 29 mehrere Vorstellungen
in eins zusammen. Die beiden disparaten Gedanken des großen Versöhnungstages,[1]) daß der eine Bock die Sünden sühnt und der andere
die Sünden an den Fluchort trägt, sind hier im Anschluß an das
Jesajasbild vom Lamm zur absoluten persönlichen Hingabe an
Gott vereinigt. Diese Hingabe geht so weit, daß er den Sündern
ihre Sünde abnimmt (1, 29 u. 36), und sie in der Kraft des Geistes
von der Taufe (1, 31 ff.) bis ans Kreuz trägt (1. Joh. 1, 7). Sein
Blut ist die Vollendung der Gemeinschaft mit Gott, weil es die Versöhnung für unsere Sünden ist (1. Joh. 2, 2; 4, 10). An Stelle des
sonst gebräuchlichen ὑπέρ gebraucht Johannes in diesem Zusammenhang das περί, welches in der LXX das Sündopfer bezeichnet. Wer
wie Johannes die LXX genau kennt und aus ihr gewohnt ist, die
bloßen Worte περὶ ἁμαρτίας als Sündopfer zu lesen, der kann hier
mit den Worten ἱλασμὸς περὶ τῶν ἁμαρτιῶν nichts anderes als das
Opfer meinen.

Auch in der Apokalypse erscheint das Lamm nicht speziell
als Passahlamm, sondern „als Schlachttier κατ’ ἐξοχήν“[2]) und damit
als Bezeichnung für den von Jesus geschaffenen erweiterten Opferbegriff, frei von den jüdischen Kultuszeremonien. So kann sein Tod
dem Sterben der Gläubigen ohne weiteres zur Parallele dienen

---

[1]) Im alttestamentlichen Gedankenkreise trägt nicht das Opfertier Gottes,
sondern der dem bösen Asasel geweihte Ziegenbock die Sünden (s. o. S. 230). Wohl
aber vermag der sündlose persönliche Mittler die Sünden stellvertretend zu tragen,
ohne daß er den Charakter des heiligen Opfers verliert. In seiner völligen Hingabe, nicht an den bösen Geist, sondern an Gott, wird er mit dem Lamm verglichen (Jes. 53, 7).

[2]) Vgl. Friedrich Büchsel, „Die Christologie der Offenbarung Johannis." Dissertation. Halle 1907, S. 26.

(2, 7. 10. 17. 26; 3, 5. 12. 21; 21, 7). Das Blut ist der Kaufpreis (5, 9. 10) und das Reinigungsmittel der Gläubigen (7, 14; 1, 5). Diese Wirkung hat Jesu Tod, weil er Gottesdienst, Opfer ist: „Läge der Grund des Todes Jesu nur innerhalb der geschichtlichen Situation, so bliebe seine Bedeutung notwendig auf einen Kreis von Menschen beschränkt; aber weil sein Tod seinen Grund in Gottes Willen hat, ist sein Ertrag unbeschränkt. Jesu Sterben kommt also freilich den Menschen zugute. Aber sein höchster und eigentlicher Zweck liegt nicht in den Menschen, sondern in Gott. Weil Gott es will, stirbt Jesus. Sein Tod ist begründet nicht im menschlichen Bedürfnis an sich, sondern in Gottes Willen, und im menschlichen Bedürfnis nur, sofern dieses eben abhängt von dem Willen Gottes. Gott dient Jesus in seinem Sterben. Insofern liegt hier also der Opfergedanke vor. Freilich ist er nirgends direkt ausgesprochen; und diesen Gedanken in dem, was in der Apokalypse über Jesu Tod gesagt ist, weiter zu folgen, trägt zum Verständnis der Einzelheiten nichts bei, sondern führt nur zu seltsamen Umdeutungen des Textes. Dieser Wille Gottes ist einfach etwas Gegebenes und Bekanntes."[1] Das Bedeutsamste an der Apokalypse ist für uns dies, daß nach ihr Gottes Endgericht schon in die gegenwärtige Weltgeschichte hineinragt und sich mit ganz besonderer Schärfe an der empirischen christlichen Gemeinde vollzieht (vgl. bes. die Sendschreiben). Darin liegt eine Parallele zu Jesu Drohreden in den Evangelien, welche an Schärfe und Wucht weit über den Drohreden der alttestamentlichen Propheten stehen.

#### d) Jesu Gleichnis vom verlornen Sohn als Zusammenfassung seines Heilswirkens.

Das ganze Versöhnungswerk läßt sich auf die einfache johanneische Formel bringen, daß Jesus „zum Vater geht". Aber dabei ist die unerläßliche Voraussetzung, daß er der Träger der Weltsünde ist (Joh. 1, 29. 30). Wenn er als solcher zum Vater geht, geht die Sünde, die er trägt, in das Gericht des Todes. So steht neben dem „Gang zum Vater" das Wort vom „Lamm, das erwürget ist" (Apok. 5, 12). Beides, der helle Blick auf das Leben beim Vater, und der dunkle Blick auf den Tod der Sünde, ist eins. Es sind nicht zweierlei Beziehungen, sondern der Gang zum Vater ist selbst der Tod der Sünde. Denn der Vater und die Sünde sind unvereinbar. Wo der Vater ist, da ist die Sünde tot.

---

[1] Büchsel, l. c. 21 u. 25.

Damit kommt Jesu Gang zum Vater in Parallele zur Heimkehr des verlorenen Sohnes. Dies Gleichnis ist aus dem Herzen dessen geflossen, der unsere Sünde trägt und in Gottes Kraft überwindet. Wo diese Tatsache übersehen wird, da entstehen die modernen Erklärungen, die abseits vom Kreuz in die Irre führen. Das ist von E. Cremer[1] nachgewiesen. Die moderne Auffassung ist die des Deismus, die es weder zu einer wirklichen Gemeinschaft, noch zu einem wirklichen Handeln zwischen Gott und Menschen kommen läßt. „Wo ist in der modernen Anschauung ein Handeln Gottes aufzuweisen, welches auch nur im entferntesten verglichen werden könnte diesem Handeln des Vaters, mit seinem Entgegen- kommen, sowie mit den gehäuften Beweisen einer Liebe, die sich selbst nicht genug tun kann? Der modernen Anschauung würde das Gleichnis entsprechen, wenn der Vater dem Sohne einen Boten senden würde, der diesen seiner liebevollen Nachsicht versicherte! . . . So führt uns diese Auffassung eben doch nicht über den In- tellektualismus hinaus. Jesus bleibt der Bote, der eine Botschaft bringt, eine Botschaft, die aus seiner Person begreiflich, durch sie glaubhaft wird, aber immer nur der Bote der göttlichen Liebe, welcher verkündigt, daß Gott uns liebt. Von einem eigentlichen Erweis dieser Liebe weiß die moderne Anschauung nichts" (S. 83 f.). „Dem heimkehrenden Sohn kommt kein Vater liebend entgegen" (S. 90).

„Der Mensch gleicht in der modernen Anschauung nicht dem Sohn, der mit freiem Entschluß das Haus des Vaters verläßt, sich von ihm lossagt, das Kindesverhältnis seinerseits bricht. Nach der deistischen Anschauung kann der Ursprung der Sünde nur im Irrtum bezw. der Unwissenheit gesucht werden und wird er hier gesucht. . . . Die religiöse Energie fehlt, weil die sittliche Energie fehlt. Die Sünde wird nicht ernstlich als ein Bruch des Verhältnisses zu Gott von seiten des Menschen gefaßt" (S. 89). Aber nicht nur die moderne Theorie von der göttlichen Liebesoffenbarung, sondern auch die orthodoxe Lehre von der göttlichen Zornesoffenbarung versagt an diesem Gleichnis. Das wird durch Cremers eigene Position deutlich. C. muß hier zugeben: „Die Analogie mit unserm Gleichnis scheint an dieser Stelle freilich zu versagen" (S. 100). Darum muß C. ebenso wie die Modernen über den wirklichen Tatbestand des Gleichnisses

---

[1] Die Gleichnisse Luk. 15 und das Kreuz (Beitr. z. Förd. chr. Theol. VIII, 1904, 4, S. 69 ff.)

hinausgehen und „zwischen den Zeilen lesen". Er sagt von dem
Vater, was das Gleichnis nicht sagt: ihm sei „die Schuld des Sohnes
wie eigene Schuld; nur um den Preis kann er vergeben . . ." Zu
dem Preis kommt auch noch die Schmach, welche die Sünden des
Sohnes schon im Urteil des Bruders zur Folge haben (S. 101). So
findet C. die Übereinstimmung mit seiner Auffassung der alten Lehre:
„Danach leidet Jesus für die Sünde der Welt. Für diese wird
nicht die Welt gestraft; damit sie nicht an der Welt gerichtet wird,
geht er in den Tod. So steht er sterbend vor Gott als Vertreter
der Welt. Er steht vor Gott als der, der sich mit den Sündern ganz
eins weiß und nun begehrt, für sie zu leiden, damit sie nicht leiden
müssen. Ihm soll ihre Schuld zugerechnet werden, damit sie ihnen
nicht zugerechnet wird" (S. 95). Dieser exklusiven Strafstellvertretung
widerspricht aber das Gleichnis durchaus. Wenn man von einem
Leiden des Vaters überhaupt sprechen will, dann ist es keinesfalls
ein solches, das den verlornen Sohn nicht trifft, sondern der Vater
leidet mit dem Sohne mit. Der Vater trägt mit ihm die Schmach,
die der Bruder dem Bruder antut. Der Vater fühlt des Sohnes
Schuld mit; aber damit nimmt er dem Sohne das Schuldgefühl nicht
weg, sondern er bestätigt es ihm, indem er ihn vor allem Gesinde
als den einst Verlorenen bezeichnet. Also nicht die exklusive, sondern
vielmehr die inklusive Strafstellvertretung, in welcher der
Retter sich mit dem Verlorenen ganz zusammenschließt, ließe sich aus
dem Gleichnis heraus lesen.

Aber diese Konstruktion, die das Hauptgewicht auf das nebenher
Gesagte legt, ist gar nicht nötig, um einen Einklang mit dem Wort
vom Kreuz zu schaffen. Der einfache Wortlaut des Gleichnisses und
der Kernpunkt seines Sinnes stimmen vielmehr mit dem biblisch ver=
standenen Kreuz Jesu vollkommen überein. Cremer selbst bietet für
dieses Verständnis wertvolle Andeutungen. Er weist nach, daß der
Gott von Golgatha derselbe ist, wie der vom Sinai, dessen Liebe
„das Gesetz in sich birgt" und der „dem dem Gericht der Gottesferne
mit innerer, sozusagen naturgesetzlicher Notwendigkeit verfallenen
Sünder doch noch einmal Vergebung darbietet" (S. 104). „Der
Gott, welcher den Himmel zerreißt und im eingeborenen Sohn selbst
uns begegnet, er gleicht dem Vater, welcher dem so lange Verlorenen
entgegeneilt und sich an den Beweisen seiner Liebe nicht genug
tun kann. Hier ist die Liebe nicht beschränkt auf die Sendung eines
Boten, hier ist die Verheißung erfüllt: Ich will mich meiner Herde

selbst annehmen und sie suchen. Und wenn wir nun sehen, wie
Jesus mit den Sündern zu Tische sitzt, den Jüngern die Füße wäscht,
und selbst dem Verräter den Kuß nicht weigert, finden hier nicht die
einzelnen Züge des Gleichnisses, die Umarmung, das Festmahl, ihre
das Abbild überbietende Verwirklichung?" (S. 87.)

Diese Doppelseitigkeit der strafenden und der vergebenden Gottes=
tat im Gleichnis vom verlorenen Sohn ist von Julius Kögel[1])
herausgestellt und in Gegensatz zu Jülichers Auslegung gesetzt.
Jülichers Wort, daß Gott nicht erst nach dem Tage von Golgatha,
sondern „schon jetzt auf seine verlorenen Kinder warte", wird
von Kögel durch ein Wort Schlatters gerade dazu benutzt,
Jesu Mittleramt zu illustrieren: Das Gleichnis ist „Zug für Zug
auf denjenigen Vorgang bezogen, der sich jetzt durch das Ver=
halten der Gerechten und der Verschuldeten gegen Jesus vollzieht.
Jetzt kehrte der Gefallene zu Gott um, denn die Zöllner und Sünder
traten zu Jesus heran. Jetzt nahm sie der Vater auf, bereitete
ihnen das Festmahl und gab ihnen das Ehrenkleid; denn Jesus
nimmt sie an und steht mit seiner Liebe und Gemeinschaft für sie ein.
Jetzt hört der gerechte Bruder die Festfeier und grollt; denn die
Gerechten sehen die Gefallenen in Jesu Gemeinschaft, grollen und
schänden sie" (Anm. 11, S. 36). Daß dieses Verhalten Gottes in der
Person Jesu nichts Selbstverständliches, sondern etwas Unerhörtes ist,
belegt Kögel durch die Äußerung eines Sozialisten: „Unsere Sym=
pathie steht ganz auf der Seite des älteren Sohnes. Er hatte wahrlich
keine Ursache, darüber fröhlich zu sein, daß sein Bruder als ein ver=
lotterter Mensch zurückkehrte und Schande über die ganze Familie
brachte. . . . Die Behandlung, welche der Vater seinem jüngeren
Sohn angedeihen läßt, schließt eine schwere Ungerechtigkeit gegen den
älteren Sohn in sich. . . ." Dazu bemerkt Kögel mit Recht gegen
alle modernen Beschönigungen dieses Gleichnisses: „Es sträubt sich im
natürlichen Menschen stets etwas gegen diese Behandlung, die dem
jüngeren Sohn zuteil wird, und es muß sich erst einmal etwas in
uns dagegen gesträubt haben, sollen wir in die Tiefe eindringen"
(Anm. 4, S. 34 f.). Darum ist es falsch, aus dem Gleichnis die
schönsten Ideen herauszulesen und die rauhe Wirklichkeit dabei zu
ignorieren. Vielmehr ist das Entscheidende die völlige Einheit von
Wort und Tat. „Bloße Gedanken, auch wenn sie noch so tief sind,

[1]) Das Gleichnis vom verlorenen Sohn. Bibl. Zeit= u. Streitfr. V, 9, Berlin 1909.

retten nicht aus der Verzweiflung. . . . Hätte Jesus das Gleichnis
vom verlorenen Sohn nur erzählt, es wäre nicht das seligmachende
Evangelium geworden; daß er es gelebt hat und durch sein ganzes
Tun und Leiden besiegelt hat, das ist das Entscheidende" (S. 33).
„Das, was das Gleichnis will, bewährt sich an dem, wie Jesus lebt
und wie er stirbt." Dabei ist der Tod Jesu nicht, wie in der alten
Lehre, als ein besonderes Geschehnis, losgelöst vom Leben, sondern
als „die Spitze des Lebens Jesu" anzusehen und sein ganzes Mittler=
amt nicht so aufzufassen, daß „Jesus zwischen Gott und Menschen
tritt". Vielmehr ist die Einheit des Lebens und Sterbens Jesu zu=
gleich seine tatsächliche Einheit mit Gott und mit der Menschheit
(S. 20—32). Das Aufsehenerregende, Ungeheuerliche der Tatsache,
daß der heilige Gott die Sünder annimmt, wird durch Jesu Sterben
erst gewiß (S. 22 vgl. 32).

Dieses Resultat Kögels bestätigt sich uns durch die einfache Aus=
legung des Tatbestandes. Die Veranlassung zum Gleichnis gab Jesu
der Widerspruch der Pharisäer und Schriftgelehrten gegen die von
ihm geübte Sündenvergebug (Luk. 15, 2). In ihrem Murren wirft
für ihn selber das Kreuz schon seine Schatten voraus. Aber in seiner
Gnade leuchtet auch schon von ferne die Gnade des Kreuzes. Jesus
ruft zur Rechtfertigung seiner Sündenvergebung den Himmel selber
zum Zeugnis an (Luk. 15, 7. 10. 22). Seine bedingungslose, voll=
kommene Vergebung ist nichts anderes, als die Vergebung des Vaters
selbst. Der Vater des verlorenen Sohnes trägt, wie auf jenem Bilde
Wilhelm Steinhausens, die Züge Jesu. Darum entspricht es nicht der
Wahrheit, wenn man sagt, Jesus selber habe in dem Gleichnis keinen
Platz. Vielmehr ist es die lebendige Verkörperung des von Johannes
aufbewahrten Wortes: „Wer mich siehet, der siehet den Vater"
(14, 9; 12, 45). Wie der heilige Vater sich zur Sünde und den Sün=
dern verhält, und wie die Sünder sich zu ihm verhalten, das will
Jesus zur Verteidigung seines eigenen Verhaltens sagen. Gott nimmt
wie Jesus die Sünder so an, daß ihre Sünde stirbt. Die Sünder
sind in sich und ihrem eigenen Wesen Verlorene, die der Vater heim=
zieht, um ihnen die volle Gnade zu schenken. Indem Jesus das
Gleichnis spricht, trägt er die Sünde der Verlorenen zum Vater, und
er trägt sie so, daß die Sünde stirbt. Der Verlorene ist bei seiner
Heimkehr tatsächlich von der Sünde los. Er ist bereit, die Strafe zu
dulden. Aber diese Strafe trennt ihn nicht vom Vater, sondern bringt
ihn zum Vater. Er will Tagelöhner sein, nur um des Vaters Nähe

zu haben. Wie er über den Vater denkt, das ist das Spiegelbild dessen, wie der Vater wirklich ist. Er weiß, daß der Vater die Sünde straft. Er hat ihn nicht als einen weichlichen Schwächling in der Erinnerung. Die Art, wie der Vater ihn einst ziehen ließ, ohne zu bitten, daß er bleiben soll, spricht für einen festen Charakter, der es über sich gewinnt, den leichtsinnigen Sohn in das offensichtliche Elend laufen zu lassen. Aber die suchende Liebe, mit der der Vater ihm entgegenkommt, zeigt auch, daß es nicht Härte war, den Sohn ziehen zu lassen. Er ließ die Sünde in ihm so lange auswirken, bis sie starb. Auch in der Ferne hielt er den Sohn durch seine charakter- volle Vaterliebe so fest, daß dieser unter dem Strafgericht da draußen nicht verzweifelt, sondern durch den Gedanken an den Vater heim- getrieben wird.[1])

Und wie er kommt, sieht der Vater auf den ersten Blick, daß das Strafgericht seinen Zweck erreicht hat. Einen frechen, unbuß- fertigen Sohn hätte er nicht umarmt, sondern zu den Schweinen zurückgeschickt. Das wäre der natürliche Verlauf des Gleichnisses gewesen. Aber im verlornen Sohn regte sich nicht die Natur, sondern das christliche Gewissen, das durch die Strafe geweckt ist. Nun, da er genug gestraft ist, bleibt die Strafe auch nicht einen Augenblick länger auf ihm. Er war dort draußen weit unter das Niveau eines Tagelöhners hinabgesunken. Der Vater hätte ein Recht, ihn zu den Knechten zu schicken. Seine erziehende Liebe ist nichts Selbstverständ- liches, auf das der Sohn pochen könnte, sondern sie bleibt auch in diesem Gleichnis unbegreifliche Gnade. Der, der so tief gesunken, wird über alle hinausgehoben. Er ist und bleibt der „Sohn", weil

---

[1]) Kögel l. c. S. 16 u. 18: „Wir können . . . daraus lernen, worin die Strafe besteht, die Gott über die Sünde verhängt. Denn nicht das ist die Strafe, wie meist die Vorstellung ist, daß sie als ein besonderes Erleben neben die Sünde tritt, sondern die Strafe ist in diese Entwicklung der Sünde selbst hinein- gelegt. Gott straft die Sünde, indem er sie sich immer tiefer in sich selbst verstricken läßt. . . . Und zwar ist das Wunderbare, daß Gott nun gerade durch dies vorher besprochene Gesetz, das in die Sündenentwicklung eingeschlossen ist, das Ziel des Heiles zu erreichen trachtet. Durch das, wie er die Sünde straft, arbeitet er selber an den Menschenherzen, so daß jeder, der schließlich zur Einkehr gelangt, er- kennt, wie Gottes Einwirkung es ist, die ihn dazu gebracht hat. So verbindet sich Gottes Heiligkeit und sein Erbarmen, nicht als zwei nebeneinander hergehende, sondern sich gegenseitig bedingende Betätigungen. Sie treten beide unmittelbar aus dem rechten Verständnis des Gleichnisses heraus und brauchen nicht erst hineingetragen zu werden."

der Vater von sich aus das Sohnesverhältnis aufrechterhält, obwohl es der Sohn von sich aus nicht aufrechtzuerhalten vermag. Er findet im Vater eine tatsächliche Liebe vor, die über sein subjektives Bewußtsein und über all sein Verstehen hinausgeht. Sein subjektives Bewußtsein verurteilt ihn als des Vaters nicht wert. Und der Vater bestätigt bei aller seiner Liebe diese Selbsterkenntnis, indem er den Sohn vor allen Tagelöhnern als den bezeichnet, der für ihn tot und verloren war. Dieses Bewußtsein der eigenen Unwürdigkeit wird den Sohn nicht mehr verlassen, solange er mit dem Vater und seinen Tagelöhnern zusammen ist. Es ist ihm nicht nur eine Phrase, wie so oft im Christenleben; es ist ihm bitter ernst damit. Aber es hat seinen Stachel verloren, und es verwandelt sich unter der Liebe des Vaters immer wieder in die Seligkeit des Heimgefundenen. Ganz aufgehoben wird dieses Gefühl der eigenen Verlorenheit erst im Himmel sein, wo wir wirklich in des Vaters Hause, da die vielen Wohnungen sind (Joh. 14, 2), daheim sein werden bei dem Herrn (1. Kor. 5, 8; Phil. 1, 23; Röm. 8, 18—25). Hier auf Erden haben wir die volle Seligkeit der himmlischen Heimat nur „in der Hoffnung" (Röm. 8, 24). Das Gleichnis reicht von der Erde zum Himmel, wie auch das Kreuz von der Erde zum Himmel reicht. So findet sich in diesem vielumstrittenen Gleichnis Jesu der vom Kreuz aus gewonnene Gottesbegriff und zugleich das auf das Kreuz gegründete subjektive Bewußtsein, beides in der vollen Tiefe, und beides ganz ungesucht. Es wäre eine Sinnlosigkeit, zu verlangen, daß Jesus in diese wundervolle Geschlossenheit des Gleichnisses noch einen „Mittler" hätte hineinbringen müssen, wenn sein Kreuz für ihn grundlegende Bedeutung hätte. Diese materialistische Auffassung des Mittlers widerspricht vielmehr auch dem Kreuz. Der einzig mögliche Sinn des gekreuzigten Mittlers ist nach diesem Gleichnis der, daß man sowohl im Vater, als auch im verlorenen Sohn die Züge des Stellvertreters wiederfindet, der der Welt Sünde trägt, tötet und sühnt. Als Jesus auf Golgatha in Gottverlassenheit starb und dieses Sterben nicht als unvermeidliches Verhängnis litt, sondern als den Willen Gottes, der die Sünde tötet, da wurde er für uns der verlorene Sohn des Vaters. Aber diese Verlorenheit ist in keinem Moment eine Verwerfung oder Verstoßung seiner Person. Er bleibt in aller Verlorenheit der Sünde als Sohn mit dem Vater verbunden. Denn es ist das Wesen des Vaters, daß er den Sohn an sich zieht, aber die Sünde von sich stößt.

Dieses Wesen des „Vaters" offenbart sich nicht in bloßen Ge=
danken und Ideen, die entweder von vornherein feststehen, oder,
nachdem sie einmal ausgesprochen sind, ihre Überzeugungskraft in
sich selber tragen. Sondern dieses Wesen geht so sehr über alles
Denken und Verstehen hinaus, daß der Glaube daran dauernd von
dem wirklichen Taterweis abhängig ist. Die Tatsache, daß der
Vater wirklich dem Sünder die Arme entgegenstreckt, sind die aus=
gebreiteten Arme des Gekreuzigten. Inwiefern das Kreuz diese Be=
deutung der entscheidenden Tatsache hat, wird durch den Opfer=
gedanken ausgedrückt. So wird durch das Kreuz nichts Fremdes in
das Gleichnis vom verlorenen Sohn hineingetragen. Die Buße des
Sohnes und die Gnade des Vaters sind vielmehr verankert in Jesu
Kreuz. Beides, unser bußfertiger Glaube und seine Gnade, bleiben
sein Geschenk an uns. Beides läßt sich nicht aus allgemeinen Ideen
ableiten, sondern behält das Unbegreifliche, das nur durch die Tat=
sache wirklich wird. Jesus will und kann mit dem Gleichnis nicht
sagen, daß alle verlorenen Söhne heimkehren, und daß das Ver=
halten des Vaters einfach aus dem allgemeinen irdischen Vaterbegriff
folgt. Beides, die Heimkehr und die Annahme, werden auf die ersten
Hörer wie ein unbegreifliches Wunder gewirkt haben. Man sehe
sich nur die wirklichen verlorenen Söhne und die wirklichen Väter
dagegen an! Wieviel weiß das Großstadtelend zu erzählen vom Trotz,
der nicht heimkehren will, und von der Verzweiflung, die nicht mehr
heimkehren kann. Wo findet sich ein Sohn, der es fertig bekommt,
seine Schuld mit solcher tiefen Reue und doch mit solchem Vertrauen
zum Vater zu tragen! Und wo finden sich die Väter, die solch Ver=
trauen und solche Reue zu wecken imstande sind! Statt dessen weiß
die Seelsorge genug von Eltern zu erzählen, die entweder durch zu
große Härte oder durch zu große Weichheit an der Verlorenheit ihrer
Kinder selbst mitschuldig sind. So ist wahrlich dies Gleichnis „nicht
von dieser Welt". Und wenn es so ist, wie kommen wir dazu, seine
überweltliche Wahrheit anzunehmen? Weder das Judentum zur
Zeit Jesu, noch der allgemein=menschliche Moralismus kennt solch einen
Vatergott, der das Verlorene sucht; sie kennen nur den Gott, der die
Verlorenen verdammt und die Gerechten belohnt. Haben wir doch
den Mut, die idealistischen Sentimentalitäten und Träumereien, die
sich gerade an dieses Gleichnis gehängt haben, abzuschütteln, und die
ganze unfaßbare Größe dieser Heilandsworte in die harte, erbarmungs=
lose Weltwirklichkeit hineinzustellen! Dann werden wir von selbst

merken, daß die Perſon und das Werk Jeſu notwendig dazu gehört,
und daß es nur einen Schlüſſel zu dieſer Himmelstür gibt: das
Kreuz!

Daß wir mit dieſer Auslegung des Gleichniſſes recht haben, be=
weiſt Jeſu eigenes Verhalten in der Wirklichkeit. Der erſte, den
Jeſu Kreuz heimgerufen hat, war auch ein verlorener Sohn (Luk. 23,
40—43). Er fühlt ſich in der Verdammnis der Todesſtrafe (V. 40).
Aber das natürliche Verlangen, dieſer Strafe zu entgehen, wie es ſich
in dem andern Schächer wild aufbäumt, iſt bei ihm ſtille geworden
durch den Anblick des Gekreuzigten. Er bekennt, daß er nichts
andres verdient hat (V. 41). Aber er begehrt die Gnade, die aus
einem andern Reiche jenſeits dieſer Welt des Todes ſtammt (V. 42).
Dieſe Buße und dieſer Glaube im Aufblick zum Gekreuzigten iſt das,
was Jeſus in uns weckt, um uns wie jenem Verlorenen das Paradies
des himmliſchen Vaterhauſes zu ſchenken (V. 43).

Ähnlich iſt es auch mit den anderen Verlorenen, die Jeſus ſucht,
um ihnen zu vergeben. Der Kern der Vergebung iſt, daß der Ver=
gebende Macht behält über den, dem er vergibt. Es gibt ein
Vergeben aus Ohnmacht, und das iſt nicht Gnade, ſondern Sünde.
Im Kreuz vergibt Jeſus ſo, daß er die Macht über uns behält. Er
hat niemals in Ohnmacht vergeben, ſondern im Vollbewußtſein ſeiner
Macht, wie er es beſonders deutlich beim Gichtbrüchigen zeigt. Es
liegt Jeſu alles daran, daß die, denen er vergibt, durch die Fülle
ſeiner Gnade an ihn gebunden bleiben. Er hat ſelten Maſſenheilungen
und niemals Maſſenvergebungen vollbracht. Das Heilen, wie das
Vergeben, war ihm Mühe und Arbeit (Matth. 8, 17; Jeſ. 53, 4;
Jeſ. 43, 24), nach welcher er die Stille ſuchte (Luk. 4, 42). In beidem
vollzog er einen göttlichen Schöpferakt, im Heilen ſichtbar, im Ver=
geben unſichtbar (Matth. 9, 1—8). Beides vermag er in der Kraft
desſelben Geiſtes (Luk. 4, 18), durch den er der „Geſalbte" iſt. Und
wo das Heilen am Unglauben ſeine göttliche[1]) Schranke findet, da
taucht ſchon der Hohn auf, den er am Kreuze hören muß (Luk. 4, 23
u. 23, 35: hilf dir ſelber), und die rohe Gewalt ſtreckt ihre Hände
nach ihm aus (Luk. 4, 29). Hier zeigt ſich, daß das Wunder nicht
die höchſte meſſianiſche Tat ſein kann; denn es vermag den Un=
glauben nicht zu überwinden. Der wirkliche Unglaube wird nicht

---

[1]) Es iſt eine völlige Verkennung der Sache, wenn man in dieſer „Ohnmacht"
Jeſu ſeine menſchliche Schranke ſieht.

durch äußere Zeichen und sichtbare Machtbeweise überwunden, sondern
durch die innere unsichtbare Gottesmacht, die ohne Zwang in völliger
Freiheit wirkt. Diese Gottesmacht bringt das Kreuz zur Wirkung.
Es setzt die Wundermacht und die Überlegenheit Jesu über Menschen
und Verhältnisse (Joh. 10, 18; 18, 6; Matth. 11, 27) voraus, aber es
wirkt gerade durch den bewußten Verzicht auf das Geltendmachen
dieser Macht. Es schafft die Vergebung auch für die Ungläubigen,
weil es Glauben schafft. Es ist die greifbare Verkörperung der
glaubenschaffenden Person Jesu „für viele". Jesus hat niemals
gesagt, daß die Vergebung, die er vor seinem Tode den einzelnen
gibt, ohne weiteres für alle gilt, oder daß etwa die Reue dem
Menschen ein Recht auf Gottes Verzeihung gibt. Den universalen
Gnadencharakter seiner Sündenvergebung hat er vielmehr nirgends
anders, als im Zusammenhang mit seinem Kreuz verkündet. Dies
ist der wirkliche historische Tatbestand. Wer dem historischen Jesus
ein anderes Verhalten zuschreibt, bewegt sich nicht mehr auf dem
Boden wissenschaftlicher Beweisführung, sondern auf dem der Hypo-
these und Phantasie. Außerdem wird durch solch Verfahren der
wahrhaft persönliche Charakter der Vergebung verletzt. Jesus hat
in zartester und tiefster persönlicher Berührung mit dem einzelnen
Sünder die Sünde aufgedeckt und ihn von ihr losgelöst. Sobald diese
seelsorgerliche persönliche Berührung mit dem Heiligen fortfällt, wird
die Vergebung zu einer Gotteslästerung. Darum hat Gott das
Kreuz in die Welt gestellt, damit wir in ihm fortwährend den Berührungspunkt mit dem heiligen, uns persönlich suchenden Heiland
haben, und die Sakramente des Kreuzes, Taufe und Abendmahl,
sind der faßbare Ausdruck für diese persönliche Gegenwart dessen,
der sich uns gibt, um uns vergeben zu können. Das Kreuz ist die
verkörperte Schöpfermacht des Gottes, der die „neue Kreatur" schafft.
Zachäus, der Gichtbrüchige, Maria Magdalena und andere haben
zwar in dem Augenblick, als Jesus ihnen ihre Sünde vergab, die
ganze Fülle seiner Macht und Gnade empfangen. Aber die Tiefen
dieser Fülle haben sie erst dann ausgeschöpft, als ihnen der, an dem
ihre Vergebung hing, „weggenommen" wurde und dann wieder-
kam, um ihnen ewig nahe zu sein. Da erst wurden sie von dem
Kultus seiner Person ganz frei und fanden im Kreuz ihren Gott,
der uns alles nimmt, um uns alles zu schenken. Der Jesus, der
die Sünden vergibt, ist der, der den Kreuzeswillen hat und die
Sünder zu dem gleichen Kreuzeswillen führt, damit ihre eigene

Sünde stirbt. Wird dieses Ziel verschwiegen oder verschleiert, dann wird der Inhalt der Vergebung entleert. Daß der, der die Sünde vergibt, von der Sünde verstoßen wird, das ist der deutliche Sinn des Kreuzes, der in allen Vergebungsgeschichten anklingt. Dadurch wird Jesu göttliche ἐξουσία erst besiegelt. Dadurch schafft er wirklichen Glauben. Nicht, daß da ein beliebiger Mensch auftritt und kraft seiner eigenen Erkenntnis die allgemeine Vergebung des Vaters „verkündet", sondern daß dieser Mensch einen ganz besonderen, an seine Person gebundenen Auftrag von Gott hat, das ist der Sinn der von Jesus geübten Sündenvergebung. Daß aber der Auftrag dazu wirklich von Gott kommt und nicht die Frucht eines irgendwie gesteigerten Menschentums ist, wird am Kreuze offenbar. Der, an dessen Person die Vergebung gebunden ist, gibt sein Personleben in den Tod, um Gott zu „heiligen". Er opfert sich nicht nur für die, die ihn als Gotteslästerer verwerfen, sondern auch für die, die in Gefahr sind, ihn mit Gott zu verwechseln und Vergötterung mit ihm zu treiben. Der Gekreuzigte kann nicht mit Gott verwechselt werden. Denn Gott kann nicht sterben. Indem Jesus wirklich und mit Willen starb, hat er die Ursünde der Menschheit, das Verlangen zu „sein wie Gott" (Gen. 3), in den Tod gegeben und Gottes Ehre gewahrt. Er hat dadurch die Sünder vor der Verirrung gesichert, als könnten sie sich ihre Sünden selber vergeben. Denn wenn Jesus nur kraft seines Menschentums die Vergebung verkündigen würde, dann könnte jeder Mensch an Jesu Stelle treten und sich die Vergebung selber zusprechen. Im Angesichte des Gekreuzigten ist solcher Irrwahn unmöglich. Am Kreuz legt Jesus seine Vollmacht, zu vergeben, in Gottes Hände zurück. Hinfort ist nur aus Jesu sterbenden Händen die göttliche Vergebung zu erlangen. Indem Jesus die Vergebung aus seinem eigenen Kreuzeswillen fließen und in seinen und der Sünder Kreuzeswillen ausmünden läßt, offenbart er, daß sie aus Gottes ewigem Ratschluß stammt. Damit hebt er sie über das Willkürliche, Zufällige und Ungewisse hinaus und sichert sie für immer und für alle. Durch diese Vergebung wird nicht das Menschentum, sondern Gott geehrt, während das Menschentum als solches in den Tod gegeben wird. Nur so kommt Gottes Leben zur Auferstehung. Jesu Todesgewißheit ist das Unterpfand seiner Auferstehungsgewißheit. Stirbt der Christus nach Gottes Willen, dann ist sein Tod nicht das Ende, sondern der Eingang zum Leben. Aber auch als Auferstandener behält er die Merkmale des Todes, die nun zu Siegesmalen geworden sind (Joh. 20, 7; Apok. 5, 12; 13, 13). Darum kann der Sünder, der im Glauben mit ihm persön= lich verbunden ist, den Tod seiner Sünde überwinden und „leben, ob er gleich stürbe" (Joh. 11, 25). Einen andern Weg zum Leben gibt es nicht (Joh. 14, 6; Matth. 11, 27). Denn der heilige Gott vergibt dem Sünder nur so, daß seine Sünde stirbt. Am Kreuze wird erst völlig offenbar, was Jesus damit meinte, wenn er von Gott sprach: Gott ist der, der die absolute Hingabe von uns fordert und sie uns zugleich im Glauben aus Gnaden schenkt.[1]) Der Ausdruck dieser absoluten Hingabe ist das Gebet im Geiste des Gekreuzigten: „Nicht mein, sondern dein Wille geschehe." Das ist, wie das ganze Vater= unser, das Gebet des Versöhnten, der durch Christi Kreuz mit Gottes Willen eins geworden ist. Nicht das Leiden an sich, sondern nur das getragene Leiden ist Gottes Wille. Das Kreuz schenkt uns diesen Segen des getragenen Leidens, und von dort aus kann jeder auch für die getragene Sünde und Strafe Verständnis gewinnen. Der Gekreuzigte hat alles, was uns bedrückt, zu Gott getragen, und alles, was uns erhebt, von Gott gebracht. In seinem Sterben offenbart sich der Sinn seines ganzen Lebens.

So wird Jesu ganzes Wort ein Wort vom Kreuz, weil es das Wort von Gott ist, und das Kreuz wird die vollendete Offenbarung, in welcher Gottes königlicher Vatername geheiligt wird, Gottes königlicher Wille geschieht und Gottes Königreich kommt (Matth. 6, 9 f.; Luk. 11, 2; Joh. 17, 17—19; 18, 36, vgl. 1. Kor. 15, 27; Hebr. 10, 9 f. u. Apok. 12, 10 f.).

---

[1]) Das ist der eigentliche Gottesbegriff Luthers. Vgl. Mandel: Das Gottes= erlebnis der Reformation (Beitr. z. Förd. chr. Theol. 1916, 3, S. 23—27).

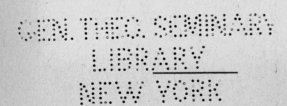

**Bonwetsch**, G. Nath., Univ.-Prof. D., **Grundriß der Dogmengeschichte.** 2. Aufl. 12 M., geb. 14 M.

**Dunkmann**, K., Univ.-Prof. D., **Der christliche Gottesglaube.** Grundriß der Dogmatik. 1920. 16 M., geb. 19,20 M.

**Hadorn**, W., Univ.-Prof. D., **Die Abfassung der Thessalonicherbriefe** in der Zeit der dritten Missionsreise des Paulus. 6,75 M.

**Jeremias**, Joh., Pfr. D., **Der Gottesberg.** Ein Beitrag zum Verständnis der biblischen Symbolsprache. 10 M., geb. 12 M.

**Jelke**, Rob., Univ.-Prof. Lic. Dr., **Das Grundproblem der theologischen Ethik.** 4 M., geb. 4,80 M.

**Kögel**, Julius, Univ.-Prof. D., **Der Zweck der Gleichnisse Jesu im Rahmen** seiner Verkündigung. 3,85 M.

— — **Zum Schriftverständnis des Neuen Testaments.** I: Matthäus-Evangelium. 1,50 M. — II: Johannes-Evangelium. 1,80 M. — III: Galaterbrief. 1 M. — IV: Römerbrief. 2,40 M.

**König**, Ed., Univ.-Prof. D., **Friedrich Delitzsch's „Die große Täuschung"** kritisch beleuchtet. 3,50 M.

— — **Die Genesis.** Eingeleitet, übersetzt und erklärt. 25 M., geb. 28 M.

— — **Geschichte der alttestamentlichen Religion.** 2. Aufl. 16 M., geb. 10,20 M.

**Mie**, Gust., Univ.-Prof. Dr., **Die Gesetzmäßigkeit des Naturgeschehens.** (Studien des apolog. Seminars in Wernigerode. 2. Heft.) 4,50 M.

**Nelle**, Wilh., Prof. D., **Schlüssel zum evangel. Gesangbuch für Rheinland und Westfalen.** Die 580 Lieder dieses Buches nach Geschichte, Gehalt und gottesdienstlicher Verwertung. 2. Aufl. 15 M., geb. 17,50 M.

**Pfennigsdorf**, E., Univ.-Prof. D., **Im Kampf um den Glauben.** 10 M. geb. 12 M.

**Procksch**, Otto, Univ.-Prof. D., **Petrus und Johannes** bei Marcus und Matthäus.

**Petrich**, Herm., D., **Unser geistliches Volkslied.** Geschichte und Würdigung lieber alter Lieder. 17 M., geb. 20 M.

— — **Paul Gerhardt.** Ein Beitrag zur Geschichte des deutschen Geistes. Auf Grund neuer Forschungen und Funde. 9,60 M., geb. 11,20 M.

**Pohlmann**, Hans, Pfr. Lic. theol., **Die Grenze für die Bedeutung des religiösen Erlebnisses bei Luther.** 8,50 M.

**Schwarz**, Herm., Univ.-Prof. D., **Über neuere Mystik** in Auseinandersetzung mit Bonus, Joh. Müller, Eucken, Steiner. (Studien des apolog. Seminars, 1. Heft.) 6,50 M.

**Stange**, Carl, Univ.-Prof. D., **Die Lehre von den Sakramenten.** (Studien des apologetischen Seminars, 3. Heft.) 6,50 M.

— — **Die Religion als Erfahrung.** 3,60 M., geb. 4,50 M.

— — **Luther und das sittliche Ideal.** 4 M.

**Weber**, H. E., Univ.-Prof. D., **Historisch-kritische Schriftforschung und Bibelglaube.** Ein Versuch zur theologischen Wissenschaftslehre. 2. Aufl. 7,20 M., geb. 8,40 M.

**Werdermann**, Herm., Lic., **Die Irrlehrer des Judas- und zweiten Petrusbriefes.** 4,80 M.

Hierzu der übliche (20%ige) Sortimentszuschlag.

# Verlag von C. Bertelsmann in Gütersloh.